権威と分節

近現代中国の社会・教育・文化に関する断章

Authority and fragmented segment:
A fragment of study for modern and present Chinese society, education and culture.

水盛 涼一

多摩大学出版会

序章

一．本書の視角

中国とは何者なのか。どのような社会構造であるのか。これからどのように歩んでいくのか。様々な人々が多彩な観点からこの問いに挑んできた。現在の中華人民共和国は大陸の一隅に立地し、広大な版図と有数の人口を持ち、悠久の歴史に裏打ちされた文化や世界屈指の規模に成長した経済によって大きく注目を集める存在である。しかしそれだけでは先の問いに答えたことにはなるまい。

また、多くの論者は中国がまさに変化の直中にあることを指摘するであろう。とはいえ、その変化は鴉片戦争から始まったものか、あるいは孫文の運動か、辛亥革命か、五四運動か、諸党の成立か、建国「解放」か、改革開放か、果ては現政権の誕生によるものか、またその根源が内発性であるのか外因性であるのか、伝統の力は如何ばかりであるのか、「西洋の衝撃」はどの程度の影響を与えたのか、やはり議論は尽きない。おそらく変化は単純唯一の原因に帰せられるものではなく、複雑に絡み合い相互に影響しあっていよう。

もちろん筆者の力量ではこのような巨大に過ぎる疑問には対し得ない。それでもなお知りたいのは彼らの社会の内実であり、また行動規範である。近代社会経済史を専門とする村上衛は、中国における「社会・経済を規定してきた慣習・常識・規範・秩序・行動パターンといった固有の「制度」」について概括し、「外からの衝撃を受けると、表層に近い「制度」は変化を強いられるものの、深層にまで衝撃は伝わらず、変化はほとんどみられない。中国のような巨大で重層性をもつ国家は、こうした「制度」の容器が大きいうえに重層的で深層は深く、外からの衝撃によって容易には変化しがたい部分が存在するのが特徴と思われる」と提起する。[1] 変容期にあって人々はどのような規範に基づき行動するのか。本書では近代と現代から二つの時期を切り取り、その様態を観察するものである。

さて、本書では表題に「分節」の語を掲げている。そもそも人文学における分節なる言葉とは、デュルケームが一八九三年に『社会分業論』で唱えた概念に由来するものである。[2] デュルケームはここで人間社会の発展段階のうち機械的結合（Mechanical Solidarity）の状態を環節動物の持つ環形の節（Segment）の形状にたとえた。というのも、環節動物は類似した環節を連結してこそ生命を維持できるため、同質的で類似した血縁による氏族から形成される社会（segmental societies with a clan base）は環節動物同様に生存のみを企図した機械的結合により維持されるとする。デュルケームによれば、機械的結合と対置されるのが有機的結合（Organic Solidarity）となる。そして彼の暮らした十九世紀末のフランスにおける職業集団や同業集団こそがその有機的結合の顕著な例であるといい、機械的結合が社会的要請により発展した段階とするのである。

以降、デュルケームの提唱した環節社会という理念は、その後おもに文化人類学や都市社会学において多く論じられることとなった。ただし、デュルケームは環節動物が類似した環節・分節を持つことをもって血縁に基づく環節社会を描きだしたものの、いつしかそれは社会構造のなかに存在する大小の集団を理解するための概念へと変容していった。ここでは小規模なものから家族、リニージ（同祖集団）、クラン（氏族）、クラン連合（部族）、部族連合（民族）へと大規模化していくそれぞれの節目が分節として理解されるようになったのである。[3] これは少なくとも中国に関する歴史社会研究においても同様で、[4] 分節とはデュルケーム本来の環節ではなく、樹形の構造を指すものとして捉えられている。また、社会の動態を把握するため分節化（Segmentalization）の有無や変容が模索された。分節化とは、下位集団が一定の力をもち上位集団のもとで自律的活動を行うようになること、あるいはそれまで分節として認識されないような存在があらたに下位集団を形成することを指す。この分節という表現は地方主義（Regionalism）や地方分権化傾向（Decentralization）のような語とも密接な関係性を持ち[5]、後述する分析概念「Fragmented Authoritarianism」の訳語の一案としても採用されている。中央政府指導層ならざる大多数の人々が、自らの属する社会集団――あるいは「分節」とも取り得るような――においてどのような規範にもとづき如何なる行動をみせるのか。本書はこのような視角にもとづく個別観察を目指すものである。

二．演者たちへの視座

中国の社会構成について、清朝末期に梁啓超は「一盤散沙」（一枚の盆に散らばる砂の様にまとまりなく国のなかで散在する人々）と形容し[6]、孫文も折に触れ同様に表現している[7]。といってそれは往時において国家そして国民としての観念が希薄であったことを指弾するものであって[8]、全く社会性が存在しなかったことを主張するものではない。ただし中国は特徴的な統治構造を持つことでも知られていた。遠くマックス・ウェーバーは人口に比して官僚の少ない――ただし無給の胥吏がその狭間を補う――中国を「粗放的」な「家産制的支配」の一例と論じている[9]。またドゥアラは国家による官僚制統治が末端たる農村において「the cultural nexus of power」（権力の文化的結節）すなわち共同体や市場そして各種行為者の相互結節によって無力化してしまう姿を描き、その状況を「involtuion」（内旋化、漢語圏では内巻とする）と表現した[10]。同時期にはスコットはマレーシアを舞台に「道徳経済」や「弱者の武器」を提起[11]、農民たちが抑圧者に対して積極的な打開策たる武装蜂起ではなく消極的な手法で対抗する行動様式そして心情や論理を描いた。あるいはランキンやロウはハーバーマスの提唱にかかる「公共圏」（Public sphere、ドイツ語ではÖffentlichkeit）[12]を近代中国に見いだそうとし[13]、議論を呼んだ[14]。圧倒的にみえる国家の権威があったとして、なお人々にはそれぞれの行動に論理がある。行為者、演者、アクターなどと呼ばれる行動主体としての個人あるいは団体の持つ規範意識に注目が集まるようになったのである。

とはいえ現代中国で彼ら演者の行動を跡付けるのは容易ではない。なにより第一には資料的な理由が挙げられる[15]。もとより出版物は厖大であって悉皆調査は困難であるほか、その一部を構成する内部発行文書は国外持ち出しを禁じられ、国内でも流通や閲覧が制限されている[16]。それでもなお、現地の図書館や公文書館あるいは田野調査といった手法で研究が推進されてきた。バーネットは文化大革命前夜における官僚たちの政策調整を論じている[17]。米中国交樹立の後には西側諸氏の訪中も容易になった。おりしも改革開放をむかえ江沢民政権に入ると、経済面では地方主導の様相が強くなる。また政府にとり過去に経験のない新規分野が澎湃と誕生し、民間部門との協調も必要となった。政府標語で会議や集団指導が標榜されたこともあり、政策立案にも上意下達の性格に協同調整の側面が色濃くあらわれる。そこでランプトンたちは変動の趨勢を踏まえつつ、調整役として中央が立ち現われ時には集権化に貢献する姿、なお続く思想政治方面での引き締めを指摘している[18]。さらにここでリーバソールとオクセンバーグは政策の合意形成について演者とその過程が「disjoined」（分離状態で）、「protracted」（長期的で）、「incremental」（漸進的）である「Fragmented Authoritarianism」（分節的権威主義）を主唱したのである[19]。

さらに東欧諸国の政権が崩壊するなかで中国が強靭性（resilience）をもって国力を上昇させると、党の柔軟な適応能力や巧妙な制度設計にも関心が集まった。それは毛沢東以来の「緩い集権制」によるものなのか[20]、ゲリラ戦と群衆路線が政策立案方式へと転換したものなのか[21]、あるいは改革開放によってもたらされたものなのか。しかも続く胡錦濤政権ではさらに経済は増進し、新興産業が成長し、また人々に情報端末が行き渡ったために言論空間は拡大し、いよいよ分権化が進んだようにもみえた。[22]本源的に官僚制度には上意下達の性格を持ったため、当初から「分節的」の言葉には誤解への疑義も呈されていた。[23]また、指導部の権限や政策立案過程を越え、さらに多様な演者へ対象を広げる必要性も訴えられた。[24]分節的権威主義を意識しつつ、過去に等閑視されてきた人民代表大会や党大会、あるいは党と民間企業の関係など、さらに多様なアプローチが試みられている。[25]ただし、習近平政権が登場し状況は変化した。少なくとも報道ベースでは政権の集権志向が連呼され、関係各位による合意形成の上での政策立案は後退したようにみえたのである。なおその要素は指摘されるものの、[26]「分節的権威主義」論は縮退してしまったと言ってよい。

とはいえ、上意下達への異議申し立てのみが演者の能力ではあるまい。さきには「内旋」「弱者の武器」を紹介した。演者は上意の過剰忖度のほか、上意を利用した中間分節による下方の抑圧、職務遅滞や実質的不履行といった手段を有す。また「大きな政府」志向は中間人員の増加や管理監督をめぐり中間分節の肥大化をもたらすだろう。所謂「縦割行政」にあって末端が増大すれば、その先端で癒着が発生することもあろう。分節は不同意や合意形成参加のみならず積極的同意という行動も取り得る。[27]本書の目的は、こうした演者たちの振る舞いを確認していくことにあるのである。

三．本書の構成

人々の関係性は言説にこそ表出する。そこで第一部第一章では言説の模様と当局の関与そして人々の対応を導き出すことを企図した。ここでは分節による自主規制や過剰忖度が行われ、また時には事案の隠滅が発生するであろう。また第二章では分節が主体となった関係性の構築を検討する。分節が分節たり得るのは結節点が存在するためである。指導者ならざる中間の分節がどのように上下関係や結束紐帯を確認するのか時代推移を追う。なお第一部は近代を主要な対象とする。いわく「中華人民共和国の成立による断絶面をあまりにも過大に評価し、四十九年前後の連続面ないし継承面に十分な注意を払わない傾向が根強く存在」するという。[28] それでもなお近代と現代では各種条件に多大な差異が存在しようが、本書では意をもって近代部分を封入した。

また、第二部は現代をあつかう。第三章では標語宣伝をめぐる分節の対応を確認する。民政部門と軍政部門では立脚する法律も政策主要対象者も大きく異なるが、なお相似形を描いて変容していった。そしてこの第三章を基礎とし、以降の第四章では従来に関係性の希薄であった党と企業の関係性を跡づけ、第五章および第六章では教育行政および大学入学試験制度の変化から政策の貫徹と分節の対応を追う。そして第七章では過去に比類なく稠密に浸透する政府組織とその構成員の姿を確認し、第八章では中央の意向のもと分節が主体となって強靱化に挑み他者の支援を誘う行動を注視する。付言すれば、本書は歴史学的手法に拠っている。批判もあろうが、[29] まずは実態の堆積を主旨としたことをお許し戴きたい。

注

(1) 村上衛「序文」(村上衛編『転換期中国における社会経済制度』京都大学人文科学研究所、二〇二一年一月)。なお経済面における一九四九年を跨ぐ連続性・継承性を考察する論著は少ないという(久保亨・加島潤・木越義則『統計でみる中国近現代経済史』東京大学出版会、二〇一六年九月)。

(2) Émile Durkheim, *De la division du travail social*, Presses Universitaires de France, 1893.(英語表題は The Division of Labour in Society、井伊玄太郎訳『社会分業論』理想社、一九三二年六月・九月)。原語では「環節社会」(la socété segmentaire)、「機械的結合」(la solidarité méchanique)、「有機的結合」(la solidarité organique) と表現する。

(3) 松田素二「民族再考——近代の人間分節の魔法」(『インパクション』第七十五号、一九九二年六月)、家族から民族へいたる巨視的な分節構造について村上泰亮『文明の多系史観――世界史再解釈の試み』（中央公論社、一九九八年六月）など。

（4）たとえば清朝末期から現代にいたる「分節化」の諸相を明らかにするべく、『現代中国研究』が「現代中国における「統合」と「分節化」」と題して「階層分化と国家統合」（第十四・十五合併号、二〇〇四年九月）、「社会基盤整備の現代史」（第十七号、二〇〇五年九月）、「近現代中国における「中央―地方」」（第十九号、二〇〇六年十月）として三度の特集を行っている。

（5）岩井茂樹「中華帝国財政の近代化」（飯島渉・久保亨・村田雄二郎編『シリーズ二十世紀中国史』第一巻『中華世界と近代』（東京大学出版会、二〇〇九年七月）。なお岩井は近代中国の財政を「あたかもマトリョーシカ人形のように、外の人形の内側には同じ容貌の人形があり、その内側の人形のなかにも同じ容貌の人形があるといったみごとな入れ子構造をなしていた」（「清末の外銷経費と地方経費」森時彦編『中国近代化の動態構造』京都大学人文科学研究所、二〇〇四年二月。のち岩井茂樹『中国近世財政史の研究』京都大学学術出版会、二〇〇四年二月、第四章として収録）と形容する。

（6）早期に清末の人口に膾炙したであろうものとして梁啓超『飲冰室合集』文集第二冊第五編「十種徳性相反相成義【清光緒二十六年】」其一「独立与合群」の「同業聯盟之組織頗密、四民中所含小群無數也。然終不免一盤散沙之誚者、則以無合群之徳故也」が挙げられる。なおその初出は『清議報』第八十二冊（光緒二十七年（一九〇一年）五月初一日）「本館論説」である。この語の由来は光緒二十二年（一八九六年）刊行の林楽知（Young John ALLEN）『中東戦記本末』であるという。藤井隆「「一盤散沙」の由来――広学会と戊戌変法運動」（日本現代中国学会編『現代中国』第八十二号、二〇〇八年九月）、穐山新「中国近代思想における「専制」「自由」「自治」――「ばらばらの砂」の近代」（筑波大学社会学研究室編『社会学ジャーナル』第三十九号、二〇一四年三月）を参照のこと。

（7）たとえば孫文『三民主義』「民族主義」「第一講【民国十三年一月二十七日講】」（『国父全集』第一冊、近代中国出版社、一九八九年十一月）には「中國人最崇拜的是家族主義和宗族主義、所以中國只有家族主義和宗族主義、沒有國族主義。外國旁觀的人說、中國人是一片散沙」とある。

（8）詳細は岡本隆司「緒論」（同『中国の誕生――東アジアの近代外交と国家形成』名古屋大学出版会、二〇一七年一月）。

（9）遺稿集 Max WEBER, *Wirtschaft und Gesellschaft*. Mohr Siebeck, 1922. の部分訳として世良晃志郎訳『支配の社会学』第一巻『経済と社会』（創文社、一九六〇年七月）、また野口雅弘訳『支配について』第一巻『官僚制・家産制・封建制』（岩波書店、二〇二三年十二月）。地域在住の知識人や農民と胥吏の関係については山本英史「清末民国期における郷村役の実態と地方文献」（太田出・佐藤仁史編『太湖流域社会の歴史学的研究――地方文献と現地調査からのアプローチ』汲古書院、二〇〇七年十一月）や田中比呂志『近代中国の政治統合と地域社会――立憲・地方自治・地域エリート』（研文出版、二〇一〇年三月）などを参照。

（10）Prasenjit DUARA, *Culture, power, and the state: rural North China, 1900-1942*. Stanford University Press, 1988.（王福明訳『文化・権

力与国家——一九〇〇‐一九四二年的華北農村』江蘇人民出版社、一九九四年八月）

（11）James C. SCOTT, *The moral economy of the peasant: rebellion and subsistence in Southeast Asia*, Yale University Press, 1976.（高橋彰訳『モーラル・エコノミー——東南アジアの農民叛乱と生存維持』勁草書房、一九九九年七月）また James C. SCOTT, *Weapons of the weak: everyday forms of peasant resistance*, Yale University Press, 1985. これら諸説の位置づけについては佐々木雄大「モラル・エコノミーは道徳的な経済か」（東京大学大学院人文社会系研究科倫理学研究室編『倫理学紀要』第二十四輯、二〇一七年三月）を参照。なお中国史からは岸本美緒「モラル・エコノミー論と中国社会研究」（『思想』第七九二号、一九九〇年六月。『清代中国の物価と経済変動』研文出版、一九九七年一月に収録）、「インタヴュー「東は東、西は西」か？——岸本美緒氏、近藤和彦氏に聞く」（東京大学文学部西洋史学研究室編『クリオ』第七号、一九九三年五月）が提起された。近似する概念にはサハラ以南アフリカの「economy of affection」（情の経済）が存在する。Goran HYDEN, *Beyond Ujamaa in Tanzania: Underdevelopment and an Uncaptured Peasantry*, University of California Press, 1980.

（12）なおハーバーマスは例えば Jürgen HABERMAS, "Strukturwandel der Öffentlichkeit, Untersuchung zu einer Kategorie der bürgerlichen Gesellschaft", *Politica*, Band 4, Berlin: Luchterhand, 1965, Seite 63, Zeilen 27-29. において「Der Prozeß, in dem die obrigkeitlich reglementierte Öffentlichkeit vom Publikum der räsonierenden Privatleute angeeignet und als eine Sphäre der Kritik an der öffentlichen Gewalt etabliert wird」（権力によって規制された公共圏が理性ある私人群によって受け入れられ公権力批判の場として確立される過程）と述べている。Jürgen HABERMAS, *Strukturwandel der Öffentlichkeit: Untersuchungen zu einer Kategorie der bürgerlichen Gesellschaft*, Luchterhand, 1962.（細谷貞雄訳『公共性の構造転換』未来社、一九七三年六月）を参照。

（13）Mary Backus RANKIN, *Elite activism and political transformation in China: Zhejiang Province, 1865-1911*, Stanford University Press, 1986. そして William T. ROWE, "The Public Sphere in Modern China", *Modern China*, Volume 16, Number 3, 1990 July. また "The Problem of "Civil Society" in Late Imperial China", *Modern China*, Volume 19, Number 2, 1993 April.

（14）Frederic WAKEMAN Junior, "The Civil Society and Public Sphere Debate: Western Reflections on Chinese Political Culture", *Modern China*, Volume 19, Number 2, 1993 April. また夫馬進『中国善会善堂史研究』（東洋史研究叢刊五十三、同朋舎出版、一九九七年二月）。

（15）周俊「中国共産党史研究の史料利用と課題——内部発行の逐次刊行物を中心に」（『中国研究月報』第七十五巻第四号、二〇二一年四月）、また高橋伸夫「中国共産党史の語り方」（『中国共産党の歴史』慶應義塾大学出版会、二〇二一年七月、序章）。

（16）「内部資料性出版物管理辦法」（『国務院公報』一九九八年第二期、一九九八年二月十七日。また二〇一五年第十三期、二〇一五年五月十日）。

（17）Arthur Doak BARNETT, *Cadres, Bureaucracy, and Political Power in Communist China*, Columbia University Press, 1967. Arthur Doak BARNETT, *Chinese Communist Politics In Action*, University of Washington Press, 1969.

（18）Edited by David M. LAMPTON, *Policy Implementation in Post-Mao China*, University of California Press, 1987.

（19）Kenneth LIEBERTHAL and Michel OKSENBERG, *Policy Making in China*, Princeton University Press, 1988. また Kenneth LIEBERTHAL and David M. LAMPTON, *Bureaucracy, Politics, and Decision Making in Post-Mao China*, University of California Press, 1992. なお「Fragmented Authoritarianism」の語のうち後者は権威主義（漢語圏では威権主義）であるが、前者は日中で「ばらばらな」「分節的」「断片的」「分裂式」「砕片化」「砕裂式」などと様々に訳出される。本書では特に演者の存在を意識し、この語を「分節的権威主義」と訳出した。

（20）中兼和津次「中国——社会主義経済制度の構造と展開」（岩田昌征編『経済体制論』第四巻『現代社会主義』東洋経済新報社、一九七二年十二月）。

（21）Elizabeth J. PERRY and Sebastian HEILMANN, "Embracing Uncertainty: Guerrilla Policy Style and Adaptive Governance in China", in *Mao's Invisible Hand: The Political Foundations of Adaptive Governance in China*, edited by PERRY and HEILMANN, Harvard University Press, 2011. また Sebastian HEILMANN, *Red swan: How unorthodox policy-making facilitated China's rise*, The Chinese University Press, 2018.

（22）この時期に公刊された政策立案関係の研究に David SHAMBAUGH, *China's Communist Party: Atrophy and Adaptation*, University of California Press, 2008. また Pierre F. LANDRY, *Decentralized Authoritarianism in China: The Communist Party's Control of Local Elites in the Post-Mao Era*, Cambridge University Press, 2008. などがある。

（23）John P. BURNS, "Review", *The China Quarterly*, Volume 135, 1993 September.

（24）Andrew C. MERTHA, *China's Water Warriors: Citizen Action and Policy Change*, Cornell University Press, 2008. また Andrew C. MERTHA, "Fragmented Authoritarianism 2.0: Political Pluralization of the Chinese Policy Process", *The China Quarterly*, volume 200, 2009 December. あるいは John P. BURNS, *The Chinese Communist Party's Nomenklatura System: A Documentary Study of Party Control of Leadership Selection, 1979-1984*, Routledge, 1989. また John P. BURNS, "The Chinese Communist Party's Nomenklatura System as a Leadership Selection Mechanism: An Evaluation", edited by Kjeld Erik BRØDSGAARD and ZHENG Yongnian（鄭永年）, *The Chinese Communist Party in Reform*, Routledge, 2006. なお、これら先行研究については Andrew MERTHA and Kjeld Erik BRØDSGAARD, "Introduction", in *Chinese Politics as Fragmented Authoritarianism: Earthquakes, Energy and Environment*, edited by BRØDS

GAARD, Routledge, 2018. を参照のこと。

（25）加茂具樹『現代中国政治と人民代表大会――人代の機能改革と「領導・被領導」関係の変化』（慶應義塾大学出版会、二〇〇六年三月）、鈴木隆『中国共産党の支配と権力――党と新興の社会経済エリート』（慶應義塾大学出版会、二〇一二年七月）、また WU Guoguang, *China's Party Congress: power, legitimacy, and institutional manipulation*, Cambridge University Press, 2015.（趙燦訳『権力的劇場――中共党代会的制度運作』中文大学出版社、二〇一八年。加茂具樹訳『権力の劇場――中国共産党大会の制度と運用』中央公論新社、二〇二三年三月）、また現代中国の農村の諸相について小嶋華津子・磯部靖編著『中国共産党の統治と基層幹部』（慶應義塾大学出版会、二〇二三年三月）など。

（26）Edited by Kjeld Erik BRØDSGAARD, *Chinese Politics as Fragmented Authoritarianism: Earthquakes, Energy and Environment*, Routledge, 2018. また橋本誠浩「現代中国における社区居民委員会の従属性と非従属性――地方行政の断片化と共産党のネットワーク」（『アジア研究』第六十六巻第三号、二〇二〇年七月）、同「中国の都市末端における政府・共産党の統治の安定性――間接選挙を通じた社区幹部の人事異動メカニズム」（『中国研究月報』第七十五巻第十二号、二〇二一年十二月）。

（27）ナチ・ドイツの「dictatorship by consent」（賛同に基づく独裁、Robert GELLATELY, *Backing Hitler: consent and coercion in Nazi Germany*, Oxford University Press, 2001.）、室町幕府の「専制と衆議の構造的連関」（吉田賢司『室町幕府軍制の構造と展開』吉川弘文館、二〇一〇年七月）も参考になろう。

（28）「中国近現代経済史への招待」（久保亨・加島潤・木越義則『統計でみる中国近現代経済史』東京大学出版会、二〇一六年九月、序章）。丸川知雄や梶谷懐といった横断的な研究者も登場しているものの、やはりなお世間一般において歴史と現代とは截然と分離されていると言えよう。

（29）高橋信夫「総論」（高橋信夫編著『現代中国政治研究ハンドブック』慶應義塾大学出版会、二〇一五年七月）では、過去の「日本における中国政治の研究者たちの大部分は、まず歴史学の分野で訓練を受け、歴史的な問題を扱った博士論文を書き上げた後、現状の分析に取りかかった」とし、日本の中国政治研究者の三種の傾向として「文書資料への依存」「理論を構築するよりは、たくさんの事実を集めようという志向」「理論を媒介することなく中国社会の全体的な把握を目指すという志向」を指摘している。

目次

第二部　分節と演者　109

第一部　権威と言説

более того, аппарат партии-государства в определенной мере жил сво ей жизнью, на которую высшее руководство страны оказывало лишь относительное воздействие. В борьбе за выживание и карьерный рост чиновники искали пути обхода строгих правил централизации и зан имались приписками.

さらに、この党国機構は一定程度に独自の“生活”を送っており、国家の最高指導部はこの機構に対して相対的な影響力しか持たなかった。生存と出世を目指す中で、官僚たちは厳格な中央集権のルールを回避する方法を模索し、改竄報告をおこなっていたのである。

Олег ХЛЕВНЮК, *Сталин: Жизнь одного вождя*, Издательство АСТ (Андрей Сергей Татьяна), 2015. глава 1 (интермедия) Опоры сталинской власти, Страница 66.

オレーク・フレヴニューク『スターリン――ある指導者の生涯』（AST 出版社、2015 年）第 1 章幕間「スターリンの権力の支柱」66 頁

第一章　清末出版統制序説
――禁書指定・自主規制・地下出版のはざまで

一．はじめに――清朝後半期における出版統制

清朝は歴代最後の王朝として東アジア世界に君臨した。過去の拙稿でも触れたが、[1]中国には秦の始皇帝の行った焚書坑儒から始まる長い出版統制の歴史があり、またそれと連動して牽強付会にも見える強力な文人弾圧「文字の獄」が度々起こされてきた。清朝もまた出版統制について前代を引き継ぎ、清初はもとより康熙年間（一六六二年～一七二二年）から雍正年間（一七二三年～一七三五年）そして乾隆年間（一七三六年～一七九五年）にかけて大規模な弾圧を度々行ってきた。[2]例えば、康熙五十年（一七一一年）には左都御史趙申喬により康熙四十八年己丑科殿試榜眼を誇る戴名世が「狂妄不謹」として弾劾され、著書『南山集』の「与余生書」から悖逆の罪状が〝発見〟された。そして著者の戴名世は凌遅処死、弟の平世以下は斬首や奴婢とされる判決が下り、桐城派の方苞や元礼部尚書韓菼、元吏部侍郎趙士麟らが降格処分となる大事件へと発展したのである。[3]なお康熙五十二年には皇帝より「法外施仁」として戴名世が斬首に減刑され、一族もまた放免された。しかし『南山集』等の著作は禁書とされ、以降長く地下へ潜行することとなったのである。[4]

歴代王朝が伝統的に出版統制の対象としていたのは、反乱に発展する可能性がある予言等の宗教書、予言を成就しうる天文暦数の書物、風俗を紊乱して社会体制を崩壊させる猥褻な低俗書である。[5] 前出拙稿でも触れた『律例』天文占卜規制はもちろんであるが、「刑律」「訴訟」「越訴」の条例には「政府への建白であると偽って官府を脅迫し、曖昧で不明確な事情、あるいは賄賂の授受、あるいは他人の名誉を毀損するようなことをあげつらって私的な報復をはかるような者は、軍人民人ともに近傍に流して軍役に従事せしめるべし」として、〝不当〟な政府批判への対処をも視野に置く。これら条文はみな明代より存在しており、清朝においては国初から存在した条項であった。

さらに清朝では、その母体が辺境の少数民族である満洲族であること、しかもなお中華秩序の後継者たらんとしたことにより、漢民族王朝である明朝に形成された時代精神や歴史叙述に強い警戒感を示し、明朝亡命政権の歴史叙述に端を発した先の『南山集』事件をはじめとして言論や出版に対し多大な統制を加えたのである。そして、多くの研究が清朝前期中期の凄烈な出版統制について論じた。[6] しかし常に加圧が続くわけではなく、清朝三百年の統治の中でもその統制には寛厳のゆらぎが存在した。しかし先行研究は後期なかでも同治年間あるいは光緒年間前半といった時期の出版統制について殆ど論じない。[7] そして、各王朝前中期には強い規制が行われ、王朝後期にはやや自由な出版活動が行われるという傾向を指摘するに留まるのである。しかし、それが出版点数の増加による禁書の埋没効果によるものか、あるいは王朝の腐敗によるものなのか、そもそも清朝後期にどのような変化が発生していたのか、研究史においては基礎的な部分からすでに等閑視された状態にある。そこで本章では、同治年間（一八六二年〜一八七四年）および光緒年間（一八七五年〜一九〇八年）における政府による出版統制の様相を検討するものである。

二．禁書指定の様相（一）——暦書と律例

さきに触れたように、清朝における出版統制の対象には天文暦数に関する書籍が存在した。清朝後期においても当然ながら禁書としての認識が存続していたようで、例えば同治十一年（一八七二年）には時憲書すなわち中央政府公認の暦を使用したカレンダーについて以下の告示が行われている(8)。

〔在任候選道・補用府・江蘇松江府上海県の知事である葉廷眷は〕以下に禁令を申し渡す。本年〔同治十一年〕十月十七日、〔上海県の上位機関である〕松江府の知事である楊永杰さまの文書に以下のものがあった。「江蘇布政使下の蘇州理問庁の文書によれば『民用の時憲書について、以前は我が庁により専門部局を設置して欽天監〔国立天文台のこと〕の印を捺したものを販売していた。しかし昨今では多く民間書店が勝手に出版しており、雑多に販売されている。そこで江蘇布政使にご相談したところ、〝関係部署に通告し、一律に調査禁止せしめよ。これより庁に届け出て認可を受けないものは厳しく取り締まるべし〟との命令をいただいた。遵守するのは当然のこと、文書を管轄の各県に通知して一律に禁令を公布せよ』とあった。文書が松江府の役所に到着したあと、その命令により調査を行ったところ、以前に江蘇布政使による禁止のご命令が出ており、今回の文書で改めて禁令を公布することとなった。なお調査して報告すべし」とのものである。さて、文書が上海県の役所に到着したあと、その命令により調査してみると、以前に江蘇布政使より管轄内の書店にて民間で勝手に印刷された時憲書の販売状況を調査すべくご命令をいただいていたのだが、いまだご報告していなかった。ここに本件により急ぎ調査するとともに、厳しく禁令を公布することとする。書店および地甲〔江戸時代における目明しのような存在〕に告げる。時憲書はみな官立の部局にて発売し、書店はもし販売したいならば官の認可を得ること、もし偽造した場合は裁判に訴え、絶対

に寛容な判決とはならないこと、汝らはすべからく見知りおけ。おのおの遵守して違えること無きように。特にここに公示する。

ここからは、時憲書が民間で私売されていたこと、以前に江蘇省東南部を統括する江蘇布政使より禁令が出ていたこと、しかも調査命令が上海県に到達した時点で等閑視されていたこと、そして今回あらためて禁令が布告されたことが確認できる。また、幾度も禁令が下されている事態から、禁令があるにも関わらず民間での私売が盛行していたことをも想定できる。なお、ここで登場する「蘇州理問庁」すなわち江蘇布政使（在蘇州）管下の理問であるが、この頃その長は「総辦時憲書局」を兼務しており、以降もたびたび「欽天監印信」の捺印のある正規版の販売および民間での偽造禁止を命じている[9]。しかもその命令の範囲は租界（外国人居留地）に駐した中国側裁判官である会審官を通して「租界内各書坊紙店」「英美租界諸色人等」にまで及んでいる[10]。

また、清朝では国家の基本法典たる『律例』について民間の所持が禁じられていた。『申報』は社説にあたる第一面の記事において、『律例』禁制の現状と課題について以下のように論じている[11]。

歴代の王朝では民間に『律例』の私蔵を禁じていた。犯したものは懲罰される。であるからこそ、『律例』の内容には少しずつ更改が加えられているにも拘わらず、民間では全く知ることができなかった。しかも、『律』は不動であるにせよ、『例』（判例集のようなもの）にはいろいろなものがあり、毎年増加するものであるし、それぞれの事案には軽重もあらわれてくるものだ。これもまた民間では全く知ることができない。立法の意図をおもんばかれば、もとは民間のために『例』があったのである。しかし、愚か者がたまたま犯罪を犯すと、悪賢い者が『律例』を読んで愚か者にしつこく絡んでくる。そして事後に事案を捏造して詐欺を行ったり、あるいは事前に教唆して犯罪に誘い込み、後に恐喝を行うのである。こうした諸々の詐欺や誣告といった弊害は、まったく枚挙にいとまがない。だからこそ私蔵を禁止し、悪賢い者が『律例』の利用によって懐を肥やさないように抑止していたのである。こうして民間を『律例』のもとに在らしめつつも内容について熟知させないようにしてきたのであった。法律はこのように深遠な意図に基づくものであり、もしこの禁令がなければ、訴訟を請け負って不正を働いたり、訴訟を教唆したり、郷村を横行したり、平民に詐欺を働いたりするような悪辣な気風が抑えきれず、郷村の訴訟などおそらく一日あたり数百も行われ、訴訟請負人が地方に充ち満ちることになるであろう。とはいえ、たとえ民間での『律例』所持を禁じ得たとしても、民間での訴訟を禁止したり、はては民間での犯罪を禁止することなどできない。すなわちその主旨こそ素晴らしいながら、結局は法律とは至高なものとはなりえないのである。……（中略）……

聞けば、県で訴訟が多いときには、県知事は赴任すぐに訴訟請負人の有無および捏造訴訟や訴訟奨励の気風があるかどうかを調査し、また厳禁せねばならないという。この二つの悪弊は、みな悪賢い者がそれぞれの家に『律例』を隠し持って法律を学び、郷村の人々を教唆することに原因がある。『律例』の所持を改めて禁止し民衆を教化するのならば、これは治世の基といえよう。しかし、もし禁止しながらも民衆教化も行わないならば、それは愚策中の愚策といえるのである。すなわち、民衆を教化できない、あるいは教化しようとしても教化に従わない、その場合には民衆に法律を知らして刑罰を恐れさせれば、軽々しく罪を犯さなくなるだろう。また、村民が『律例』を読み、みなが判例を熟知するようになれば、官庁のほうで裁判における禁止事項を列挙して公示しておけば、民間の訴訟件数こそ増加するだろうが、原告も被告もみな理非曲直を理解し、いたずらに自分が正しいと言いつのることもなくなり、訴訟代理人や悪党の法律伎倆をもってしても介入の余地がなくなるだろう。そうすれば、強盗や傷害殺人あるいは誘拐といった凶悪事件もまた、この施策により減少していくことであろう。すなわち、これはやむを得ないことながら治世の助けとなる政策なのである。民衆を強化できず、しかも全く民衆を庇護することもできないのなら、民衆に法の網をかけることも少しは治世の助けとなるだろう。太平天国が蜂起してより平定されるまで十年あまり、その残党はいまだ完全には掃討されず、また官軍の兵士くずれも増加しており、以前に戦争を経験したものは腕力による解決を習慣として怪しみもせず、遊び人で正業に励まない者は不法な境遇に身を落とし、良い書物を読まないばかりか、判例も知らず、自らの力の強弱のみを恃みとして、おのおの邪悪な性格をあらわにして日を送っている。こうして少々の怨恨がたちどころに抑えきれない憤怒となり、些細な喧嘩が往々にして大事件に発展するのである。誘拐事件などは、当地の風俗が淳樸か軽薄かで発生件数が変化するものである。結局訴訟は山積し、官庁では処理しきれず、そして強盗傷害殺人が当地の風習となってしまうのである。

つとに地方各省の上奏を拝見していると、妻が不倫の末に夫を殺すような事件が一年にかならず数十件は発生している。以前に思ったのだが、凌遅処死や斬首といった苛烈な刑罰を極刑としているのに、どうして愚民は無知のまま自らこのような罪を犯し、死してもなお後悔しないのであろうか。しかも、こういった事件は判決が出されないうちから往々にして芝居になる。その顚末は民衆の軽挙妄動を戒めるものではあるのだが、こうした罪を犯す者はこれらの本来の意図を理解しようとはしない。そもそも最後の一幕にやっと初めて芝居による戒めを知る段取りとはなるが、その前には当然ながら放埒で淫靡な部分が描かれるため、ただ民衆のための戒めにならないばかりか、人心を混乱させてしまうものとなってしまうのであった。だからこそ、『倭袍伝』などの芝居は[12]、みな上演禁止処分となっているのである。もし官庁側で適切に告示を出し、重大案件の刑罰を知らしめれば、かならず戒めの一助となるだろう。その他の淫乱な欲望による殺人事件も大体は同様であり、挽回は可能なのである。

要するに、善事により民衆を教化して治世の根本とする時にも、刑罰により民衆を恐れさせる対処が必要である。しかも教化が難しくなったならば、無知の民衆がみずから犯罪に陥ってしまうであろう。それは治世の放棄に他ならない。そのような時には、刑罰を民衆に示し、民衆に刑罰の恐ろしさを知らしめ、罪を犯さないようにするべきであろう。それが治世困難な時代におけるやむをえずの治世というものでもある。昨今の官庁の告示の中には「慎んで行動せよ。身をもって法律を試したりすることの無いように」との文言があるが、これは法律を試そうとするものは法律を知ればこそ試すかどうか考えることができるのであり、現状のように法律を全く知らない状態に置けばそれは冤罪であるとすらいえるのである。

ここでは、本来ならば儒家思想に則って『律例』の頒布を行わないことが正道であること、しかし現今の文教政策の弛緩により民心が頽廃し、『律例』所持の禁止も不徹底であること、さらに下節に触れる江蘇巡撫禁令においても確かに禁書指定される『倭袍伝』などの存在が道徳の崩壊を助長していることを訴え、『律例』保持規制の解禁と刑罰の広宣による民心の安定を求めるのである。『申報』はあくまで新聞に過ぎず、ただちにこの提言が当局に採用されることは無かった。しかし、当時の禁令の弛緩状況および知識人の焦燥感については十分に諒解できるだろう。なお判例を含む政府文書は往時に許可を得た民間業者が公刊していたが、許可の無い者が「官報」などと称して販売し「有干例禁」(条例の禁止事項に抵触する)ような状況も見られた[13]。

三．禁書指定の様相(二)——猥褻図書

上記数件に限られる時憲書や『律例』の禁止条項に対し、『申報』中にたびたび見出されるのが猥褻図書の販売禁止規定である。すでに同治七年(一八六八年)には以下のような布告が出されている[14]。

江蘇巡撫丁日昌は以下に告知する。猥褻な演劇〔台本〕や小説は法令違反により禁止されていたものであるにもか

かわらず、近頃は書店が利益目的で版木を彫刻し流布させており、綺膩〔おとなしくナヨナヨしているもの〕を風流だと勘違いし、また片田舎の破落戸は放埒なものを任俠であると思い込み、愚民は知識が乏しいがために、とうとう下克上や反乱決起を普通なことだと取り違えるのである。しかもそれを管轄すべき地方官は、違法な書物の流布に関心も払わない。であるから現在このように強盗事件などが頻発する事態になっているのである。だいたい、忠孝廉節の事というものは、百人千人に教え諭しても効果がなかなか見られず、逆に奸盗詐偽の書というものは、一人二人に利用されるだけで災厄の萌芽になるものであることを知らないのである。そもそも、風俗と人心というものは表裏一体なものである。近年では大規模な兵事が発生していたわけだが〔太平天国を指す〕、道徳頽廃の結果としてこのような災厄が醸成されたことはいまだかつて存在しない。もしこれらを厳しく焚書処分としなければ、これらの害毒は果たしてどのようなことを巻き起こすであろうか。

わたし江蘇巡撫丁日昌は以前に江蘇布政使を仰せつかっていたころ〔同治六年正月から十二月〕、管轄に対して皇帝陛下のご著書『聖諭広訓』の奉読を命じ、また辞書を配布して理解に努めさせ、都市や農村の住民に陛下の教えを親しませ、精神生活の規範とさせた。これは正当な学問を奉じ、極力に邪悪な言論を退けようとしたためである。これより禁書とする書物のリストを関係部署に頒布する。また、金陵官書局〔同治二年に設立された江蘇省営出版社〕に「銷毀淫詞小説局」〔猥褻台本小説取締局〕を附設し、予算を計上し、とこしえに禁書活動に従事させる。また、管轄の府および県に命を下し、期限内に書店に陳列される本、およびまだ印刷されていない版木を回収し、猥褻台本小説取締局にて監視のもと焚書を行うこととする。ただし、胥吏〔官公庁における無給の事務員〕による書店への無用の収奪行為を禁止する。この命令は風俗や人心のためのものであり、決して現実とかけ離れている机上のものであるとはしないように。なお、わたし江蘇巡撫丁日昌は焚書事業の成果についても地方官の査定の基準とする。●「禁止書籍リスト」『龍図公案』『玉妃媚史』……『水滸伝』『紅楼夢』……『続金瓶梅』……『隋煬艶史』……『金瓶梅』『艶異編』『天豹図』『増補紅楼』『脂粉春秋』……●「禁止猥褻台本リスト」『楊柳青』『五更尼姑』『十二杯酒』……『倭袍』『西廂待月』……『揚州小調嘆十聲』『戦叔武鮮花』『書生戯婢剪剪花』『小郎兒』『琴挑』『結私情』。以上。同治七年四月十五日に通知する。

ここでは『水滸伝』『金瓶梅』や『倭袍』など二百五十種に垂んとする書籍が禁書として提示され、焚書処分とすることが謳われている。さらに六日後には、以下の如く猥褻台本小説取締局の附設された金陵官書局からの上申により、さらに三十種ほどが禁書に加えられている[15]。

江蘇巡撫丁日昌は以下に告知する。金陵官書局の副局長を勤める呉承潞らによる報告によると「なお『鐘情伝』などの書籍を禁止するべきと思われます。みな猥褻な書籍であるので、リストを作成してお送りし、一律に調査禁止することとしましょう」とのことであった。その上申に許可を出すのは当然のこと、管轄部署に一律に調査禁止することを命じる。「続・禁書リスト」『隋唐』『文武香球』……『白蛇伝』『玉連環』『金掛楼』『玉鴛鴦』。以上。同治七年四月二十一日に通知する。

ここでは、猥褻図書が文教政策を運営する上で重要なものであること、こうした猥褻図書と対置される存在が皇帝の著書『聖諭広訓』といったものであること[16]、猥褻図書の取締を勤務評定の一環に組み入れようとしていたことがわかる。さらには、こうした書物の流布が風紀の紊乱につながり、兵禍などの災厄となって結実するという思想を見て取ることができる。しかし、こうした禁令はなかなかに効果のあるものではなかったようで、文中では発令者の江蘇巡撫みずからが、前年同治六年時点での江蘇布政使時代の命令が実効性を持たなかったことをも告白している。上記の二件の命令はともに江蘇省全体へ発令されたものだが、その管轄下にある松江府下上海県においても以下のように猥褻図書禁絶の法令が発布されている。[17]

〔在任候選道・補用府・江蘇松江府上海県の知事である葉廷眷は〕以下に禁止を申し渡す。もとより風俗が節操あるか猥雑であるかで、人心の良悪を見極めることができるものである。もし風俗を正そうとするのなら、まず人心を安定させねばならない。昨今は書店が利益目的で各種の猥褻な小説を印刷発行し人心に悪影響を与えている。すでに江蘇布政使〔おもに民政を担当〕および江蘇按察使〔おもに司法を担当〕が管轄に厳しく禁令を申し渡され、以前の県知事が遵守している。ここに上海県の紳董〔地元知識人〕の訴えによると、各書店ではまた以前の轍を踏み猥褻図書を印刷発行しているとのこと。痛恨の極みである。巡査や委員により随時調査させるのは当然のこと、ここに禁令を公布する。各出版社および図画製作社のものに告げる。汝らはもし各種の猥褻図書やその版木、猥褻な図画で報告していないものを所持していたら、ただちに輔元堂〔同仁堂とならぶ上海の巨大慈善団体〕へおくり焚書せよ。一片の紙も残してはならない。完全に根絶せよ。以降出版社は絶対に猥褻図書を町中の小売店に印刷販売してはならない。また、図画製作社は猥褻図画を制作してはならない。この命令により、人心を安定させ、風俗を正すものである。もし敢えて違反するようであれば、一律に調査捕縛して裁判に訴え、絶対に寛容な判決とはならないであろうことを見知りおけ。それぞれ遵守して違えること無きように。特にここに公示する。

ここでは上海に住む地元知識人の訴えにより猥褻図書の販売が問題とされ、彼らの運営する慈善団体である輔元堂の立ち会いのもと焚書とされるよう命令が下されている。[18] さきの巡撫命令が同治七年、この命令が同治十一年であることから、初動時に実効があったとして五年ほどの間に空文と化し、猥褻図書が再び流行していることを示していよう。しかし、ここでは巡撫命令に見られなかった地元知識人との連携を確認することもでき、少なくとも地元社会の一部に猥褻図書の禁止をもって風俗の醇化に努めようとする勢力があったことも示している。[19] こうした訴えは、『申報』記事の一部を構成している知識人からの投書にもまま見られる。たとえば、この上海県による猥褻図書撲滅の動きと同時期に小輞川主人なる筆名の人物が以下の意見を投じている[20]。

全ての害悪のなかでは、まさに猥褻なものこそ最も影響があると思われる。なかでも閨房の婦女たちに最もその影響がある。職人や商人といったものたちにも無視できない影響があるものだ。さすがに士大夫ともなると影響は大きくはなかろう。ただ『申報』を読むたびに、なよなよしく猥褻な言葉、あるいは風流ぶった艶やかな歌曲のことを思わざるをえない。もしこれらのものが刊行されてしまえば、その害毒が蔓延することいよいよ深くなり、「才子佳人」の四字に象徴されるような典雅な気風は撲滅され、世間は恥を忘れてしまうだろう。そして少年子弟が思春期に入ってそのようなものを見たれば、すぐに邪心が燃えさかり、朝な夕なに精神が湖南の峡谷に飛び、また毎夜のように四川の山々へと飛んでいくことになるだろう。そして自慰をおさえきれず、また見たままに盲従して生を軽んじ命を失う事にもなるだろう。これ以上の害悪などあるだろうか。

もとより士大夫は才能に富んでいるもので、執筆によって利益を得るにしても、古今の忠孝節義の事実を一部でも編纂すれば、正義への憂慮により躍動感ある描写ができ、読者の心に成果を生じて喜んで従うようにもできるだろう。またそれは〔元慎による『白氏長慶集』の序文が触れるように〕鶏林国〔新羅〕の宰相に高く買い取られるほどの素晴らしいものにもなりえようし、利益を期待できるものでもあるのだ。猥褻図書の作者には自らを律するという心がないのだろうか。どうして絵空事から益体もないものを作り出そうとするのか。それは無駄な骨折りというものだろうし、さらにはわざわざ自らを全ての害悪の頂点に押し上げ、また他人様を害悪に引きずりこむようなものなのに。ああ、〔『詩経』「小雅」「角弓」に言うように〕小猿に木登りを教えても悪事にしか使わないというものなのであろうか。士大夫にお勧めする。それぞれに助け合い努めあげ、災厄の到来を防ごうではないか。あまり意味がない行動のように思われるかもしれないが、こうして人心を安定させ、風俗を正すこともできるのである。もし『申報』運営にあたって猥褻な言葉を見つけた場合、即刻排除してほしい。そうすれば天下に一人でも猥褻な言葉を見る者が少なく、また一日でも見る日が少なくなり、いつかは風俗が醇化し、士風も正すことができ、御社の功もまた深いものになるだろう。

また、翌年の同治十二年には守黒老人（守黒の語は『老子』第二十八章に見える）なる人物が以下のような猥褻図書焚書の意見を投じている。(21)

小説や弾詞(22)のたぐいは、もともと田舎言葉に影響されたような代物で、また「偸香竊玉」(23)を謡うような、あるいは「鑽穴踰墻」(24)を描くような、粗野で卑俗にたえず、また穢れきったものである。このように口に出すことも憚られるようなことを、筆を起こして公刊してしまうなど問題外であるもとより野史や稗説といったものは以前より厳罰に問われてきた。さらに猥褻図画や猥褻演劇などは一層嘆かわしい状況となっている。……（中略）……よく知られるように、淫乱なものは全ての害悪の筆頭である。人は子弟を愛し、また神明を敬するものである。しかし、猥褻図書、猥褻図画、猥褻演劇については些細なものとしてゆるがせにしてしまい、子孫のためと思ってはくれないのだろうか。災厄を欲しているとしか思えない。思慮がないにも程がある。そこで私は融通が利かないことも顧みず、菲才ながらもここに諸君子に意見を開陳した。もし同志がいたならば、このことに心をとどめ、猥褻図書、猥褻図画、猥褻演劇を見かけたならば取って焚書にし、また流布を禁絶していただきたい。完全に禍根を断つことはできないにせよ、少しでも世の中を救うためになり、また青少年や子弟を夭折から掬い上げることもできるだろう。そうすれば陰徳を積むこともでき、冥界での功過計算により自らへ果報が返ってくるかもしれない。もとより古典にも明かなことである。これが私のたっての望みである。

その他、『申報』には守黒老人の投稿とも思われる記事「勧子弟勿閲淫書淫画淫戯論」（同治十三年すなわち一八七四年二月二十二日）、あるいは鴻城漢濱士なる人物による「淫書宜禁」（光緒元年すなわち一八七五年六月十三日）といった投書を見出すことが出来る。(25) 江蘇巡撫の丁日昌、上海県知事の葉廷眷、小輞川主人、守黒老人らに共通するのは、焚書による出版統制がひいては文教政策の一環として人心や風俗の向上に結びつくという信念であり、基本的に列挙される焚書の対象が猥褻図書に限られるということにある。しかも、彼らの信念を徒爾にするかのような記事を、光緒四年（一八七八年）十二月に見出すことができる。(26)

さきごろ、蘇州府学の廩膳学生の某が、江蘇学政の林天齢さんに信書を提出し、管轄の各所の書店に淫乱な小説の販売を禁止するよう請願したという。ここで江甯布政使〔孫衣言〕より各所へと禁令が伝えられた。〔揚州府所属の〕江都県(27)の県知事〔胡裕燕〕も、この命令を奉呈し、即刻に禁令を公示した。その内容は「あらゆる揚州府の城内の各書店は、一律にこの系統の書籍をあつめ、入崇および善本の二カ所の慈善団体に送り、慈善団体を経営する紳士の管理下に置くこと。また版木についても一律に送ること。原料費については慈善団体より一定程度補填するものとする」とのこと。(28) この件について調べてみると、以前に江蘇巡撫の丁日昌さんが一律の禁令をお出しになっている。おもうに、月日がたって禁令が弛緩してしまい、各書店もついつい復刻して利益を得ようとしたものであろう。であるから、今回あらためて禁令が下されたものであろう。

さきにも触れた江蘇巡撫による第一の猥褻図書追放令は同治七年（一八六八年）四月のものであったが、そこでは自ら前年同治六年時点での追放令が実効性を持たなかったことを告白していた。また同治十一年（一八七二年）には上海の県知事が改めて禁令を告示しており、禁令に継続的実効性がなかったことを確認した。そして禁令の十年後である光緒四年（一八七八年）の本記事には「日久懈生、各書坊不免翻刻以図射利、故日下重申禁令也」（月日がたって禁令が弛緩してしまい、各書店もついつい復刻して利益を得ようとしたものであろう。であるから、今回あらためて禁令が下されたものであろう）なる状態へと再び陥り、改めて禁令が発布されていることは注目に値しよう。こうして猥褻図書に対する出版統制は緊張と弛緩とを繰返した。省首脳部および知識人たちが熱心に推進していた猥褻図書撲滅においてなおこの状況である。一時的に弛緩が発生し、違法行為が行われるようになったころ、禁令が告示される。これはある意味では弾力的な運営であるとも言えよう。[29]

しかも、このような猥褻図書に関する禁令は地方官が行うべき各種政策のなかでも重要度の高いものではなかった。以下の史料は光緒五年に江蘇布政使の譚鈞培によって出された二十箇条にわたる禁令であるが、そこに悪書追放への言及は見られない。[30]

新任の江蘇布政使の譚鈞培さんは〔光緒五年五月一日より光緒十一年十月二十四日まで蘇州駐在の江蘇布政使として勤務。江蘇省にはほかに現在の南京市にあたる江甯府に鎮した江甯布政使が存在する〕、以前に蘇州府の知事であったときに〔光緒三年から四年〕、雷のごとく厳格に風のごとく迅速に諸々の通弊を禁止なさり、官僚や平民で懼れないものはいなかった。このたび布政使として勤務されることとなり、蘇州府の知事のときのようにされようと志されたとのことで、ご勤務の開始より連日部下と接見され、寸暇も惜しまれている。また、さきには目明かしを数十名お呼びになり、二十箇条の禁令を発布され、高札をお出しになった。もし上辺は服従するように見せかけながら陰で反対し、この禁令に従わないような者がいれば、みな目明かしに検挙させ、かならず厳罰に処されるとのこと。そのお触れを以下に附す。……（中略）……一、アヘン窟を開設するべからず。一、偽造貨幣を使うべからず。一、貨幣を私鋳するべからず。一、妓楼に流連するべからず。一、宿屋を開業するべからず。一、賭場を開いて大勢で博打をするべからず。一、未亡人の貞節を奪うべからず。一、女児を襲うべからず。一、縁日を理由に騒ぐべからず。一、婦女は〔芝居小屋を兼ねる〕茶館に入るべからず。一、婦女は寺社で焼香すべからず。一、官庁寺社の門前のような繁華な場所にて馬を走らせるべからず。一、破落戸は根拠ない詐欺を行うべからず。一、引越費用および追加費用を強請り取るべからず。一、集まって騒動を起こすべからず。一、門前や街路にて憲法や棒術を演武するべからず。一、婦女は泣き喚いて無理を通そうとするべからず。一、借家人から二か月分や三か月分の家賃をとるべからず。一、舞台にて罪人の芝居をうつべからず。一、市場にて独占行為を行うべからず。一、医者は過大な謝礼を取るべからず。一、酒を飲んで雑踏で喚き散らすべからず。一、連れ込み宿の関係者は厳しく取り締まる。一、〔国家専売である〕塩の密売人は厳しく取り締まる。一、訴訟請負人は厳しく取り締まる。一、〔脱税を行うことがある〕水上販売業者は厳しく取り締まる。

降って光緒十六年（一八九〇年）には同じく江蘇布政使の黄彭年が管下に「淫戯」上演や「淫詞小説」出版の禁止を通告し[31]、上海でも会審官が「租界内各書肆共二十五家」を召喚し切々と説諭したものの、数年後には旧態依然に回帰していたという[32]。光緒二十六年（一九〇〇年）には浙江で省上層の訓誨に基づき書店業者が「各種淫書小説」の回収焼却や密告奨励を決定し、「来たる科挙の際に外来の書店が雲集するが、もし例に反して密売すれば例に照らして重罰を加えること、すでに新聞に掲載し同業へ公告している」など全六条の自主規制案を告知しているが[33]、事態の劇的な変化は期待できなかったろう。

なお、さきの守黒老人の投稿記事からは、文中に猥褻図書と同列に扱われるものとして「もとより野史や稗説といったものは以前より厳罰に問われてきた」との記述を見て取ることができる。これは同治十三年二月二十二日のほぼ同文「勧子弟勿閲淫書淫画淫戯論」には見られない表現であり、おそらく守黒老人にとってみれば猥褻図書の類例として筆の赴くままに名を出したにすぎず、行論の上で影響がないものであったのだろう。

『申報』には通常記事以外に、さきにも挙げた上海県知事の告知のような政府公報、あるいは読者投稿の部分が存在するが、実際のところ該当時期の記事には守黒老人のこの記載をのぞき、県知事や知識人による「野史や稗説」（その中には往々にして政府批判を含みうる）の焚書についての建議を見出すことはできない。猥褻図書撲滅は、巡撫や学政といった省首脳部が幾度も発令し、また省在住の文人たちも真摯に取り組む〝重要〟な問題であった。それに対し、政府批判などの書籍はいかなる対応をされたのであろうか。次節において地方対象ながら「政府批判図書」とされ焚書にいたった『三世聞見録』を扱う。

四．禁書指定の様相（三）――政府批判

さきには暦書や律例そして猥褻図書について、研究史の利用しない『申報』等の資料より出版統制の状況を確認し、政府や文人と出版社とが一進一退の様相を呈しつつもなお大枠として規制の死文化へ移行する様相を目の当たりにした。それに対し、政府批判図書の規制については中央地方に限らず同治年間および光緒年間前半に殆ど類例を見出すことができない。そのほぼ唯一の事例が『三世聞見録』事件である。その第一報は光緒三年（一八七七年）八月十一日に報道された。(34)

浙江省の杭州に曹某なるものがいた。年は八十ちかくであったが、甚だ頑健で、一日に四五十里ほども歩くことが出来、また燈下で蠅の頭ほどの小さな字で楷書を書くこともできた。今までに執筆した書物はとても多かったのだが、大言壮語を好む気があり、それで人々に「曹四瘋子」などと呼ばれていた。梅啓照さんが浙江巡撫となってから、梅巡撫は曹が老成した儒者であると聞いてとても重んじたのである。その後に曹は一冊の書物を著し、『三世

してもらったあと印刷しようとしたのである。

梅中丞は閲覧のいとまあらず、おそらく善行でも勧めるような書籍であろうとおもい、とうとう『三世聞見録』のために題籤をつけて送ってやった。そして先月に印刷も終わり、曹は一帙を巡撫に送ったが、冒頭には「梅大中丞鑒定」（梅大巡撫が鑑定された）の六字を配し、しかも内容は忽略に官僚社会について羅列し、多くは学政、布政使、塩運使、杭州府知事に対して遠回しながら批判を展開するものであった。梅巡撫は『三世聞見録』をここでやっと閲覧し、奇怪な書物であると感じたのであった。次の日、浙江布政使の衛栄光さんが梅巡撫を訪ねた。巡撫がおもむろに『三世聞見録』を取り出して衛布政使に読ませたところ、衛布政使は黙って退席した。浙江学政の黄倬さんは未だ台州府方面へ試験監督に出かけていなかったので、衛布政使は学政の役所に出向いて黄学政にこの事を相談した。そこで黄学政はただちに告知を出したのである。だいたいの内容は「調査したところ、曹某はいままで歳試を欠席すること四回にわたり、すでにもう前学政〔おそらく前任の胡瑞瀾〕により売官した訓導の位は学籍とともに礼部に上申して罷免されている」云云とのものであった。そして衛布政使はまた梅巡撫に事情を報告し、調査を請願した。そこで梅巡撫は、杭州府城を管轄する銭塘県および仁和県に命じて逮捕させようとしたが、曹が重病であったために連行はできなかった。そこで印刷店に版木を提出させ、また店の門を閉鎖したのである。店主はちょうどここ何日かで病没したため、共同経営者を連れ帰って拘禁し、責め道具にて尋問したという。この記事は杭州から上海に来た者の口述によるものである。内容は根拠がないものとは思われないが、あくまで伝聞であるため、過信しないでいただきたい。情報が入り次第あらためて紙上に掲載する予定である。

ここでは続報があると述べているが、実際に同八月二十九日には以下のような記事が掲載される(35)。

曹某はさきに『三世聞見録』を執筆して有罪となった。巡撫は銭塘県および仁和県の知事に命じて知事ら自身により逮捕させようとしたが、ちょうど曹は病気にかかっていた。県の知識人らは病気の治癒とともに護送すると保証したが、現在いまだ曹の病気は治癒していない。梅巡撫はすでに朝廷に上奏を行い、また『三世聞見録』を附件として送付したという。その上奏のだいたいの内容は、「曹はもともと瘋子の綽名を持つような人間であり、そのような者の執筆した書籍が今回の問題の書籍となります。これもまた気狂いのなせるわざと申せましょう」なるものである。

この第二記事では浙江巡撫梅啓照がすでに上奏を行い、また『三世聞見録』を中央に送付したとの記事が載せられている。実際梅啓照は光緒三年（一八七七年）八月二日に第一の上奏を行った模様で[36]、北京中央は上奏に対して「わかった。ただちに按察使に命令して公平に調査し、律に従って懲罰を策定し上奏せよ。ほかは報告の通りにせよ。中央の関係部署は見知りおけ」と命じている。その命令に対する復命が光緒四年（一八七八年）の以下の上奏である[37]。

浙江巡撫の梅啓照が、すでに罷免された学生が政府誹謗の書籍を印刷し、中傷し圧迫を試みたことにつきまして調査し、律に従って懲罰を策定しますことにつきまして、奏摺を執筆し陛下のご裁可を仰ぎますこと、跪づいて上奏いたします。調査しましたところ、仁和縣のすでに罷免された学生の曹籀は、以前にわたくしどもに政府誹謗の書籍を送って参りました。その目的は省政府を中傷し圧迫を試みることにありました。すでにわたくしは按察使の升泰に命じて調査をさせ、閩浙總督の何璟と連名にて光緒三年八月初二日にご報告いたしました。すると、陛下の「わかった。ただちに按察使に命令して公平に調査し、律に従って懲罰を策定し上奏せよ。ほかは報告の通りにせよ。中央の関係部署は見知りおけ」とのご指示を頂戴いたしましたため、ただちにご命令に従い、調査を行いました。

按察使升泰の報告によりますと、調査訊問を行い、また関係する証人や証拠を呼び集め、杭州府知事の龔嘉儁・候補知府の陳寶菁に命令し、調査して協議させたとのこと、文書を送付して参りました。また調査を加えましたところ、曹籀は仁和縣に本貫があり、道光六年に学校に入学、光緒元年に歳考の欠席により礼部に報告され罷免されていました。曹籀はもともと性格が偏屈であったうえ、晩年にはますます道理にはずれるようになったのです。光緒二年の冬には、同族の姪孫である挙人の曹鴻藻の弟の妻である王氏が、夫の死亡ののち後継ぎがおらず、一族での議論が決定していなかったのですが、一族の構成員は曹籀が余計なことをしないよう状況を知らせませんでした。曹籀は曹鴻藻が族長であることを利用し、王氏を騙して後継ぎを立てないようにしたとして、弟の妻である王氏を唆して裁判を起こさせたのです。また、族人の曹敬煕に王氏のために公共の灶塩を販売し、生活費に充てることとしたのです。しかし曹鴻藻は、内心で曹敬煕が販売された灶塩を横領するかもしれないとし、仁和場塩大使の陶宗輝に訴え、こちらは調査が行われたものの、内容が家庭の事情に起因していたため、仁和縣に移管されていました。曹籀について調査したところ、候選訓導を僭称しており、曹鴻藻が後家を騙して資産を横領したなどと代理人をたてて訴え出ており、しかも仁和場塩大使の陶宗輝に個人的に手紙を送り便宜をはかるよう依頼したものの、思い通りにいかず、しかも案件が場灶に関係するものであって仁和縣に移管されるべきものではないと考えたことから、差役のものが賄賂により実情を報告せず、また仁和場塩大使が贔屓して不公平な処断をしたのではないかと思い、多くの話を採取して印刷し、また掲示を行いつつ、布政使、按察使、塩運使の三庁および杭州府に提出したのです。そこで、すでにおのおの関係部署により命令調査が行われました。また、浙江学政の黄倬により命令調査され、案件資料を尋ねて裁定が行われました。曹籀はこの事態により私怨をいだき、ここで「浙江学政、布政使、按察使はみな倫理を崩壊に導いている」とか、「按察使は以前に挙人の邵なるものを誤認逮捕し、贖罪を求めたことがある」などという内容の書籍を印刷し、『三世聞見記』なる名をつけて、各所に送付したのです。その書籍には、多くの誹謗中傷の言葉が掲載されており、しかも中には呪詛の語すらあり、その理由をあきらかにするため、上奏して按察使升泰により調査させることとなりました。

ここで按察使升泰によりますと、仁和県・銭塘県の報告によれば曹籀は去年（光緒三年）十月六日に病気により死亡したとのこと、また証人を聴取したところ、みな「曹籀は老齢であることを恃んで道理に外れたことを行っており、痴れ者の気狂いに類するもの。印刷された政府誹謗の書籍は、実際のところ思うようにいかなかったがために中傷や圧迫を試みたものにすぎず、他に理由はないものです。しかも別に随同附和した人物はいません。版木と書籍は焼却すべきです」と述べます。これらの文書がみなわたくしのもとに送られてまいりました。調査しましたところ、『律例』には「政府への建白であると偽って官府を脅迫し、曖昧で不明確な事情、あるいは賄賂の授受、あるいは他人の名誉を毀損することによって、私的な報復をはかるような者は、軍人民人ともに近傍に流して軍役に従事せしめるべし」（「刑律」「訴訟」「越訴」の条例）との規定がありました。今回の案件では、曹籀は罷免された元学生であるにもかかわらず、訓導であると詐称しました。そして、はじめは一族内での後継者協議について訴訟を起こし、請託を行おうとして失敗し塩務の官僚を誣告し、継いで各役所から訓告を受けたために怨恨を深め、政府誹謗の書物を編集印刷し、思うままに中傷し、政府に圧迫をおこない、報復を図ろうとしたのです。まさにこれは陰険で不法な行為であると申せ、絶対に律の規定によって罪を問うべきです。

曹籀については、官職を詐称し、公務について請託を行ったことなど軽罪は不問に付すこととし、『律例』の「政府への建白であると偽って官府を脅迫し、曖昧で不明確な事情、あるいは賄賂の授受、あるいは他人の名誉を毀損することによって、私的な報復をはかるような者は、軍人民人ともに近傍に流して軍役に従事せしめるべし」

との規定に則り、近傍に流して軍役に従事せしめるべきではありますが、すでに病没しておりますので、詮議する必要はないでしょう。……（中略）……調査対象としませんでした刻字工については詮議する必要はないでしょう。仁和場の塩大使である陶宗輝は曹鴻藻がさきに灶塩について訴訟を起こしたことにより調査を行うことになったわけですが、家庭の事情に起因していたために事件の文献を県に移管しておりました。こちらもまったく贔屓を行ったことなどは無く、詮議する必要はないでしょう。……（中略）……書籍の版木につきましては、一律に焼却処分といたします。関係者の供述はみな刑部にお送りするのは当然のこと、すべての調査および懲罰の策定につきまして、適当でありますかどうか、謹んで閩浙総督の何璟と連名にて上奏いたします。伏して皇太后陛下、皇帝陛下のご指示を仰ぎ、陛下より刑部にご命令いただき別途調査施行していただきたいこと、ここに上奏いたします。〔以上の上奏に対し〕軍機大臣は陛下のご意志「刑部は見知りおけ」を奉呈せり。

事件がこの最終判決へと推移するなか、浙江省杭州府では以下のような遣り取りが行われていたという[38]。杭州の曹某が『三世聞見録』を執筆して政府を誹謗した一件について、すでに上奏が行われ、陛下は按察使升泰に調査を命令された。升泰はそこで陳籽畬太守〔候補知府の陳宝菁〕に命じて龔太守〔杭州府の知事である龔嘉儁〕とともに調査および訊問をさせた。しかし、曹某は病気が癒えず、裁判に出廷することができなかった。しかもほどなくして曹某は死亡してしまったのである。陳太守は上司のご意志をうけ、浙江省の諸知識人と相談し、知識人らによる和解のための公文書を提出して案件を結審しようとした。知識人らは、以前に今次案件が支離滅裂であったこともあり、何回にもわたって浙江地方政府の各方面に中央への報告を行わず穏便に済ませることを懇願していたのだが、各方面はみな了承しないばかりか、叱責されさえした。結局今回も了承されることはなかったのである。なお陳太守の相談した内容とは、公平な調査と懲罰を求めるというものではあった。

なお、これら全ては渦中の『三世聞見録』著者曹籀の与り知らない場所での遣り取りであるが、この曹籀の親族であった呉慶坻は『蕉廊脞録』巻三「曹籀」において事件を追憶している(39)。

〔杭州府〕仁和県にいらっしゃった我が親戚の夫の曹籀さんは室名を柳橋という。もと名前を金籀といい、字は葛民であった。若い頃より詩文に巧みで、三十を過ぎたころより儒教の経典について研究を行われる決心をされたが、経典研究にはまず小学〔文字、音韻、訓詁などについての学問〕を研究するべきと考えられ、つねづね許慎『説文解字』を詳細に分析しておられた。諸々の経典のなかでも、『春秋』の研究に最も力を入れ、穀梁伝を信奉しておられた。そして、五十歳になられたころ『春秋鑽燧』一書を完成されたが、その多くは穀梁伝の義を重んじたものである。また『説文訂譌』を執筆されたが、原稿は兵火に焼かれ、残った部分はただ「古文原始」の部分一巻だけであった。晩年には以前に出版された書物と太平天国後に執筆された文章をあつめ、一編に編集して『籀書』として出版された。

道光・咸豊年間には杭州城の東にお住まいであったが、敷地には池や竹林を設けられていた。付近には南宋の紅亭醋庫の遺跡があったため、近隣の諸老とともに紅亭詩社なる句会を結成された。こちらに長くお住まいになった後、皐園の西側に引っ越され、書斎に「市隠草堂」と命名されたのである。同治のはじめ、塩橋の東賀衙巷に引っ越されたが、自宅の東の小園に「臥霞」の立札を置かれた。さきに我が祖父〔呉振棫、嘉慶十九年科二甲五十四名の進士で翰林院庶吉士ののち四川や雲貴総督を歴任〕が戊辰年〔同治七年、一八六八年〕に官をやめ帰郷されると〔呉振棫は同治十年すなわち一八七一年に死去〕、曹籀さんと張仲甫〔張応昌〕、高古民〔高錫恩〕両先生にはそれぞれよく行き来していただいた。わたし〔呉慶坻〕は側に侍してお話を聞かせていただいていたのだが、曹籀さんはわたしを小友と呼ばれ親しくしていただいたものだ。このころには七十歳にもなられたか、しかしなお論ずる所は凡俗から遠く優れており、しかも意気は青年のようであった。ただ惜しむらくは人を侮り罵ることを好まれ、多くの方から憎まれていらっしゃった。

丁丑年〔光緒三年、一八七七年〕には、一族の甥世代にあたる挙人の曹鴻藻と裁判となったが敗訴し、『三世聞見録』を執筆し、巡撫、布政使、按察使、道台、府知事、仁和県知事、仁和場大使の方々の姓名を羅列し、陽類と陰類に分類され、評定を加えられた。すなわち陽類に分類された方は君子、陰類に分類された方は小人というわけである。しかもその文章は混乱しており、風狂のごときものであった。ここで布政使の衛栄光さんが巡撫の梅啓照さんに処置すべきと言上されるにおよび、巡撫は事件を按察使の升泰さんに任された。升泰さんは仁和県と銭塘県に命じて曹籀さんを逮捕させようとしたのである。時に曹籀さんはすでに病気にかかられ、悪性の出来物が背中にできていらっしゃった。曹籀さんは「出来物ができて儂の代わりに詫びを入れておるわい」とおっしゃった。その翌日、曹籀さんはにわかに亡くなられたのである。そこで刻字匠を逮捕し、また版木を焼いたのであった。巡撫が中央に上奏するところでは、曹籀さんの持つ候選訓導の職を剥奪し、『三世聞見録』を軍機処へ送付し事案の調査に備えるとのことであった。わたしは杭州にいたため、多くの地方高官が狭量な態度で一人の文儒を押さえ込んでしまったことを悲しく思ったものだ。まったく不当なことである。また曹籀さんが学究生活を続ける間に年老い、さらに誇られたことは、まこと惜しむべきことであった。譚復堂〔譚献〕は日記において曹籀さんをひどくののしり、晩年になって節度を失い、最後に文章によって災厄を被ることになったことを嘆いたものである。しかも郷里の者たちは、曹老人と呼び、実はまったく学問が無かったと書いた。これは文人が相互に軽視しあうものにすぎまい。というのも、曹籀さんは以前北京にいらっしゃったとき、五十歳のころであったか、〔江蘇省蘇州府〕呉県の太子太傅潘文勤〔潘祖蔭〕公により、言祝ぎの対聯をいただいている。いわく、「小学の専家を捜せば達人がいる。天よこの大儒に長寿を与えたまえ」と。この言葉は曹籀さんを激賞した言葉である。おそらくこれは曹籀さんが儒学の講義をされたおり、小学について論じたため、文勤公がとても敬服したがゆえのものであろう。

以上の記事をそれぞれの内容に従って整理しよう。事件の中心となった『三世聞見録』の著者曹籀は光緒三年（一八七七年）時点で八十に垂んとする老人であり、総督などを歴任した呉振棫と交流があり[40]、『春秋鑽燧』や『説文訂譌』といった多くの著作を誇る文人であった（蕉廊脞録）。浙江巡撫梅啓照に『三世聞見録』を送付したところ題籤を得ることが出来たため、印刷段階で「梅大中丞鑒定」の文字を冒頭に加えた（三年八月十一日記事）。しかしその内容は巡撫以下の省政府幹部を君子と小人に分類して評定を加え（蕉廊脞録）、しかも「浙江学政、布政使、按察使はみな倫理を崩壊に導いている」、あるいは「按察使は以前に挙人の邵なるものを誤認逮捕し、贖罪を求めたことがある」といった（浙江巡撫の解釈では）捏造を含むもので、あきらかに『律例』の「政府への建白であると偽って官府を脅迫し、曖昧で不明確な事情、あるいは賄賂の授受、あるいは他人の名誉を毀損するようなことをあげつらって私的な報復をはかるような者」に該当するものであった（四年四月二十二日記事）。なお、杭州の文人たちは口々に曹籀の風狂なことを言いつのり、「浙江地方政府の各方面に中央政府への報告を行わず穏便に済ませることを懇願」（三年十一月二十九日記事）したという。その実は曹籀の交流が広範囲に渉っていたがためか、責任能力において正常であると判定されたときの周囲への連座を恐れたものか、みな「曹籀は老齢であることを恃んで道理に外れたことを行っており、痴れ者の気狂いに類するもの。印刷された政府誹謗の書籍は、実際のところ思うようにいかなかったがために中傷や圧迫を試みたものにすぎず、他に理由はないものです。しかも別に随同附和した人物はいません。版木と書籍は焼却すべきです」と述べるのである（四年四月二十二日記事）。

そして、最終的に下った判決は、曹籀について「すでに病没しておりますので、詮議する必要はないでしょう」「調査対象としませんでした刻字工については詮議する必要はないでしょう」「書籍の版木につきましては、一律に焼却処分といたします」といったもので（四年四月二十二日記事）、曹籀を狂人であり責任能力が無く、一族への連座も行わず、書店や刻字工の罪を問わず、版木と書籍を焼却するに留まるものであった。しかも、この焚書はあくまで『三世聞見録』に留まるものであり、多作であった曹籀の他の著作『春秋鑽燧』や『説文訂譌』は焚書対象とはならず、たとえば上海図書館には『春秋鑽燧』（請求記号四一三七五四）、『石屋書』（請求記号三二六二八五～九一）、『夢西湖詞』（請求記号五五二六五三）、『籀書内篇』（請求記号四一三九五六～五九）、『籀書詩篇』（請求記号三五七三一三）、『籀書詞集』（請求記号三五七三一四）といった書籍が伝世している。

『三世聞見録』に載る省政府高官の君子と小人との分類、按察使代理唐樹森による誤認逮捕、浙江学政や浙江布政使、浙江按察使の倫理崩壊主導といった事案は明らかに対象実名を名指ししての官府誹謗にあたるものである。研究史に著名な雍正四年（一七二六年）の政府批判の事件では、犯人査嗣庭は瑣末な瑕疵を咎められて断罪され、獄死した後には梟首のうえ遺体分断とされ、子孫で十六歳以上のものは斬首、十五歳以下は流刑三千里とされた[41]。背景に存在するであろう政治事情、中央と地方という対象の差異は重いが、ただ発生した事案のみ考慮すれば、この曹籀事件もまた全著作の焚書、遺体の戮辱、一族連座にまで至ることもありうる案件と思われる。しかし事件は前述のごとく対蹠的な推移をとげた。おそらく『三世聞見録』において「君子」側に分類されたろう梅啓照は誰一人の連座も求めず、死亡した曹籀本人にも責任を問わず、事件を穏便に処置した。そもそもの発端が（当人は否認するものの）梅啓照本人の不手際による「梅大中丞鑒定」の題籤に始まるものであるから、巡撫梅啓照こそが著者の責任能力不在を根拠とした事態の収拾を望んでいた可能性もあろう。しかし、その前後の報道には政府誹謗を咎められた類例が存在せず[42]、「梅大中丞鑒定」の存在こそが本事件の浙江省内のみでの秘やかな解決を困難にしていたとも考えられる。

なお、反清を標榜して政府批判を隠微に行っていた秘密結社は、自らの立場を宣揚し集団の結束力を高める書籍として『海底』などの図書を地下出版しているが[43]、その秘匿性により広範に流布することもなく、現代へと伝世している。もし秘密結社が摘発され「悖逆の書」が発見された場合は、保持者および関係者がすべて処刑され焚書となる。ただしこちらは以下の記事のごとく禁書指定の結果であるより秘密結社捜索の結果としての禁書発見の形をとるため、今次の政府批判図書の規制とは視点を異にするものとなる。

以前から報道していることだが、安徽省各地ではまた〔魂狩目的での〕辮髪の切断が度々行われるようになった。各地の長官や軍人民人はみなそれぞれ注意深く捜査捕縛にあたっている。すでに四人を逮捕したが、所持品から無数の辮髪、および妖書数冊を得た。さっそく共犯の存在について尋問したところ、「わたしたちのグループは数十人で活動しており、各省で活動を行っている」云々とのことであった。現在すでに関係各所に連絡が行われ、共同捜査が行われることとなった。この犯人たちの姓名や判決の内容などについては、続報が入り次第報道を行う予定である[44]。

反清団体の出版物という立場からすれば、太平天国政府の出版した書籍もまた同様に、清朝治下における対象指定の上での明文規定としての焚書事例こそ存在しない。しかし、当然『律例』記載の大逆の書にあたるとして地方当局あるいは民間知識人による自主規制の一環として焼却されたものか、清朝治下領域にはほとんど残されず、当時上奏添付の形で清朝中央に送致されたもの、あるいは外国人により本国へ送付されたもののみが遺されたのであった[45]。

結局、清朝前期中期に多く公的に糾弾された政府批判書籍事件は後期に大きく件数を減少させ、もし前期中期であれば杭州府全体に波及する可能性のあったろう『三世聞見録』事件もまた、光緒年間には穏便に収拾されたのであった。

五．おわりに――自主規制と出版統制のはざまで

『律例』に記載された禁書のなかには、「託宣や妖言を並べ立てた書籍」が存在していた。これらは主に秘密結社や宗教団体が保持していた革命を連想させるような反乱源となりうる書籍を指す。澤田瑞穂は宗教団体の経典である宝巻を研究する上で道光年間の書籍『破邪詳辯』を刊行し、その中で以下の資料に基づき、注目すべきことを指摘している。

両処邪廟、坍塌破壊、廟内主持、貧苦尤甚。訊称此廟久無作会進香之人、以致如此。各廟邪経、多与仏経混在一処、上面積塵甚厚。訊僧道、称係遠年遺留、伊等並未閲視、亦不認識、倶無伝習邪教情弊。是此地向有邪教、而近無邪教、似属可信。当即詳明上憲、将邪経邪廟、尽行焚毀、以絶禍根。(46)

清・道光年間に成った黄壬谷の『破邪詳弁』には、明末清初刊刻の古経巻六十八種が著録されている。これでみると、道光中期にもこれだけの堂々たる経巻が所蔵され読誦されていたように早合点する向きがあるかも知れない。しかし実際は黄氏が自記するように、かつての当局の厳しい取締りに恐れをなした村民が、家に伝わる紛わしい経巻はすべて焼却するか、それも勿体なくて村の寺廟に仏像類と一緒に納めてしまったので、寺廟在住の僧道も、それが素性の怪しい経巻ということも知らず、仏書の一種くらいに考えて看過してきたのである。黄氏はそれを一人の有能な吏員と手分けをして各地の寺廟から捜索し、内容を吟味の上で「邪経」として著録したもので、現実の事件で証拠品として押収した経巻ではなかった。事件で押収したものならば、物的証拠として京師の刑部に解送されるか、もしくは現地で焼却されるのだから、そのまま民間に遺るとは考えられないのである。(47)

こうした宝巻は康熙年間（一六六二年～一七二二年）には北京の崇文門里観音寺胡同に所在した党家経坊（党家経舗とも）など首都においても印刷が行われていた。(48)嘉慶年間（一七九六年～一八二〇年）に到り白蓮教反乱が多発すると、(49)

宗教団体の結成やその経典所持はそれ以前に比しても大罪となり、道光年間（一八二一年～一八五〇年）の上記黄育楩著書の段階ではや入手困難な状況となっていた。その間、出版者は消滅し、宝巻は地下に潜行したのである。しかし、こちらも光緒年間に到って復刻や新刊が行われるようになった。[50]言論空間操作の本質は自主規制にある。すでに咸豊二年（一八五二年）九月二十八日、太平天国による長沙攻撃のさなかに楊恩寿は「時事問題を差し挟み、語は多いに過激」である戯曲二十四齣を脱稿し『鴛鴦帯』と名付けたものの、厄災を恐れた親友が焼却を強く勧め、結局処分したという。[51]こうした周囲の〝親切〟は、下って光緒二十五年（一八九九年）になお見てとれる。[52]

昭文県〔蘇州府常熟県と同城〕の黄慕韓〔振元〕は、わたし呉梅が蘇州で学んでいた時の老友である。……壮年のころには石齋・梨洲・陶庵・九煙の人となりを慕い〔それぞれみな黄姓で反清の傾向のあった黄道周・黄宗羲・黄淳耀・黄周星（字を九煙、後に黄人とも）を指す〕、名を黄人と変え、また九煙と名乗り、彼に従おうとしたのである。書齋には匾額を掲げていたが、そこには「揖陶夢梨拜石耕煙之室」と記載していた。……わたし呉梅は己亥〔光緒二十五年〕の年に、〔前年の政変で刑死した〕戊戌六君子に感じ入り、伝奇戯曲を制作し『血花飛』と名付けた。そこに慕韓は序を作成したのである。時に祖父〔呉清彦、刑部員外郎〕はまだご在世で、[53]この『血花飛』が厄災を呼ぶことを恐れ、夜間に密かに焼却した。そのため、この曲は伝わらず、序文のみ残ったのである。

そのような中、冒頭に挙げた戴名世『南山集』は光緒二十八年（一九〇二年）に復刻され（上海図書館蔵、請求記号〇二二二二一七）、同じく明朝亡命政権について記載し長らく地下に潜行していた温睿臨『南疆逸史』もまた李瑶により禁忌部分を削除されたのち道光十年（一八三〇年）に出版され（上海図書館蔵、請求記号三三五三八三～九〇など）、少数民族政権への批判を行う『船山遺書』が同治四年（一八六五年）に刊行されるなど、[54]出版統制は実質的に弛緩していた。実際、さきに淫書撲滅運動の対象地域に含まれていた租界では、書籍販売目録に光緒六年（一八八〇年）の時点で『平浙記略』や『新修大清律例』とともに『甲申伝信録』や『荊駝逸史』の名が見えるようになり、光緒十三年（一八八七年）には新印『明季稗史彙編』について「この書籍は明朝末期の遺聞や軼事を集めたもの」と内容を簡単に解説するようになり、光緒二十二年（一八九六年）には再刊『明季稗史』について『烈皇小識』『嘉定屠城紀略』『揚州十日紀』など収録される禁書の名を明確に記載して販売し、さらに宣統二年（一九一〇年）には「禁書四種」と題して告知するにいたっている。[55]なお『揚州十日紀』はポーランドに仮託した翻案も販売されている。[56]清末には禁書の指定も各級で拡大していったが、光緒二十七年（一九〇一年）にあってなお次のように焚書ともならず空文に近い状況もみられた。[57]

東文学社では翻訳印刷を取り扱い、各種学校にて教科書としてご使用いただいています。さきには〔那珂通世の〕『支那通史』一部、〔市村瓚次郎の〕『東洋史要』一部を出版いたしました。その書には中国や外国の古今の治乱・政刑・地理・人種・教育・制度・風俗・士農工商などが書かれ、必ず備えておくべきもの、先生方の必需と存じます。現在は国家が経世済民を重視しておりますから、将来の科挙受験では必ず時勢への見識が求められましょう。ほどなく秋試です。早速にお買い上げいただき、実用にご利用ください。ただこの書籍はさきに上海道台より書店での印刷を禁止され、現在はあまり出回っておりません。（ご決意が）遅いと売り切れてしまうかもしれません。お求めの方は、早めにお買い上げください。『支那通史』は一部洋一元二角、『東洋史要』は一部洋七角です。上海の鉄大橋南堍の中西五彩石印局で販売しております。ほか、棋盤街文瑞楼、鴻宝斎、分局は抛球場、天来紙号、そして浙江省では徳記書荘の各書坊でお取り寄せできます。

この状況につき、光緒二十八年（一九〇二年）になお「昨今の中国では、ただ風俗を悪化させるような猥褻小説を禁じているのみで、（梁啓超『戊戌政変記』のような）悖逆無道の書籍は、国初に大きな事件が発生してから二百数十年は見かけなかった」との声を見いだすことができる。[58] もちろん、時には禁書が摘発されることもあった。上海で断髪洋装に触れた蒯光燮は武昌教育普及社を設立して革命派の書籍を販売していたところ逮捕され[59]、監禁十年の判決を受け、以降も判例として参照されている。[60] また宣統二年（一九一〇年）には上海城外東郊十六鋪にあった新舞台が清初成立の演劇「鉄冠図」の一部を「明末遺恨」として上演し、「例禁」により上演終了したという。[61]

やっと言論統制で法整備が行われたのは「朝廷を誹謗しない」「朝廷の政治について議論しない」「風俗を毀損しない」などの条文を持つ光緒三十二年（一九〇六年）の「報館応守規則」からとなろうか。[62] それでもなお規制は十全に効果を発揮したとは言えず、かえって禁書を魅惑的に宣伝することにもつながった。[63]

およそ読書人とは、入手が困難なのだったら、さらに切に求めるものだ。こうして求めたからには、さらに奮起して読む。こうして奮起して読むからこそ、感化も早い。これは理の当然というものだ。だからこそ、簡単に買える書籍は積み上がり、往々にして読み終わることもなく他の書籍に転じてしまう。ここで入手困難な書籍を入手すれば、読む側は必ず内容に秘密の重要事があるだろうと考え、心を尽くして読もうとし、一字たりとてゆるがせにしないだろう。読書人の好奇心とは常にこのようなものだ。そこでロシアに目を転じれば、言論出版の厳しい統制は全ヨーロッパで比べるものがない。それだからロシアの学生は「天下の楽しみを問えば、雪の夜に二三人の同志と部屋に集まり禁書を読むに越したことはない」などと常に述べるのだ。またロシアの鉄道駅の書籍商は、往々にして国境を越えて各国の哲学者の書籍や他国の新聞を携え、車両で販売するものだ。禁制が厳しさを加えれば読者はいよいよ増える。ここに禁書禁報の効力が必ずしも高くないことを伺い得よう。

同治末年には清朝前半期に反清活動を行っていた鄭成功への顕彰が始まるなど[64]、明朝に関連する諸事についての見直しも行われていた。[65] ただし、あくまで王朝側からの規制緩和についての言及は一切存在しない。しかも如上の前節で概観してきたように、ときに猥褻書籍撲滅や『三世聞見録』のような政府批判書籍の焚書といった事象が発生した。猥褻書籍については地方風俗と密接に関係するものであるから、清朝を越えて中華民国、中華人民共和国に到るまで官民一体となった規制が一定程度加えられていくことになる。[66]しかもなお、猥褻書籍の規制は一進一退の状態を繰り返し、また康有為や孫文に連なる主張を行う一部新聞や書籍を除き、多くの書籍については清朝治下において明確な禁令が出されることはなかった。研究史においては革命派書籍の禁止に注目があつまるが、前出拙稿でも論じたように『官場現形記』などといった政府批判を伴う大多数の書籍は規制対象となることもなく読み継がれている。すなわち、清朝治下においては、目に見えぬ出版統制が時代を下るにしたがって民間における自主規制の漸進的かつ自主的な解除の形をとりながら死文化していくという道程を辿ったと言えよう。

注

（1）拙稿「中国近代史関係文書の研究──『思痛記』に見る清朝批判と出版統制」（『文部科学省大学院教育改革支援プログラム 歴史資源アーカイブ国際高度学芸員養成計画 二〇〇九年度成果報告書』東北大学大学院文学研究科、二〇一〇年三月）、また「近代中国における出版自主規制について──清末と現代にみる言葉遊びの真実」（『「歴史資源アーカイブ国際高度学芸員養成計画」平成二一年度院生プロジェクト成果報告書』東北大学大学院文学研究科、二〇一一年二月）。

（2）中国における出版統制については、その後景となる文化や時代性とともに多くの研究がものされてきた。代表的なものとして、安平秋・章培恒主編『中国禁書大観』（上海文化出版社、一九九〇年三月。抄訳に新潮選書の氷上正・松尾康憲『中国の禁書』、新潮社、一九九四年九月）、岡本さえ『清代禁書の研究』（東京大学出版会、一九九六年十二月）、井上進「明末の避諱をめぐって」（『名古屋大学東洋史研究報告』二五号、二〇〇一年三月）、同『中国出版文化史──書物世界と知の風景』（名古屋大学出版会、二〇〇二年一月）等の研究を挙げることができる。

（3）全祖望『鮚埼亭集』外編巻二十二「記七」「江浙両大獄記」による。

（4）張樹棟・龐多益・鄭如斯など「歴代焚書禁書和文字獄的桎梏」（『中華印刷通史』印刷工業出版社、一九九九年九月、第六章「古代時期的社会環境及印刷術発展概況」第一節「社会文化環境的促進和制約」）、および張兵・張毓洲「《南山集》案与桐城戴氏家族的衰落」（『文史哲』二〇〇九年第三期）のほか、大谷敏夫「戴名世断罪事件の政治的背景──戴名世・方苞の学との関連において」（『史林』第六十一巻第四号、一九七八年七月）、来新夏「法国学者筆下的《南山集》案──読《戴名世年譜》」（『北京日報』二〇〇四年十一月一日号）、同「一部外国人研究中国文字獄的専著──読『戴名世年譜』」（『文匯読書週報』二〇〇四年九月十日号。のち『書巻多情似故人』上海人民出版社、二〇一五年四月）、大平桂一「戴名世と『憂庵集』」（大阪女子大学『国際文化』第六号、二〇〇五年三月）などを参考とした。

（5）詳細は雷夢辰『清代各省禁書彙考』（北京図書館出版社、一九八九年五月）を参照。

（6）たとえば、谷井俊仁「清乾隆朝にみる出版の権威性」（『三重大学人文学部文化学科研究紀要』第二十二号、二〇〇五年三月）をはじめとして、張静廬『中国近代出版史料』初編（中華書局、一九五七年十二月）、李夢生『中国禁毀小説百話』（上海古籍出版社、一九九四年十二月）、葉樹聲・余敏輝『明清江南私人刻書史略』（安徽大学出版社、二〇〇〇年五月）、宋原放など『中国出版史料』（湖北教育出版社、二〇〇一年四月）などが存在する。

（7）村上公一「中国の書籍流通と貸本屋──禁書史料から」（『山下龍二教授退官記念中国学論集』好文社、一九九〇年十月）は清朝後期の出版をめぐる乏しい研究状況のなかで道光年間までを論じる。

（8）『申報』同治十一年十一月初九日「邑尊奉行査禁私刊時憲書告示」。この『申報』とは同治十一年すなわち一八七二年に創刊され、民国三十八年すなわち一九四九年に停刊となった上海の新聞である。現在は上海書店出版社より四百冊の影印版が出版されたが、その底本となったのは上海図書館所蔵のものである。なお、上海図書館での請求記号は「Z六二／五〇五〇」である。

(9) たとえば『申報』光緒二十一年十月二十八日「正朔頒行」。なお『申報』光緒十六年十月二十日「正朔同遵」によれば、上海では文廟に「時憲局」が置かれたという。兼務については次注を参照。

(10)『申報』光緒十年十月十八日「英廨出示」、また『申報』光緒二十年十月二十九日「禁售私書」。上海には上海英美租界会審公廨（the Mixed Court of the International Settlement in Shanghai）が設置され、中国側から理事同知（Judicial sub-prefect、分府などと俗称される）が正会審官（Senior Magistrate、正讞員とも）として参加していた。ここでは江蘇布政使司理問の張性淵の要請により黄承乙や宋治芳といった讞員が出示している。

(11)『申報』光緒四年八月十四日「論民間蔵例之禁」。

(12) 明朝正徳年間、文華殿大学士の唐上傑が皇帝寵姫の父である張彪に家伝の和服の借用依頼を受け断ったことからはじまる復讐譚。岡崎由美「弾詞『倭袍伝』の禁書と流通」（中国古籍文化研究所『中国古籍流通学の確立——流通する古籍・流通する文化』、アジア地域文化学叢書六、雄山閣、二〇〇七年四月）を参照のこと。

(13)『申報』光緒十年正月十三日「告示」。ここでは認可業者として報房周祖蔭の名が記されている。また省内行政を伝える塘務府を偽装して合格や昇進を伝える通知書「報条」に京報、省報、遞報、急脚報などと名付けて祝賀金を催促する例があり、「光棍擾害例」に照らして処罰されている（『申報』光緒十三年四月二十八日「江右瑣聞」、光緒十七年十一月二十八日「豫章雑録」、光緒二十年九月初八日「江右試事」）。

(14)『江蘇省例』同治七年巻「藩政」「査禁淫詞小説」に載る。本書は清朝において各地方省が行政の遂行を簡便ならしめるために編纂した書籍の一種で、江蘇省に関する法律を総合して印刷したものである。なお、上海図書館での請求記号は「四八三六七九」である。これら省例については既に寺田浩明「清代の省例」（滋賀秀三編『中国法制史——基本資料の研究』東京大学出版会、一九九三年三月）、および谷井陽子「清代則例省例考」（『東方学報（京都）』第六十七冊、一九九五年三月）といった研究が存在する。省例は一次の編纂に留まらず、幾度かの補刊が行われることが多い。日本に所蔵される浙江省の『治浙成規』は東京大学東洋文化研究所所蔵本（請求記号「史部-政書-邦計-七」）、同じく京都大学人文研究所所蔵本（請求記号「東方-史-XⅢ-二-一〇五」）の道光十七年補刊本であるが、『申報』光緒五年十月二十九日「永禁庄戸書勒索過割浮費示」には浙江省寧波府の事件について同治六年の時点で「刊入『治浙成規』」とした記載が残されており、地方条例の集積がなお行われたことを示唆している。

(15)『江蘇省例』同治七年巻「藩政」「続査応禁淫書」。

(16) この『聖諭広訓』は風俗が紊乱した際の精神的支柱として官僚より認識されていた。太平天国後は本来人口過密地帯であった江南の人口を激減させたが、その後に募られた各所からの移住民の統合の象徴として『聖諭広訓』奉読が重要視されたことについて、筆者は「戦災復興と秩序形成——近代中国江南の移民流入と社会変容」(「アジア社会研究会」第三回シンポジウム、東北大学東北アジア研究センター、二〇〇九年一月三一日)で触れたことがある。

(17)『申報』同治十一年九月初一日「葉邑尊禁止刊刻淫書告示」。なお、『申報』掲載の猥褻図書禁書については丁淑梅『清代禁毀戯曲史料編年』(四川大学出版社、二〇一〇年一月)等に引用されることがあるが、おそらく該書の紙幅の関係であろう、本章に論じたものは多くが採用されていない。

(18) 慈善団体の財政や行動については、夫馬進『中国善会善堂史研究』(同朋舎出版、一九九七年二月)に詳しい。

(19) 当該時期の地元知識人の郷土改善運動ともいうべき行動については、たとえば佐藤仁史「地方新聞が描く地域社会、描かない地域社会——一九二〇年代、呉江県下の市鎮の新聞と新南社」(『歴史評論』第六六三号、二〇〇五年七月)などが参考となる。従来では資料上の問題により都市以外での知識人の活動は明かではなかったが、昨今は太田出・佐藤仁史編『太湖流域社会の歴史学的研究——地方文献と現地調査からのアプローチ』(汲古書院、二〇〇七年十一月)などの業績が著わされている。本書の書評として拙評(『集刊東洋学』九十九号、二〇〇八年五月)があるので、あわせて参照されたい。

(20)『申報』同治十一年十二月二十日「勧禁刻綺語淫詞議」。

(21)『申報』同治十二年二月初九日「論淫書淫画淫戯不宜看」。

(22) 弾詞とは、中国南部で流行した説唱文学の一つで、文字通り「説(かたり)」と「唱(うた)」を兼ね備えた芸能であり、少なくとも明代から見られるものである。たとえば蘇州弾詞は蘇州の発展に伴う盛り場の賑わいを背景とし、民衆に絶大な人気を誇っていた。三弦や琵琶を伴奏楽器に用いており、内容は恋愛ものを中心としていたため、どちらかというと優雅な曲調であるとされていたという(輪田直子「蘇州弾詞における説唱形態の特徴」『東北大学中国語学文学論集』一号、一九九六年十一月)。

(23)『晋書』に載る賈午が皇帝より賜わった実家の香を韓寿に送り、後に皇帝にその香を聞がれ関係が露見した故事、また『楊妃外伝』に載る楊貴妃が寧王の玉笛を竊んだ故事より男女の私通を指す。

(24)『孟子』「滕文公下」に載る媒酌人を立てる前に若い男女が自由に恋愛をすることを憂う故事。

(25) ほか、猥褻な演劇について『申報』光緒五年九月初一日「淫戯不可不禁論」、光緒五年十一月十六日「戯説」、光緒五年閏三月初四日「永禁淫戯串客示」、光緒五年八月十六日「淫戯不可不禁説」といった記事を見出すことができる。

(26)『申報』光緒四年十二月二十二日「禁売淫書」。

(27) 江都県は甘泉県とともに揚州府城下および周辺を管轄しており、江都県の命令とは揚州府城の市域への命令と見ることができる。
(28) 悪書追放事業における版木回収時の代金支払いについては、注七前掲村上公一論文を参考のこと。
(29) ただし、このような〝弾力的な運営〟とは、中国社会固有とするより世界の普遍的要素の一形態とも取れよう。同様に中国固有にして世界共通の要素の発露ともとれるものに〝原額財政〟理論が挙げられるが（岩井茂樹『中国近世財政史の研究』京都大学学術出版会、二〇〇四年二月、あるいは同「中華帝国財政の近代化」飯島渉など編『シリーズ二〇世紀中国史 一 中華世界と近代』東京大学出版会、二〇〇九年七月）、その背後に最終的な人事権者として皇帝が存在し、地方大官といえども容易に人事異動の対象となる、古くからの官僚制度が存在していたことは見逃してはなるまい。なお、このような悪書追放もまた一罰百戒の面を持つもので、本章冒頭前出拙稿において検討した通り、おそらく自主規制こそが出版統制の重要な要素であったろう。
(30) 『申報』光緒五年十一月二十一日「藩憲新政」
(31) 『申報』光緒十六年四月二十七日「示禁淫戯」、光緒十六年五月二十五日「禁止淫詞小説示」。なお後者では依拠する条例として「刻印淫詞小説者、係官革職、軍民杖一百流三千里、市賣者杖一百徒三年、買看者仗一百」を挙げるが、張光月『例案全集』巻十四「礼例」「祭祀」「禁止師巫邪術」「市売小説淫詞治罪并該管官失察處分」によれば康熙五十三年（一七一四年）五月初三日の決定にかかる。
(32) 『申報』光緒十六年五月二十五日「傳諭書賈」、光緒二十四年七月二十七日「示禁淫書」。それぞれ蔡匯滄と鄭汝騤による。『申報』光緒十六年五月二十五日「書黄方伯禁止淫書小説示後」によれば、書店のほか「宝善街石路のあたりでは書販の屋台が林立していて、火ともし頃になると猥褻書籍を並べ、貸すなり売るなり客の便利にまかせている」状況であり、撲滅は困難を極めたであろう。
(33) 『申報』光緒二十六年五月十七日「浙省闔業禁售淫書」。
(34) 『申報』光緒三年八月十一日「文字滋禍」。
(35) 『申報』光緒三年八月二十九日「虎林瑣記」。
(36) その内容および中央の命令については『申報』光緒三年九月念一日「光緒三年九月十一日京報全録」の「浙撫梅奏為已革生員刊刻謗書派員審辦以遏刁風摺子」に確認することができる。
(37) 『申報』光緒四年四月二十二日「光緒四年四月初十日京報全録」に載る「浙撫梅奏審明生員刊刻謗書按律定擬摺」。
(38) 『申報』光緒三年十一月二十九日「撰書案続聞」。
(39) 該書は一九六九年九月出版の文海出版社『近代中国史料叢刊』第四十一輯に収められているほか、一九九〇年三月には中華書局より清代史料筆記叢刊の一環として出版された。
(40) ほか、彭長卿「曹籀与龔自珍・趙之謙的友誼——従一封信札説起」（広東省新聞出版局『収蔵・拍売』二〇〇四年第二期）に述べられるように、龔自珍や趙之謙との交流もあったという。

(41) 関連資料集として張書才「査嗣庭文字獄案史料（上）（下）」（中国第一歴史档案館『歴史档案』一九九二年第一期・第二期）が存在するほか、専門のものとして顧真「査嗣庭案縁由与性質」（故宮博物院『故宮博物院院刊』一九八四年第一期）、簡究岸「清初査嗣庭〝試題〟案」（浙江省社会科学院『観察与思考』二〇〇〇年第十二期）といった研究が存在し、査嗣庭の事件は背景に雍正帝の政敵となっていた隆科多への攻撃の要素があると指摘する。なお孔祥吉「我与清人日記研究」（光明日報社『博覧群書』二〇〇八年第五期）は査嗣庭の日記を実見し、なんら悖逆の文言がなく、雍正帝による牽強付会な断罪によるものであると断じている。

(42) 立件上奏はされなかったものの、光緒五年には「左良才」なる人物による官府誹謗の信書が投じられて江蘇按察使の許応鑅が捜査を下命しており（『申報』光緒五年閏三月十六日「誤投謗書」、光緒五年閏三月二十日「根究謗書」）、下って光緒二十九年には蘇州府常熟県の県丞程柱が同城の昭文県知事張瀛の汚職を指弾し『人面獣心録』を印刷し上級各所に郵送したという（『申報』光緒三十一年二月十九日「紀昭文縣張大令撤任原因（常熟）」、光緒三十三年五月十二日「捐升道員前昭文縣張瀛之歴史（蘇州）」）。なお後者は蘇州府署事向万鑅による張の訓誨に留まり、張の工作により『人面獣心録』は焚書されたが、その後に改めて張の行政遅滞が攻撃され残部とともに巡撫代理の效曽へ上疏され張は蘇州府へ召喚されている。

(43) 秦宝琦・孟超『秘密結社与清代社会』（天津古籍出版社、二〇〇八年一月）、山田賢『中国の秘密結社』（講談社選書メチエ一三九、講談社、一九九八年九月）等を参照。

(44) 『申報』光緒二年六月十四日「拿獲剪辮」。なお続報として『申報』光緒二年六月十六日「拿獲剪辮妖人」が存在する。もともと剪辮とは乾隆三十三年（一七六八年）に大規模に発生した事件であり、魔術師が辮髪を切り取ることにより魂を奪うとされた事件であった。その詳細はフィリップ・キューンの著書 Philip A. KUHN, *Soulstealers: The Chinese Sorcery Scare of 1768*, Harvard University Press, 1990. に詳しい。該書は谷井俊仁・谷井陽子訳『中国近世の霊魂泥棒』（平凡社、一九九六年十月）として翻訳が刊行されている。なお、光緒二年のこの事件については、蘇萍「清代妖術恐慌及政府的対策――以両次剪辮謡言為例」（香港中文大学中国文化研究『二十一世紀』総第七十四期、二〇〇二年十二月号）、また呉善中・周志初「〝妖術〟恐慌中的民教衝突――関于光緒二年皖南教案和蘇南鬧教」（『揚州大学学報（人文社会科学版）』二〇〇四年三期）、徐茂明『江南士紳与江南社会 一三六八―一九一一』（商務印書館、二〇〇四年十二月）、なかでも第五章「近代社会変遷中的江南士紳」第二節「社会劇変中的民衆・士紳与国家――光緒二年江南系列謡言研究」、張詠維「光緒二年剪辮事件所反応的江南社会」（『中正歴史学刊』第十期、二〇〇七年十二月）など精力的に研究が行われている。

(45) 王慶成『太平天国的文献和歴史――海外新文献刊布和文献史事研究』（社会科学文献出版社、一九九三年十一月）、祁龍威『太平天国経籍志（外一種）』（広西人民出版社、一九九三年十二月）などを参照。

(46) 黄育楩「続刻破邪詳辯序」『続刻破邪詳辯』（澤田瑞穂『校注 破邪詳辯──中国民間宗教結社研究資料』道教刊行会、一九七二年三月）。
(47) 澤田瑞穂「清代教案所見経巻名目考」（前注『破邪詳辯』）。
(48) 磯部彰「明末清初教派系宝巻の版本について」（『東北アジア研究』第七号、二〇〇三年三月）、同「『普覆週流五十三参宝巻』に見る明末清初期の教派系宝巻の出版について」（『東アジア出版文化研究にわたずみ』二玄社、二〇〇四年三月）、同「清初刊教派系宝巻二種の原典と解題」（『清初刊教派系宝巻二種の原典と解題──『普覆週流五十三参宝巻』と『姚秦三蔵西天取清解論』』東北アジア研究センター叢書第四十号、二〇一〇年二月）などを参照。
(49) その実態については鈴木中正『清朝中期史研究』（愛知大学国際問題研究所、一九五二年二月）を、またその背景については山田賢「「官逼民反」考──嘉慶白蓮教反乱の「叙法」をめぐる試論」（『名古屋大学東洋史研究報告』第二十五号、二〇〇一年三月）を参照。
(50) 車錫倫『中国宝巻研究』（広西師範大学出版社、二〇〇九年十二月）を参照。
(51) 楊恩寿『詞餘叢話』巻三「原事」（『中国古典戯曲論著集成』第九冊、中国戯劇出版社、一九五九年十二月）。
(52) 呉梅「蠡言巻二」（『小説月報』第四巻第十一号、民国二年（一九一三年）十一月、「筆記」）。なお黄周星については葉夢珠『閲世編』巻四「名節一」、朱彝尊『静志居詩話』巻二十一、汪曰楨『（同治）南潯鎮志』巻十四「寓賢」の黄周星伝を参照。ほか呉梅には戊戌六君子を扱った「草「萇弘血伝」十二章為戊戌政変死事六君作」（『呉梅全集』作品巻「霜厓詩録」巻一、河北教育出版社、二〇〇二年七月）がある。
(53) 曽祖父は道光十二年壬辰科一甲一名状元の呉鍾駿である（国立故宮博物院図書文献処清国史館伝包「呉鍾駿伝包」請求記号七〇二〇〇二九五五・〇四、国史館「呉鍾駿伝」）。また祖父の呉清彦は『中国第一歴史档案館蔵清代官員履歴档案全編』（華東師範大学出版社、一九九七年十月）第二十九冊「咸豊朝」五一三頁に「正二品廕生呉清彦【原任禮部左侍郎呉鍾駿之子】」、同治『蘇州府志』巻六十五「選挙六」第四十一葉「国朝」「挙人」「道光二十九年己酉科」に「呉清彦【小舫】」と登場する。ほか盧前「呉瞿安先生事略」（『時事新報』副刊『学燈』一九三九年四月十六日号）、王衛民「呉梅年譜（修訂稿）」（『南社研究』第三輯、一九九二年七月。『曲学大成後世師表──呉梅評伝』上海古籍出版社、二〇一〇年七月「附録一」）を参照。
(54) 詳細は本章冒頭前出拙稿を参照のこと。
(55) それぞれ『申報』光緒六年十一月二十七日「新印各種書籍出售価目」および「書籍出售」、光緒七年正月十四日「新出書籍発售」、光緒七年十月二十二日「書籍出售」、光緒十三年十一月初十日「新印明季稗史彙編出售」「新印明季北略南略出售」、光緒二十二年九月初七日「重印明季稗史告成」、『申報』宣統二年三月初五日「国朝文匯再増価広告」。
(56) 徐兆瑋『燕台日記』光緒三十二年六月初六日（『徐兆瑋日記』黄山書社、二〇一三年九月）。なお本書は董文成・李勤学主編『中国近代

珍稀本小説』第十四冊（春風文芸出版社、一九九七年十月）に亡国遺民之一『多少頭顱』として収録されている。『申報』中華民国三十六年十月十日「辛亥革命之翻譯小説多少頭顱辛亥革命文献展覧会介紹」では書中の「胡滅明題詩」を紹介している。

(57)『申報』光緒二十七年九月初十日「最要新書」。往々にして新政には「悖逆」の書籍が追陪するものであった（『申報』光緒二十九年八月十六日「定書律議」）。

(58)『申報』光緒二十八年十一月三十日「閲前報所載日本検書受賄事慨而論之」。

(59)総督張之洞および湖北警察総局総辦の黄以霖の指揮のもと坐辦委員の白砥が潜入捜査を行い『革命軍』『猛回頭』を得たという（『申報』光緒三十一年二月初七日「査封教育普及社之詳情（武昌）」、光緒三十一年二月初八日「論査封武昌教育普及社事」）。ほか『兄弟歌』（『申報』光緒三十一年二月初九日「査封教育普及社続聞」、光緒三十一年二月十七日「再論武昌査封教育普及社事」、光緒三十一年二月十九日「鄂督批武昌府教育普及社定案稟（武昌）」）。なお蒯光燓は光緒九年癸未科三甲二十九名進士として淮揚海道などを勤めた蒯光典（『碑傳集補』巻二十「監司四」馬其昶「候補四品京堂蒯君墓誌銘」）の族弟にあたるという。後に事件にかかわった白砥や哨官の蔡玉亭は出世し（『申報』光緒三十一年三月初五日「辦案得署優缺（武昌）」、光緒三十一年五月二十九日「哨官升遷（武昌）」）、洋務関連の翻訳は滞ることとなった（『申報』光緒三十一年五月十三日「委員考試洋務局譯員（武昌）」）。

(60)革命言説を鼓吹した『楚報』主筆の張漢傑は教育普及社の判例により監禁十年の刑を受けている（『申報』光緒三十二年正月初七日「楚報主筆将定以監禁十年之罪（武昌）」）。当時の武漢の新聞業については鄧濤「辛亥革命時期的武漢報業」『光明日報』二〇一一年十一月十四日第十一面が概略する）。なお蒯光燓本人は皇帝即位の恩赦にあたり二年に減刑され釈放された（『申報』宣統二年五月二十六日「雑記」「嫌疑犯不准保釋（湖北）」）。

(61)『申報』宣統三年九月二十三日「自由談」「戲攷（呉健下児）」。なお新舞台は陳天華の友人の日本留学生潘英伯に関する「潘烈士投海」や「黄勳伯義勇無雙」といった烈士劇を上演しており、つづく憂国ものとして本作を企画したようである（『申報』宣統二年二月初八日「新舞臺特別新戲廣告明末遺恨」）。烈士劇については鍾欣志「晩清〝烈士劇〟初探――従『潘烈士投海』和『黄勳伯義勇無雙』説起」（『文化藝術研究』二〇一二年第三期）を参照。劇評は九月二十四日「自由談」、二十五日「自由談」に続いている。

(62)『北洋官報』第一一五六冊第六葉、光緒三十二年（一九〇六年）八月二十五日「京師近事」「宣佈報館応守規則」（国家図書館編『国家図書館蔵『北洋官報』』天津古籍出版社、二〇一四年十二月、第二十冊一三三四〇頁）、『申報』光緒三十二年八月二十六日「本館接警部頒発報律九条専電（廿五日未刻到）」、光緒三十二年八月二十七日「論警部頒発応禁報律」、『申報』光緒三十二年八月二十九日「警部頒発報律両誌」。なお京師外城巡警総庁（庁丞は朱啓鈐）は「〔巡〕警部堂官の意」を受け商務印書館などへ「有干例禁之新書新報」の販売の禁止を命令している（光緒三十二年九月十四日「警部禁売新書報」）。

（63）『申報』光緒三十二年九月十四日「論警部禁売新書報」。

（64）鄭成功は清朝治下にあって旧反清団体として評価の難しい存在であったが、明治七年（一八七四年）に琉球の漂流民がパイワン族牡丹社に殺され台湾出兵が行われると、台湾の人心を掌握するため、福州の満洲族駐留軍の正藍旗満洲の費莫氏文煜、浙江福建地方長官の李鶴年、福建省長官の王凱泰、台湾担当大臣の沈葆楨らは〝反清〟の存在ながら〝順節〟を全うした鄭成功の勅建による顕彰を求め（『申報』光緒元年二月十二日「光緒元年正月二十六日京報全録」「將軍文等【福州將軍臣文煜・閩浙總督臣李鶴年・福建巡撫臣王凱泰・辦理臺灣等處海防兼理各國事務臣沈葆楨】奏廟神靈顯迭著籲勅加封號摺子」）、允許を得たのであった（『申報』光緒元年二月初三日「光緒元年正月初十初十一日京報全録」）。台湾に対する日本の挑戦が始まったことで、清朝に対する順節の象徴として鄭成功が求められたのである。なお本文には過去の事例として「康熙三十九年（一七〇〇年）、聖祖仁皇帝詔曰、朱成功係明室遺臣、非朕之亂臣賊子」なる康熙帝の言葉があり、康熙年間にすでに末裔に対する福建省泉州府南安県での祭祀の許可が出たという。しかし、康熙帝時代を記録する『聖祖實録』にその旨の記載はない。

（65）さきの鄭成功の事例のほか、例えば光緒四年（一八七八年）には、崇禎十四年（一六四一年）に陝西方面において農民反乱軍の対処にあたった陝西總督傅宗龍の顕彰なども行われている（『申報』光緒四年五月十四日「光緒四年五月初三日京報全録」「又【頭品頂戴河東河道總督兼署河南巡撫臣李鶴年】奏英靈保衛地方請頒發匾額列入祀典摺子」）。この傅宗龍の場合、乾隆年間に同様の請願が行われ却下されたという。『聖祖實録』には例えば巻二百に「明季宮中、一月用萬金有餘」（康熙三十九年九月丙午条）として明朝を比較対象とする記事が散見するが、同治年間や光緒年間にはそのような記事を見出すことはない。乾隆年間における明朝言論の変化については注二前掲岡本さえ『清代禁書の研究』においてすでに指摘されているが、本章で瞥見してきた言論統制上の〝弛緩〟とともに、改めて同治・光緒年間において明朝が遠い存在となったことをうかがわせる。

（66）中華民国における状況については注十九前掲太田出・佐藤仁史編著などを参照されたい。また、二〇〇七年時点での「旅客通関指南」には「印刷品・音像制品（包括信息存儲介質）進出境管理規定　――有下列内容之一的印刷品・音像制品禁止進境：①攻擊中華人民共和国憲法的有関規定；汚蔑国家現行政策；誹謗中国共産党和国家領導人；煽動対中華人民共和国進行顛覆破壊・製造民族分裂；鼓吹〝両個中国〟或〝台湾独立〟的 ②具体描写性行為或淫穢色情的 ③宣揚封建迷信或凶殺・暴力的 ④其它対中華人民共和国政治・経済・文化・道徳有害的」といった規制が示され、政府批判とともに猥褻図画といった印刷物などの輸入が禁止されている。

第二章　官僚職員録の発展と変容にみる社会変化と紐帯形成

一．はじめに

日本には『武鑑』なる職員録が存在した。そこには大名や江戸幕府役人について氏名、石高、俸給、家紋といった情報が書き込まれている。その刊行目的は定かではないが、江戸期に入ると多数の武士が都市部へ集住するようになり、彼らが路傍で相対した武士の家格を判断し、またあるいは武士と取引を行う町人達が情報を求めたため、実用書として『武鑑』が発展していったという。また、付随的に都市を訪れる人々にとっての旅行指南としても機能するようになったという。この『武鑑』については藤実久美子が多方面から研究を行っており[1]、また藤実自身が主体となって『武鑑』影印を行っている[2]。この『武鑑』は民間の版元によって編集、発行、販売が担われている。

そもそも日本の職員録は平安時代に始まる。たとえば『延喜式』巻十八「式部省上」には「およそ諸国の郡司の補任帳は、毎年正月一日に諸司諸国の史生以上の補任帳とともに太政官に送れ」、また同巻二十一「治部省」には「およそ威儀師以上ならびに従儀師および諸国講読師の補任帳各一巻は、歳末に編纂し、正月一日に太政官に送れ」なる規定を見出すことができる。これは翌年の除目の参考資料とするために人事担当官司である中務省、式部省、兵部省、治部省などがそれぞれの管轄の人員について補任帳なる人事録を作成していたものという。[3]また、補任帳とは別に年表形式により官職補任の記録を編纂し、後日の参考にすることも行われるようになった。結果、公家では『公卿補任』をはじめとする諸書が、[4]また武家では『将軍執権次第』などが制作されたのである。江戸期のものとしても、民間の『武鑑』とは編集方針を異にする抄本の編年文献『仕官録』や、[5]任免記録集成である『考績録』、『万年録』、『御番方代々記惣目録』が残されている。[6]ほか、地域を限定するものとして、『武鑑』の江戸地域版ともいえる『江戸町鑑』は町奉行や名主支配付、町火消などを記録し、『武鑑』同様に毎年改定され出版されたほか、仙台藩の『仙台武鑑』、[7]薩摩藩の『薩陽武鑑』、[8]あるいは安芸広島藩の各種名簿など、[9]多くが存在した。公家の側においても、堂上家の記録がはっきりしていることに対し、記録があいまいであった地下家について北面武士の三上景文が天保年間に『地下家伝』を編纂し、[10]可能な限り地下諸家の歴代当主の名前、父母の名、生没年、履歴等を収集している。江戸時代はまさに各種名簿が多数編纂され出版された時代であり、また現代に時代が近接していればこそ、その多くが伝世したのであった。

こうした職員録は、当然ながら同文の国である中国にも存在する。たとえば清朝後期より『同官録』と題する書籍が刊行されるようになった。その内容は六部や地方官衙ごとに現任の職員を網羅するものであり、詳細な伝記の残らないような人物の家族関係や経歴について貴重な情報を提供している。管見の限り『同官録』は道光壬辰（十二年、一八三二年）の巡撫楊国禎による序を持つ河南省の『同官録』として出発し、[11]咸豊九年（一八五九年）の『山右同官録』など、[12]時代を下るとともに種類を増し、同治六年（一八六七年）に編纂された江蘇省の『同官録』に内容・形式において一定の完成を見ることとなった。[13]

すでに筆者は『同官録』の意義について愚見を述べたことがあるが、[14]そこで得られた知見とは以下のようであった。太平天国が起義して以降、捐納や保挙により官僚数が激増、官僚たちの多くは地方に「分発」され「候補」となった。

総督や巡撫はもとより、その多忙を補うかたちで布政使、按察使、塩運使、道台もまた彼ら候補官僚を「署理」「委員」として使役しはじめる。[15] こうした中、人事権者は下僚の動向を把握し、また査定を行う一助とするべく『同官録』を作成した。江蘇巡撫呉元炳は「江蘇省は領域広大にして物産豊富、そのため官僚も林のように赴任し、候補者は千の位で数えるほどである。そのため部下を統率するものも直ちには皆と会い人品を知ることなどできまい。しかし他省には以前より『同官録』が刊行されていたにもかかわらず、江蘇省ではなお未刊であった。……太平天国からこのかた、捐納が盛んになり、推薦も行われ、官途は乱れてしまった。しかし今次の『同官録』をみれば、三代の履歴や何環の淵源が手に取るように判明する。そうすれば官途の混乱も禁ぜずして消滅するであろう」と述べているし、[16] 両江総督の曽国藩は下僚と会見した際に、さきの同治六年『同官録』に対して「人才、器、識、學、状、貌、健康、風格與可用否」についての書き込みを行っていた。[17] もし下僚を把握・統制しなければ、江蘇省の道台であった趙継元のような反抗的な存在を野放しにし、[18] また縁故主義を部下より攻撃されるなど、[19] 地方行政の遂行に障害となり、御史からの弾劾の原因となる可能性もあったのである。

また下僚は上司や同僚との交流に利するため、『同官録』を積極的に利用した。『同官録』に掲載されることで名前だけでも上司の目に触れ、また同輩の履歴と比較して自分の資序を確認し、また生年月日や出身などの情報から上司や同輩との交流の「よすが」を得ることができる。[20] 当時は捐納官僚に対する再試験の風潮もあり、[21] 彼ら下僚は過度な縁故主義を糾弾し平等な雇用を求めながらも、なお自らは縁故を利用してでも栄達を望んでいた。こうした上司と下僚の利点が共通し、『同官録』は清朝後期に盛行することとなったのである。

ただし、姓名や籍貫、親族や出身を記載する書籍は『同官録』に始まるものではない。例えば浙江省に勤務する直隷などの地域の出身者を網羅する『畿輔宦浙同官録』には光緒七年（一八八一年）正月の浙江布政使徳馨による以下のような序文が附されている。[22]

『詩経』には「〔父が故郷に手ずから植えた〕桑と梓は、必ず敬うべし」との言葉がある〔『詩経』「小雅」「節南山之什」「小弁」〕。故郷のよしみとは、かくも古代より明かなものなのである。隋王朝〔五八一年から六一八年〕や唐王朝〔六一八年から九〇七年〕より以前の時代には、国家には『簿状』があり、[23]図状局を設置し、[24]広い知識を持つ儒者を任用して、簿状の編纂を司らせたのであった。およそ全官僚の一族や姓系については、家状があれば、国家が詳細な実態を校訂して保存したのである。それだからこそ、漢王朝の時代〔紀元前二〇六年から紀元後二二〇年〕には、応劭[25]から唐の柳冲のような人物にいたるまで、[26]それぞれに公卿や官庁について著述する職が設けられており、その成果はまことに詳細であったことがわかる。

我が王朝は、中華を統一し、官僚制度を整頓し、中央官や地方官の官位、爵位、出身地、姓名について、すべてを『搢紳』〔大清搢紳全書〕一冊に掲載しており、よく理解できること、まるで並んだ眉のように疑いを差し挟む余地がないものである。しかし、もしある郷土の人が、ともにある省で勤務するのならば、それが朝廷により実際に県知事などに叙任された者であれ、あるいは候補として官途に就くべく待機しているものであれ、その名を集めて記録しておかねば、どうして同郷のよしみを繋ぐことができようか。

また江蘇省常州府出身で浙江省に勤務する者を網羅した『常郡宦浙同官録』には下記の序文が附されている。[27]

ここに同年〔科挙試験の同期合格者〕より『登科』の記録が起こり、また同秩〔同じ職位〕より『題名』の碑が起こった。およそ官僚について姓名を掲載し調査に資するものは古来より存在した。しかも〔『孫子』「九地」に言う〕同じ船に乗り協力し合う、あるいは〔『漢書』巻七十八「蕭望之伝第四十八」附「子蕭育伝」に言う蕭育と朱博が互いに引き立てあう誓いをたてたため、そろって〕官僚となって印綬を結ぶことができ、〔『漢書』巻七十二

「王貢両龔鮑伝第四十二」「王吉伝」に言う王吉と貢禹が仲が良く、王吉が登用されたため貢禹が〕冠の埃を払って官途につく準備をしたように、ときには〔『後漢書』巻三十九「劉趙淳于江劉周趙列伝第二十九」に載る毛義が母の養育のために官僚となった故事から〕ある地方で官途につくなかで、共に故郷を回憶するものがいるのである。

浙江省は山水の名勝が豊かであり、我が常州府を去ること、ただ五百里ほどの近さであり、同郷の官僚として浙江省に来たる者は数多い。その中には、〔本籍が江蘇省常州府ながら〕他の地に長く居住しているもの、あるいは他の地に出生したものもおり、往々にしてそれぞれの土地の方言を使うために、相対したときに茫然となってしまっていた。これでは古代の人が同郷のよしみを尊び故郷を重んじたことが無に帰してしまう。ここに現在調査できる範囲の諸君子について、まずその姓氏や出身地をつまびらかにし、また官階や年齢を注記した。すでに浙江省に赴任しているものについては網羅したつもりである。これから赴任するものについては順次増補する。こうすれば互いに訪問しあい、また調査し確認する一助となるであろう。しかも『常群宦浙同官録』を印刷するにあたっては、官位順としたなかで年齢順とすることとしたが、これにより徳を尊ぶとの本意を伝えることができるだろう。すなわち訪問や調査のためだけに留まるものではないのである。ここに序す。

また、光緒七年十二月には両江総督の劉坤一が『江甯同官録』へ[28]、また光緒十二年（一八八六年）五月には浙江巡撫劉秉璋が『浙江同官録』へ以下のような序を寄せている[29]。

官僚名簿について考えてみるに、その始まりは『周礼』にあると言えるだろう。とはいえ、『周礼』はあくまで官僚数を詳細に記録するのみで、人名を記録したものではない。『春秋左氏伝』には荀林父の言葉として、〔晋の襄公が逝去したため秦に滞在中の公子雍を奉迎する使者として旅立とうとした先蔑に対し、公子雍奉迎を批判して〕「同じ屋根の下で勤務した者は同僚である。私と君とは同僚であったではないか。どうして君のために心を尽くさないことがあろうか」との言葉を引いている。いにしえの賢者の情義は昔よりなんと高尚であったことか。また辞典には「官僚の食邑を寀という。〔また同じ屋根の下で勤務する者を寮という〕」との言葉があるが、これもまた同じ事を言っていよう。また、「官の字は𠂤によるものである。𠂤とは多いということである」との記述もある。これは上位下位にみな為公の精神を持つ多くの官僚がいたことを表わしていよう。そしてこれは古代の人々が情も細やかに励まし合っていたことを象徴しているものといえるのである。

また、『晋書』を紐解くと、庾亮はつねに同僚たちと武昌の南楼で会していたといい〔『晋書』巻七十三「庾亮伝」〕、後世に美談として称えられるほどであった。であるからこそ、史家は『庾亮僚属名』や『庾亮参佐名』といった書物を引用できたのである。おそらくその編集方針は、現在の『同官録』と類似したものであったろう。しかし残念ながらこれらはみな散逸してしまった。とはいえ、現存していなかったからといって、どうして繋がりがないと言えようか。

これらには『搢紳』すなわち清朝全土の中央官・地方官を網羅する『搢紳全書』、また『登科』すなわち科挙の同年合格者を記録する『登科録』、『題名』すなわち特定の職に在った者を記録する『題名録』、そして現在に伝世していない『晋百官名』や『庾亮僚屬名』、『簿状』といった書籍が登場する。とすれば、『同官録』の淵源はこれら書籍に求められるのであろうか。また各書は冒頭に述べた『同官録』の存在理由と同じ精神を持つものなのだろうか。そこで以下より『搢紳全書』について検討し、その過程で人名録に関する数少ない研究を紹介する。ついで『進士登科録』および『題名録』について紹介し、『同官録』との異同を明らかにしていく。また、その途次に佚書の『庾亮僚屬名』などについて適宜触れていく。以上の作業から、本章では人名録の悠久なる形成と発展、および清末に始まる『同官録』刊行の原因を浮き彫りにすることができるだろう。

二、現職者の職員録『搢紳全書』

さきにも触れたように、『搢紳全書』は『同官録』に先立つ存在である。ただし、『同官録』は省庁や地方を限定し、対象官僚の履歴はもとより生年や父祖までを記載することが多い。対する『搢紳全書』では、科挙身分など官途への道程こそ記載するものの、生年や父祖が記載されることは稀である。また『同官録』はほぼすべてが現任官のほか候補官を記録するが、『搢紳全書』は何より現任官の網羅が目指され、候補官の記載のあるものは僅かである。

この『搢紳全書』について宮崎市定は新聞紙上において簡単な紹介を行っており[30]、また大島立子や伍躍が研究を行うほか[31]、馮爾康は清朝一代の伝記資料を総体的に検討している[32]。うち、大島立子は従来まったく研究が存在しなかった『搢紳全書』について、東洋文庫所蔵『搢紳全書』目録の作成に付随する解題として考察を加えた。また伍躍は大島の考察を大きく敷衍する形で研究を展開し、その冒頭で『搢紳全書』を以下のように要約した。

前近代中国の「搢紳全書」は現代日本の職員録と違って、官庁ごとに編纂されたのではなく、全国、つまり中央官庁と地方官庁に勤めるすべての官僚の人事情報を集めて編纂されるものである。……記録によれば、明代では、中央官庁に勤める京官（中央官僚）は一九四四名で、地方の各官庁に勤める外官（地方官僚）は二二七〇九名であった。また、清代後期では、京官は二六二二名で、外官は一三〇〇七名であった。この数は、おそらく現代中国ないし日本の国家や地方公務員の総人数の何分の一にしか過ぎないだろう。……一般論として、搢紳全書などでは、序文や凡例に続いて、官僚制度についての基本情報、つまり「官階品級」「頂服」「俸禄」「職官総目」「相見儀注」「赴任憑限及路程」「新選官員借支養廉」などを載せ、清末のものには、「出山指南」（採用人事に関する注意事項）や新たに実施される人事関係の法例も掲載される。そしてその正文では、京官を官庁別に、またすべての地方官を各省ごとに記載している。

また、伍躍は世界各地の図書館を歴訪して『搢紳全書』の出版元となっていた出版業者を確認するなど、『搢紳全書』そのものの誕生や発展過程に迫る。なお近年には全百二十冊におよぶ『清代縉紳録集成』が出版され、各種『搢紳全書』を手軽に参照できるようになった[33]。

ただし、大島、伍躍はともに『搢紳全書』そのものについて述べるのみで、『搢紳全書』に先立つ職員録の淵源に迫るものではない。それに対し、馮爾康は『搢紳全書』がいかなる淵源を持つものか、以下のように簡略に記載している。

縉紳録是著録在職官員的名冊、它淵源于南宋的『班朝録』、明朝已頗流行。『養吉齋叢録』云、「紀文達（昀）家蔵順治間縉紳冊、法梧門（式善）跋定為辛丑年、以王西樵（士禄）次年遷考功（員外郎）也、時王文簡（士禛）為揚州推官。冊後又有阮文達（元）跋云、其家蔵有前明天啓縉紳冊」。可知清朝繼明朝之後、在開始的順治朝就有縉紳録的傳世。縉紳録的功用和受人寶貴、朱彭壽在『安楽康平室随筆』有簡要的説明。

馮爾康は続いて以降清朝の『搢紳全書』の内容を実例により紹介し、『搢紳全書』に関する項目を終えている。そこで以下に馮爾康の指摘した史料を紹介し、また適宜補足していく。第一に『班朝録』であるが、この語は洪邁『容齋三筆』巻五「郎官員數」に出現する書物である。以下にその内容を確認しよう。

紹熙四年〔一一九三年〕の冬、ある客が中都〔杭州を指す〕よりお越しになり、抄録された『班朝録』一編をお持ちになりお見せ戴いた。この書物には中央官僚の官職や姓名が掲載されている。さて、尚書郎の項目まで読み進めると、正規のものはわずかに四人しかいない。その他は臨時代理の名目で、しかもこちらも六七人しかいない。そこで備忘のためにも記しておこう。紹興二十九年〔一一五九年〕、わたしは吏部および礼部で勤務していたわけだが、そのうち礼部に勤務していたときには、同舎していた郎官は二十人であり、みな正規の官僚であった。今では転運使など監司や知府を勤めたものが任官する以外では、以前に館職や寺監の丞であった者は就任できなくなり、外任から就任するものについては官歴が高すぎて数ヶ月もせずに卿や少卿へと転出してしまうため、さらに人数が少なくなってしまったのである。政和年間〔一一一一年～一一一八年〕の末葉、郎員があふれ、五十五人にまで至ったことがあった。……今の郎官と引き比べてみても、多寡の差はこのように大きい。これは秦檜が宰相であったときに士大夫が朝廷に在ることを望まなかったからであろう。しかも秦檜末年にはその傾向が顕著となった。〔六部の下に存在する〕二十四司には刑部に孫敏修が一人いるのみであり、ほかはみな兼任であった。吏部七司〔すなわち尚書左選、尚書右選、侍郎左選、侍郎右選、司封司、司勛司、考功司〕はすべてを主管官告院の張が、また兵部および工部の八司はすべて一寺の主簿が兼任したという。まことに奇怪な話であるといえよう。

すなわち『班朝録』には、少なくとも中央官について、官職に従って立項され、その下に正任や臨時代理などを注記した人名が記載されていたことだろう。また、洪邁は紹熙四年（一一九三年）の『班朝録』を閲覧したうえで紹興二十九年（一一五九年）の状況を追憶していることから、『班朝録』には過去の在任者の名は無く、あくまで現任者の名のみが掲載されていたろうことが推定できる。なお、周密『武林旧事』巻六「諸市」の「小經紀」には零細業者による臨安での販売物に『供朝報』『選官圖』『諸色科名』とともにこの『班朝録』の名も見える。[34] とすれば、『班朝録』とは洪邁による仮称などではなく、その名の印刷物が流布していたと考えられる。

また馮爾康は『班朝録』の逸話に続いて『養吉齋叢録』中の順治『搢紳全書』の存在を指摘するが、呉振棫『養吉齋余録』巻七には以下のような記述がある。

紀文達〔紀昀〕の家には順治年間〔一六四四年～一六六一年〕の縉紳冊が所蔵されており、法梧門〔法式善〕が跋文を執筆した。そして辛丑年〔順治十八年、一六六一年〕と確定したのだが、それは王西樵〔王士禄〕が次年に吏部考功司主事へと異動となることからであった。ときに〔その弟の〕王文簡〔王士禛〕は揚州推官であった。さて、末尾にはまた阮文達〔阮元〕の跋文があるのだが、跋文によれば自宅には明朝の天啓年間〔一六二一年～一六二七年〕の縉紳冊を所蔵しているという。

ただし、『養吉齋叢録』所収の『搢紳全書』についての逸話は馮爾康指摘の該所に留まるものではない。『養吉齋叢録』巻三には以下のような記載を見て取れる。

中央官や地方官の官位や職位そして姓名を列挙し、あつめて刊行して分冊形式の冊子を一帙にまとめたものを縉紳録という。吏部は季節ごとに上呈し、たとえば十二月末のものは次年度の春季分の縉紳録となり閲覧に供された。以前には縉紳録の冒頭には直隷や各省の地図が附されていたが、あまり詳細ではないものの良く整理されていた。現在は残念ながら添付されていない。附録。阮文達公〔阮元〕が順治年間の縉紳録について跋文を執筆している。ここに略記しよう。「我が家には嘉靖年間の『搢紳』が所蔵されているが、これは〔山東省兗州府曲阜県の〕闕里孔氏から齎されたものである。……」

冒頭の「吏部按季呈進」（吏部は季節ごとに上呈）とは、すでに伍躍も指摘することであるが、吏部による市販の『搢紳全書』の皇帝への呈上を指し、じっさい朝廷の動静記録「宮門抄」にもその記載を見ることができる。[35]しかもその名は「『搢紳』を閲覧するごとに思うのですが、地方各省の知府や知県で捐納により選補されるものは八割九割にも達し、進士や挙人の出身者は殆どおりません」などと上奏文に登場することすらあった。[36]続いて『養吉齋叢録』は阮元による順治『搢紳全書』の跋文を附しているが、同文は阮元「嘉靖搢紳冊跋」（『揅経室二集』巻八）や潘祖蔭「順治十八年搢紳冊」（『滂喜齋蔵書記』巻二）に見て取ることができる。潘祖蔭は紀昀旧蔵の『搢紳全書』を閲覧したようで、該書に附せられていた全ての序文を『滂喜齋蔵書記』に記録したようである。[37]おそらく呉振棫もまた以前に順治十八年本『搢紳全書』を閲覧し、そのうち阮元の序文のみ『養吉齋叢録』へ転載したものであろう。後には李慈銘もまたその著名な日記に所感を遺している。[38]

なお、『滂喜齋蔵書記』には潘祖蔭本人による解題が附せられているが、そこからは順治『搢紳全書』が、現在の官僚制度との差異や同郷の栄達者についての関心、また著名人への憧憬、朱熹や文天祥と関係する紹興や宝祐の『同年録』との対比、[39]そしていままで本書に触れてきた人々への興味を招来するものであったことを窺うことができる。

また、馮爾康が指摘する朱彭寿『安楽康平室随筆』巻五の記述にも、[40]過去の『搢紳全書』への認識を見て取ることができる。

『搢紳録』とは、刊行時にはただ当時の中央官や地方官の名前調査に資するために制作されたものであった。とすれば、ひとたび重修されてしまえば、たちどころに〔蘇軾が「九日次韻王鞏」でいう、重陽の次の日に見向きもされなくなる〕明日の菊花となってしまうわけである。とはいえ、それから何十年さらには何百年も経ってしまえば、往時の人々はみな逝去なさる。そして後代の者は、往時の文献を研究するとき、『搢紳録』を信頼しうる記録として考察の助けとするのである。であるから、古い『搢紳録』を得た者はみな題跋を附して考証を行う。そして往々にして古籍とみなして厳重に保存するのである。わたしも琉璃廠の各書店をめぐり、以前に咸豊以前の多くの刻本を買い求めた。うち完本だったものは乾隆十八年癸酉〔一七五三年〕、嘉慶七年壬戌〔一八〇二年〕、道光六年乙酉〔一八二六年〕の三種であった。これらはみな百年以上経過した古い書物であるというのにもかかわらず、巻帙はみな綺麗で、紙も墨も真新しく見えた。また、掲載されている名臣や循吏、また儒学や文名とどろく者は、まったく数えきれないほどである。

しかも、乾隆本にはわたしの高祖である東銘公[41]が湖北省〔黄州府〕広済県武穴鎮の巡検として掲載されており、また嘉慶本には先曾祖司勲公[42]が江西省〔広信府〕鉛山県の知県として掲載され、また族祖の岐亭公鳴鳳〔朱鳴鳳〕が湖北省〔施南府〕来鳳県の知県、おなじく族祖の閣学公方增[43]が翰林院編修として掲載されている。さらに道光本には先祖寧国公[44]が江蘇省〔徐州府〕豊県の知県として、また族曾叔祖の蔭山公瑞榕〔朱瑞榕〕が〔浙江省衢州府〕江山県の訓導に、大伯祖の東昌公錦琮〔朱錦琮〕が安徽省〔寧国府〕宣城県の知県に、四伯祖の薊州公希賢〔朱希賢〕が直隷〔河間府〕塩山県の知県に、族祖の虹舫公方增〔朱方增〕が内閣学士に、そして族父の給諫公昌頤〔朱昌頤〕がいまだ状元を獲得しておらず、戸部主事として掲載されている[45]。

こうして『搢紳録』を紐解くたびに先人の姓名を見つけることができる。まことに喜ばしいことで、こうして祖先の業績を拝見し徳を感じれば、ますます励みにもなるというものである。逆にこうした視点から普通の古籍を考えれば、収蔵家にとって個人的な関係性は絶無なわけであるから、『搢紳録』が珍重される理由もわかろうというものだ。

ここからは、『搢紳全書』が清末から民国初にかけて収蔵対象となっており歴史研究に資するものとして扱われていたこと、また朱彭寿のような官僚を輩出した家門の場合には、一族の任官者を発見し、そこに連なる自らをも含む家門の栄光を再確認する上でも珍重されていたことが窺われる。なお、そこには「そして後代の者は、往時の文献を研究するとき」という後代における昔日の『搢紳全書』利用が描かれるが、これはまさに順治『搢紳全書』をめぐる阮元や潘祖蔭と同様であった。

歴史文献としてではなく、当時における同時代書物としての利用はおそらく宮崎市定や伍躍の指摘する通りであったろう。ただし、あくまで『搢紳全書』は民営の販売物であったがゆえに、それを欲する官僚すべてに行き渡るものではなかった。例えば順治『搢紳全書』を閲覧していた李慈銘は最新の『搢紳全書』にも接し、以下のように略記を行っている。[46]

（同治六年五月）二十四日丙子。今日、梅坡叔のところより夏季の『搢紳録』を借りることができた。見たところ、中央官、地方官ともに随分と異動となっている。ここに略述しておこう。大学士の官〔官文、文華殿〕、賈〔賈楨、武英殿〕、倭〔倭仁、文淵殿〕、周〔周祖培、体仁閣〕、瑞〔瑞常、満協辦〕、曾〔曾国藩、漢協辦〕の諸氏はもとのまま。尚書は吏部が〔満尚書〕文祥と〔漢尚書〕朱鳳標。戸部は〔満尚書〕宝鋆と〔漢尚書〕羅惇衍。……漕運総督は張之万。東河総督は蘇廷魁。奉天府尹は恩錫。さきの三品頂帯署理広東巡撫の郭嵩燾は両淮塩運使、とのこと。

李慈銘は浙江省紹興府会稽県の出身で、この同治六年（一八六七年）は官僚身分を持ちながらも帰郷し、浙江省営出版社である浙江官書局などで活動していた時期にあたる。[47] ここには現在の居住地である紹興府や周辺地域の地方官、あるいは親族縁戚勤務者の情報は転載されていない。これら故郷周辺の官僚や親族の情報は『搢紳全書』を紐解かずとも知りえた内容であったからであろうか。ただし、李慈銘にとり『搢紳全書』は日記数頁を充てて大官の情報を書きとどめておくほどの価値があり、しかもその範囲が自分の現在の立場とは関係性を持たない、やや趣味的なものであったことは注目に値しよう。おそらくその行為は曾ての北京勤務を通して高級官僚の社会へと拡大していた視野を満足させるものであったのであろう。しかもまた、『搢紳全書』は叔父の貸与にかかるものであり、販路の問題によるものか、自らは入手しない、あるいはできない書物でもあった。このような『搢紳全書』の在り方は、宮崎市定が新聞紙上にて論じた「旧中国の官僚がどの程度まで、裏面で私的関係によって結合されていたか」を理解しうる資料としての『搢紳全書』の姿とはやや異なるものでもある。『搢紳全書』のこうした側面は、『同官録』の性質とは少しく相違するものであった。

以上『搢紳全書』について確認してきた。すなわち『搢紳全書』は現任の官僚について網羅的に記載を行うという点で『同官録』と同様であり、その同時代性ゆえにこそ、後代には歴史資料として、また祖先の顕揚のために珍重された。ただし『同官録』は省庁や地方を限定しており、その内容は詳細である。対する『搢紳全書』では生年や父祖そして履歴が記載されることはない。そもそも『搢紳全書』は民営であり、営利目的の書籍販売であった。であればこそ、紙質は悪く、記載内容も現職官僚に関する限定的なものとなる。すなわち、阮元や朱彭寿といった後代の人々の感覚はともあれ、同時代の『搢紳全書』とは、不特定多数の人々に限定的な情報を提供する一過性の存在として公刊されていたものであったのである。では、同じく『同官録』に先行する人名録たる『登科』『題名』とはいかなる書物であったろうか。次節において検討を行っていく。

三. 官僚相互の親睦のための名簿『登科録』

冒頭に紹介した『常郡宦浙同官録』序文には「粤自同榜有『登科』之記、同秩有『題名』之碑」（ここに同年〔科挙試験の同期合格者〕より『登科』の記録が起こり、また同秩〔同じ職位〕より『題名』の碑が起こった）とする文言が存在した。この『登科』について、第一節にも触れた呉振棫は『養吉齋叢録』巻九において以下のように述べる。

郷試や会試の『試録』、また殿試の『登科録』の印刷は、わが清朝の初期には明朝の制度に従って続行されていた。しかし康熙乙未科〔康熙五十四年、一七一五年〕には『郷試録』および『会試録』を印刷せず、紅本の進呈を行うこととした[48]。とはいえ雍正癸卯〔元年、一七二三年〕、あらためて刊行することとなった。それぞれには主考官が前後序を附す。なかには考官や外簾執事の官職、また合格者の姓名、出身地、そして科挙試験中の三回の試験の題目、合格者が作成した答案一通ずつを掲載する。さて、郷試および会試の答案は以前は南庫に貯蔵していたが、あまりに集積してしまって収蔵ができなくなってしまった。そこで嘉慶庚午〔十五年、一八一〇年〕に上奏が行われ、焼却処分となったのである。

すなわち、『登科』とは進士合格者を収録した『登科録』であり、郷試や会試の合格者を収録した『郷試録』『會試録』などとともに試験終了後まもなく皇帝へと奉上される公的な資料である。このほか、及第者が私的に編纂する合格者人名録『同年歯録』が存在する。これら科挙に関する人名録については、すでに大野晃嗣や銭茂偉をはじめとする研究者が多方面にわたる研究を展開しており[49]、ここでは簡単な紹介を行うに留める。

なお、続く『題名』であるが、その語を『漢語大詞典』に紐解けば、「古人為紀念科場登録旅游行程等、在石碑或壁柱上題記姓名」「指為留紀念所題記的姓名」「借指科場登録」「指門額」「猶命題命名」「題目名称」であり、また「題名録」とは「科挙時代刻有同榜中式者姓名年齢籍貫的名冊。有的也在録前載有主考同考官等的姓名」であると定義する。すなわち、異なる事例は第三節で詳説するが、一般的に「題名」と述べた場合には進士たちがその名を石碑へ彫りつけたものを指すわけである。実際、王士禎『池北偶談』巻二「題名碑」には以下のような記載を見ることができる。

唐代の韋絢『劉公嘉話録』〔弟子の節度使韋絢が劉禹錫の事績を執筆した書籍〕によれば「慈恩寺の題名は、進士の張莒が姓名を雁塔のふもとに書き記したことから始まる。のちに石に彫り付けたため、進士題名碑が伝統となったのである」という。また、北宋の龐文英『文昌雑録』〔巻六〕によれば、「本朝の進士の題名は、みな相国寺および興国寺の二寺に石碑を立てたものである」という。ほか、南宋の趙升『朝野類要』〔巻一「班朝【凡十二事】」〕によれば、「進士に及第すると、おのおの同郷を仏寺に集め、題名碑を作るものである。同郷会というものは唐の慈恩寺塔から始まるものである」。という。

わたし王士禎は思うに、進士の題名を仏刹に列するのはあまり意味がないことのように思える。そして明朝になってやっと国子監に題名碑を立てるようになるわけだ。題名碑は、翰林学士あるいは国子監祭酒が執筆する。こうしてやっと儀式も重要なものとして確立したのである。永楽壬辰〔十年、一四一二年〕より以前には南京の国子監に、今は北京国子監の持敬門の中に石碑を立てている。永楽十四年〔一四一六年〕丙申科の科挙合格者から、崇禎十六年癸未科の合格者まで〔一六四三年、崇禎帝の自殺は一六四四年〕、螭首と亀趺[50]が星のごとく散らばり林のように立っており、一代の壮観となっている。わが清朝ではもっとも文化を尊んでいるのだが、題名碑はただ順治丙戌科〔三年、一六四六年〕の一碑のみで、丁亥〔順治四年、一六四七年〕より後のものは存在しない。当時どうして題名碑の伝統を排したのか不明であるが、こうして現在まで石碑が作られず、典礼に欠く状態となってしまっているのである。[51]

この記載から、題名碑は翰林学士あるいは国子監祭酒によって執筆されており、進士の題名碑建立が国家事業として行われており、開催年度ごとに国子監に題名碑が建立されるようになっていたことがわかる。その進士題名碑の発端は長安の大慈恩寺大雁塔に進士の張莒らが姓名を彫り付けたため、進士題名碑が伝統となったという。[52]王士禎は進士題名碑が国子監に建立されなくなったことに心を痛めていたようで、同書巻三「太学題名碑」は以下のように述べている。

わたし王士禎はさきに我が清朝において国子監の進士題名碑が制作されず典礼に欠く状態であると述べた。じつはわたしは国子監祭酒であったとき〔康熙十九年（一六八〇年）から二十三年（一六八三年）まで〕、上奏を行ったのだが実行されなかった。丁卯の年〔康熙二十六年、一六八七年〕には御史が題名碑建立を上奏し、礼部もまた覆奏において実行を請願している。なお、明朝の葉盛『水東日記』〔巻二十八「旧碑石」〕によると、「〔内官監太監の〕阮安が国子監を建設したとき[53]、前朝である元王朝の進士題名碑の碑文の字をすべて削り取った。現在の三年に一度の立石は〔科挙は三年に一回実施される〕、みなその石を材料としたものである」とある。これは五代の時代に劉鄩が長安の知事であったときには古い石碑を築城に流用したというが[54]、阮安の事と少しく事情が異なる。阮安の場合は文字を削り取ってしまったために歴史遺物が完全に失われてしまったわけで、まことに惜しむべきことと言えるだろう。

こうした『題名碑』の消失は惜しまれたようで、清朝では碑文を別途書籍の形で保存しておくことになった。嘉慶元年（一七九六年）の序文を持つ戴璐『藤陰雑記』巻三には以下のような記載が残されている[55]。

進士の題名碑には、毎回の科挙実施ごとに工部が題奏して銀一百両の支出をいただき、〔孔子廟の大成門すなわち〕戟門の外にある松樹のあいだに立石していた[56]。やや剥落が進んだため、『題名碑録』を制作し、原板を翰林院に置き、考証に資すこととしたのである。

実際この碑文ならぬ書籍としての『題名碑録』は現在まで伝存しており、『国朝歴科題名碑録』の名で閲覧が可能である[57]。その内容は李周望が康熙五十九年（一七二〇年）に編纂を開始、以下進士が増加するごとに追加が行ったものである。進士の題名碑は、本来は碑文として成立したものであったが、それが書籍の『題名碑録』として転化したのである。しかもこの文化はただ中国のみならず、女真語で書かれた「女真進士題名碑」[58]、さらにはベトナムにおける漢語使用のベトナム進士題名碑をも産み出すこととなった[59]。

ここで改めて『登科録』に目を転じてみよう。前述の大野晃嗣によれば、『登科録』は国家によって保存され、成績順序により排列される人名録である。また、『登科録』に先立つ『郷試録』『會試録』と共に考試官がどのような試験により如何なる人材を取得したのか簡明な形で中央へと報告する報告書という意義をも持つ資料であった。それに対し、私撰の形となる『同年歯録』は出身地ごとに配したのち年齢順に排列し、同年次のものを幾度も編纂し、同年合格者の親睦を保つとともに後代への栄誉伝達を行うという意義があったという。大野晃嗣は弘治十八年（一五〇五年）乙丑科進士の陸深の家書を引き、その状況を説明している[60]。ここで語られるのは明朝の状況であるが、同年合格者の親睦と後代への伝達を望むその姿は、科挙が廃止されてしまった後の光緒三十年（一九〇四年）八月においてなお確認することができる[61]。

> 二十九日。くもり。……午後に江蘇省同郷会館に向かう。劉正卿（劉啓端、『光緒己丑恩科会試同年歯録』によれば会試第八十二名、殿試二甲三十一名）との約束に赴くため。同年合格と座を囲み、『己丑会榜歯録』編纂について議論し、みなが惲毓鼎を主編に推す。科名は近ごろ取るに足りないものとなっている。それだからこそ『歯録』による親交を温め旧友を心に留めて後人に提起しつつ、私たち自身も今後へ繋ぎ留めたいものだ。

惲毓鼎は光緒己卯五年（一八七九年）に入学、光緒壬午八年（一八八二年）の順天郷試に合格した後、光緒己丑十五年（一八八九年）の会試に合格、二甲二十九名進士として官階を登り始めた。以降その日記には、江蘇省常州府の同郷との交流とともに、己卯、壬午、己丑のそれぞれの同年との「團拜」「月團」「秋團」といった交流を多数確認できる[62]。

以上、簡単に科挙試録について確認してきた。科挙試録は合格者について詳細に記録する点では『同官録』と同様であり、南宋の朱熹や文天祥の掲載された試録などは後代に歴史資料として珍重されている。また科挙試録の淵源となる進士題名は唐代に始まるが、それが張莒と友人たちの記念であったように、同年の親睦を深め、また再会したときに久闊を敘すための重要な存在となった。その重要性は明朝の陸深や清末の惲毓鼎に見られるとおりである。こうした科挙試録は往々にして縁故主義をもたらしたろうが、その点は『同官録』と類似するものと言えよう。ただし、『同官録』に収録される官僚には國子監の学生身分以降官位すべてを捐納したような人物すら存在しており、出身の階梯は多岐にわたる。また『同官録』は省庁や地方を限定するだけに、掲載された官僚はすべて近傍に居住していた。科挙試録の掲載者がおそらく挙人の鹿鳴宴や進士の瓊林宴ののちには全員が一堂に会することがなくなるであろうこととは対照的である。ここからは、『同官録』は科挙試録の持つエリート主義にくらべ縁故主義への強い希求を感じるのである。

四．各省職員録の淵源『題名録』

前節には進士たちの『題名』を確認してきた。ただし『題名』とは進士だけに限られるものではない。題名はすでに『漢語大詞典』において「古人為紀念科場登録旅游行程等、在石碑或壁柱上題記姓名」「指為留紀念所題記的姓名」と確認したように、その語には記念碑としての一般性が存在し、科挙に限らず多くの分野で制作されてきた。[63] ここより、初動期、発展期、爛熟期に分け紹介していこう。

①『題名』の初動

唐代に到ると、官僚の姓名を羅列する『題名』が多く残されるようになる。その代表的なものが長安の尚書省に残された郎官石柱であり、また御史台精舎碑である。原碑はなお西安碑林博物館に所蔵されており、光緒十二年（一八八六年）には趙鉞・労格により『唐尚書省郎官石柱題名考』が出版されるに至った。[64] その冒頭に附せられた行右司員外郎陳九言の序によれば、郎官石柱は左司郎中楊慎余が開元二十九年（七四一年）に建立したことに始まるという。以降は貞元十二年（七九六年）、大中十二年（八五八年）に追加が行われた。現存するものはそのうち尚書左司、および吏部下の吏部司、司封司、司勲郎司、考功司、戸部下の戸部司、度支司、金部司、倉部司、礼部下の礼部司、祠部司、膳部司、主客司あわせて十三司のそれぞれ郎中、員外郎の三千二百名あまりを記載した一柱である。また御史台精舎碑は開元十一年（七二三年）に建立され、千名に垂んとする御史の名が記載されている[65]。

こうした題名の起こりについて、天宝十五載（七五六年）の進士であった封演は『封氏聞見記』巻五「壁記」において以下のように述べる。

朝廷の多くの省庁ではみな壁記を書き付け、その職の淵源と授官が記載されている。制作の原意をたずねれば、おそらく以前にご就任の方々を顕揚して後進が仰ぎ見るようにしたものだろう。であるからその記載内容はもともとは詳細かつ誠実であることが尊ばれ、潤色は行われなかった。しかし近来の壁記はその多くが中味のない言葉で占められ、才能を賛美し先祖を称揚しようとするものばかりで、本意を失うものとなっている。韋述の『両京新記』には「郎官はさかんに壁記を行い、その省庁の叙任や異動を残しており、はやすでに習俗となっている」とある。とすれば、壁記とは我が唐王朝から始まったものであろうか。それは御史台からはじまり、州や県にまで及んだものであろう。

さきにみた郎官石柱は開元二十九年（七四一年）に建立されたものであったが、ここに登場する韋述『両京新記』は開元年間（七一三年～七四一年）に編纂されたといい[66]、石柱より以前から「盛寫壁記」（さかんに壁記を書き付け）として何らかの記載が行われていたことであろう。また封演が「始自臺省」（それは御史台から始まり）とするのは、さきの御史台精舎碑が開元十一年（七二三年）に建立されていることを念頭に置いたものと考えられる。以降、官僚の名をともなう官庁の壁記は各地に盛行することとなった。

ただし、省庁の壁に何らかの記載をするという行為は漢王朝から始まるといい、すでに「粉壁」として著名であった。たとえば敦煌からは「命令が到着したならば、それぞれ市里・官所・寺舍・門亭・燧堠に明白に書き付け、吏・

卒・民へ知らしめ」なる簡牘が出土している。[67] 下って唐王朝においても文明元年（六八四年）四月十四日に「律令格式は為政の根本であり、中央や地方の官人は帰宅後に各々通読するべきである。なお当該官庁に関係する格や令は庁堂の壁に書き付け一々確認して遺忘しないようにせよ」との命令が下されている。[68] 省庁の壁に法律を書き付ける行為は官員の備忘ならびに一般民衆への公報のため必要不可欠なものとして宋代以降も継続することとなる。[69]

②『題名』の発展

さて、こうして習俗となった「題名」としての官僚の名称記載は、以降省庁に関係した人名を長期にわたって記載するものと、本来の字義に沿った特定の事件に対して記念として行うものとが並立するようになった。後者には例えば韓愈『昌黎先生集』「遺文」の「華嶽題名」など華山の題名記録があげられよう。こうした「華嶽題名」は治平元年（一〇六四年）の時点において唐の開元二十三年（七三五年）から清泰二年（九三五年）まで、およそ五百一名が確認し得るという。[70] また、広西壮族自治区の桂林市に所在する桂海碑林博物館には狄青による「平蛮三将題名碑」が残されている。[71] とはいえ、官僚社会では、この後者を圧倒し前者の官僚を羅列する「題名」が増加していく。[72] 知諫院であった司馬光は嘉祐八年（一〇六三年）に以下のような「諫院題名記」をあらわしている。[73]

いにしえには諫言を行う専門の官僚は設置されず、上は公卿や大夫から下は匠や商人にいたるまで、諫言ができない者はいなかったのである。そして漢王朝が成立してより以降、はじめて専門の官僚が設置されたのである。そもそも天下の政治や広大な地域のすべてについて利害や得失を収集し、専門の官僚に提言をさせる。これはまことに重大な任務とせざるをえない。であるから、諫官となった者は、大局を鑑みて微細なものを捨象するべきだし、早急なものを優先し余裕があるものを後に回すべきである。そして当然ながら国家のためになるよう考え、私利に走ってはならない。長期の名誉に汲汲とする者、そして目先の利益に汲汲とする者、その格差はいかばかりであろうか。天禧のはじめ、真宗は諫官六員を置かれ、諫言に責任を持たせられた。慶暦年間には、銭明逸さんがはじめてその名前を書写された。わたし司馬光は時間の経過により摩耗し見えなくなってしまうことをおそれ、嘉祐八年に石に彫りつけたのである。後代の人々は、その名を指さしながら「某は忠実であった、某は偽りばかりであった、某は直情であった、某は不道理であった」などと議論されることであろう。ああ、それもまた何ら懼るべきではなかろう。

こうした伝統に基づいたものであろう、何異は紹熙年間（一一九〇年～一一九四年）に『中興百官題名』五十巻を編纂、一部が伝存している。(74) そのうち『宋中興学士院題名』は紹興十八年（一一四九年）七月の左中奉大夫権尚書礼部侍郎兼直学士院の沈該の序文を有し、建炎元年（一一二八年）五月に中書舎人兼権直院になった朱勝非から開始し、途中の紹興十八年三月に沈該が登場、さらに継続して嘉定五年（一二一三年）二月に兼直学士院となった曾従竜までを収録している。また『中興行在雑買務雑売場提轄官題名』は慶元元年（一一九六年）七月二十四日に朝散郎提轄行在雑買務雑売場となり、慶元三年（一一九八年）八月に異動となった汪泳の序文が附され、紹興六年（一一三七年）に着任した王約から嘉定七年（一二一五年）八月二十四日に着任した馮多福までを収録する。また『中興東宮官寮題名』は「資善堂官」として紹興五年（一一三六年）五月の范沖から秦檜の親族である秦梓や秦熺を就任させつつ、開禧三年（一二〇八年）四月の戴渓まで、また「王府官」として紹興十二年（一一四三年）三月の銭周材から紹熙四年（一一九四）四月の鮑亀年まで、「東宮官」として紹興三十二年（一一六三年）六月の史浩から嘉定七年（一二一五年）九月の黄疇若までを収録している。そして『宋中興三公年表』は年表形式をとり、靖康元年（一一二七年）に就任した太師鄭紳から淳祐十一年（一二五二年）十一月の鄭清之に対する太師追封までを表示する。

うち、『宋中興学士院題名』は序文が紹興十八年（一一四九年）に附され、しかも嘉定五年（一二一三年）まで記載がつづいており、序文作者の沈該が当代までの編纂を終えたのち、なお営為が継続されたことがわかる。『直齋書録解題』によれば本書は「其後以時増附」として時々に増補が加えられていたことを記すが[75]、さきの尚書省郎官石柱とおなじく、国初から現在にまで至ることがある種「題名」の条件ともなる。

この頃には表の作成も流行しており、馬端臨『文献通考』巻二〇二「経籍考二十九」「史【職官】」には宋王朝が開始する建隆元年（九六〇年）から紹興六年（一一三六年）までの宰相を記録した范冲『宰輔拝罷録』二十四巻、紹興九年（一一三九年）までの佚名『執政拝罷録』十巻、治平三年（一〇六六年）までの陳繹『国朝輔相年表』一巻、つづいて紹興十四年（一一四四年）までの李易『続国朝輔相年表』一巻、そして宰相以外の人事をも記載した元豊四年（一〇八一年）完成の司馬光『国朝百官公卿表』一百四十五巻が掲載される。また、紹興二十九年（一一五九年）にはつづいて靖康年間（一一二六年～一一二七年）までを収録した李燾『続皇朝公卿百官表』九十巻が完成している[76]。これはすべて現王朝について国初から現在まで、あるいは已纂の書籍の延長として作成されており、ある意味で「題名」と同じ精神を感じることができる。

明朝に到ると、さらに多彩な「題名」が制作されはじめた。北京には「錦衣衛題名碑」[77]、あるいは嘉靖十四年（一五三五年）のものという「嘉靖乙未通政司題名碑」が存在した[78]。また『礼部志稿』には、万暦十一年（一五八三年）の尚書や侍郎に関する「礼部題名」、嘉靖二十八年（一五四九年）と万暦三十年（一六〇二年）の「礼部儀制清吏司題名」[79]、嘉靖癸卯（二十二年、一五四三年）の「祠祭清吏司題名」、万暦三十六年（一六〇八年）の「礼部主客清吏司題名」[80]、嘉靖十七年（一五三八年）、嘉靖二十五年（一五四六年）、そして万暦壬寅（三十年）の「礼部精膳清吏司題名」、嘉靖三十八年（一五五九年）の「礼部司務題名」が著録されている[81]。これら題名の一部は二度あるいは三度の更新およびその度ごとの「題名碑記」が見られ、現代への継続という営為が見られる。

また、地方にも官衙があるかぎり粉壁が有り得た。天寶十二載（七五三年）の進士であった道州刺史元結は「道州刺史廳壁記」をあらわし、「前後の刺史で弱者貧困の救済や法令遵守を行い得たのは、ただ徐履道さんと李廙さんだけであったという。他の歴代諸公について問うたところ、善であっても徐李の二公に及ばず、悪では論じるに値しない者もいた。そこでこの壁記を書き付け、刺史への戒めとしたのである。なお〔貞観八年、六三四年に〕道州が設置されてからの歴代諸公の就任離任の年月も過去の文書によって附記した」と述べている。[82] その「刺史廳記」について貞元十四年（七九八年）の進士であった呂温は下記のように元結の業績を称えている。[83]

壁記とは古いものではない。……その官に在って制作する者は已に媚び、その官に在らずして代作する者は依頼人に媚びるものだ。『春秋』の〔訓誨の〕意義は地を掃っていよう。しかし元結さんは「道州刺史廳事記」を制作なさり、善良を顕彰してしかも党羽とならず、悪辣を指弾してしかも誣告とならず、ご自身のお考えを虚飾せずに示され後人へ訓戒となさったのである。

こうした地方の「題名」は果たして呂温が述べるように元結より開始されたものであるか定かではないものの、「壁記非古也」（壁記とは古いものではない）と述べるように、おそらく唐代に開始されたものなのであろう。『唐文粋』巻七十三「記丙」には多くの「壁記」が残されているが、その中には元和十四年（八一九年）十二月の馬總「鄆州刺史廳壁記」における「〔隋の開皇十年（五九〇年）に設置され、唐では武徳四年（六二一年）に復置された鄆州について〕国初以来の刺史の名前と異動は軽視され究明が困難であったので、氏名異動を史官に訪い、後日に東壁へ書き付けた」のように、新たに壁記として書き付けたとするものが多い。

なお、この「鄆州刺史廳壁記」で注目すべきは、「其国初已来」として現王朝の歴代刺史のみに対象を絞っていることである。宋代においても同様な傾向を持つものがあり、たとえば馬亮「建康郡守題名記序」が開寶八年（九七五年）の南唐滅亡から丙午（景徳三年、一〇〇六年）までの三十二年の現王朝の知州のみ十七名を列挙しており、[84]また元祐年間（一〇八六年～一〇九四年）の李巖「東莞縣令題名記」には「以前には〔郎瑛『七修類稿』巻二十六「辯證八」「簡板水牌」に紹介される粉漆を塗布して内容消去可能な〕粉牌が役所の壁にかけられており、国初以来の県知事である詹中正から蔣光庭までの二十一人の姓名が列挙されているが、官位や就任離任の年月はほぼ無かった」として、東莞県の名が定まった唐の至徳二年（七五七年）からではなく、やっと大中祥符年間（一〇〇八年～一〇一六年）ごろの詹中正より記載されているとする。[85]なにより、天聖九年（一〇三一年）四月の鄭戩「會稽太守題名記序」は以下のように記す。[86]

　太平興国三年〔九七八年〕に呉越王〔の銭弘俶が〕版図を献じて東京開封に参じると、太宗皇帝陛下はここで後に平章事となる畢士安さんに命じて右賛善大夫として會稽郡〔すなわち越州、のちの紹興府〕の知事となさった。そして今まで五十年、歴代の氏名が残されている。……政務の合間に役所を整備したところ、役所の北壁に「太守題名石記」を見出した。前面後面に刻字があり、知事以外の官も混記されている。そこで職工に命じて修繕させたのである。そして唐の武徳元年〔六一八年〕の総管龐玉以下九十七名を役所の西廂へと移し。さきの平章事畢公以下三十名を役所の東壁に配したが、それは我が王朝へ敬意を示したものである。

ここでは呉越が北宋へ降服し、太平興国三年に畢士安が宋の官僚として知越州に着任したこと、廳舎北壁の「太守題名石記」を更新し唐代の知州九十七名を西へ配し、畢士安以下の三十名を東側に配したこと、そしてその配置の動機はなにより「我が王朝へ敬意を示したもの」であったことが記される。なお「會稽太守題名記序」の載る『會稽掇英總集』には熙寧四年（一〇七一年）正月に知越州より知杭州へと異動した沈立までの北宋の知州六十名が列挙されており、鄭戳以降も更新は継続していた。

もちろん新設官庁の場合には前朝の題名を記し得ない。たとえば元豊元年（一〇七八年）九月の序をもつ劉攽「開封府南司判官題名記」は、南司判官が設置された治平三年（一〇六六年）から熈寧十年（一〇七七年）までの南司判官を記録したといい[87]、また「嘉康元年十二月初一日、鉅野李邴記」（文意より「嘉康」は「靖康」すなわち一一二六年であろう）と記す「楚州教授廳題名記」は、楚州学が景祐二年（一〇三五年）に開始されたこと、元豊末（一〇八五年）に教授を配置したことを記し、以降四十年間の十名を記録したという[88]。

なお、その素材も様々であった。たとえば元祐五年（一〇九〇年）十月の董宜卿「南雄州刺史題名記序」では[89]、もともと木材に刻字していたこと、雄州を設置した南漢からではなく宋初の田継勲から歴代が列挙されること、五十九名のうち十二名に就任離任の年月記載が無いこと、途次に石刻への移行が検討されてきたことが語られる。また元祐四年（一〇八九年）の歐陽其により刻石されたという。また、紹定二年（一二二九年）十二月の呉子良「寧海縣尹題名記」では[90]、台州寧海県でも木材に刻字しており中途で石材を利用したこと、宝慶二年（一二二六年）に赴任した王準が磨滅した石刻を復元し、その折に例外的ながら北宋の盧化成にさかのぼる後梁の劉轂、後唐の陳仲通、呉越の軼名陳長官を加えたことを記す。なお、題名の保存は急務であったようで同じく呉子良は「台州司理參軍題名記」において「〔陳耆卿の〕『赤城志』を参照しても〔司理参軍について〕ほぼ記載が無い。そこで役所の壁にある題名に問えば、己丑の水害で失われてしまったという。……そこで〔林表民の〕『赤城続志』をひもとき、国初の三人の名を得たほか、老練な胥吏を訪ね、嘉定年間以降の呉焯以下十一人を得て石に刻んだ」と[91]、己丑すなわち紹定二年（一二二九年）と思われる水害により廳壁題名が消滅、地方志や胥吏の知識により刻石を行ったと記している。あくまで題名は刻石されるものであって紙上で広く周知されるものではなかったのである。また、当代までの接続を行うべく情報の更新が有志によって行われる。たとえば紹定元年（一二二八年）二月の史顯卿「長洲縣續題名記」には天禧年間（一〇一七年～一〇二一年）および紹興年間（一一三一年～一一六二年）に続く更新を行ったことを記している。(92)なお、ここでは地方官の題名の目指すべき好例として「以前には壁記とはただ官位や就任離任の年月を記載するものではなかった。唐の元次山の制作した「道州刺史廳記」では善良を顕彰し悪辣を指弾して鑑戒としたのである。ここには『春秋』の褒貶の筆法があろう」と元結に求めており、注目に値しよう。こうした題名の建立について、魏了翁は以下のように述べている。(93)

およそ役所では必ず歴代の名を記す。それは故実を備えて博聞に資するといった程度の用途ではなく、大書して深く刻み込み、後代に題名を読んで問わせるためである。いわく「彼は循吏、彼は廉吏、彼は能吏であった」であるか、そうでなければ「彼は酷、彼は貪、彼は庸であった」である。〔『論語』「里仁第四」に言うように〕賢者を見れば見習うものであるし、賢ならざる者を見れば自省するものである。……長沙の謝興甫さんは、(94)太学博士から地方に赴任され、そして涪州の知事となった。涪州には壁記があったものの、磨滅した部分も多かった。そこで謝博士は地方志をひもとき、耆老を訪ね、孫熙以下五十一名を得て石に刻んだのである。

すなわち、これら地方官の題名は故実を記録し史料に残すことではなく、司馬光「諫院題名記」と同様、後代からの〝歴史の評価〟を受けるために作成されたのであった。

なお、唐の馬總「鄆州刺史廳壁記」における「其国初已来」、あるいは宋の鄭戩「會稽太守題名記序」における「我が王朝へ敬意を示したもの」といった現王朝を優先する傾向は、前朝モンゴルを北走せしめた事に強く正統を意識する明朝にいたって更に強まったようである。正徳辛巳（十六年、一五二一年）には山東省武定府陽信県の知県呉琦が「県令丞簿史題名碑」として知県、県丞、主簿、典史の姓名若干を碑文に列し、聴政堂の東に建立した。(95)また『河南通志』

巻七十九「芸文八」「記」には嘉靖二十二年以前の陳講「都指揮使司題名碑記」[96]、正徳四年（一五〇九年）の沈杰「布政使司題名碑記」、嘉靖十九年（一五四〇年）の何塘「巡撫河南都御史題名碑記」、弘治年間（一四八八年〜一五〇五年）の齊之鸞「按察司題名碑記」が引かれ、また『甘粛通志』には弘治戊午（十一年、一四九八年）の提学副使楊一清による「巡撫陝西都察院題名碑」が引かれる。[97] これらはすべて明朝の官僚のみを列挙しており、前代に溯ることはない。

③『題名』の爛熟

すでに唐代の『封氏聞見録』には「それは御史台からはじまり、州や県にまで及んだものであろう」との言葉があったが、その言葉に違うことなく、唐代には中央のほか道州や鄆州など各地で題名が見られるようになった。明朝でもその流れは踏襲され、礼部儀制清吏司や錦衣衛といった中央の各官庁、あるいは陽信県といった県単位から河南布政使司、陝西巡撫といった広域管轄にいたるまで多くの地方官庁で題名が続々と作成されたのであった。なお、その多くは「題名碑記」として冒頭の典雅な文章のみが残されるが、それは官僚の列挙が存在しなかったことを意味するものではない。たとえば畢自厳は『石隠園蔵稿』巻二「文二」に「戸部題名序」を残しているが、本件は別途「崇禎庚午〔すなわち崇禎三年、一六三〇年〕冬長至日太子太保戸部尚書侍経筵淄青畢自厳」の序を持つ『戸部題名記』として伝世しているのである。[98]『戸部題名記』は畢自厳に続いて戸部尚書葉淇の序文を引くが、そこには隆慶四年（一五七〇年）九月重立とある。葉淇は弘治四年（一四九一年）に戸部尚書となり弘治十四年（一五〇一年）には死去しているから、隆慶の重立記事は弘治年間の『戸部題名記』の後に隆慶四年に増補が行われたことを指すのであろう。『戸部題名記』の記載は、「尚書」について夏元吉の叙述から葉淇自身あるいは畢自厳自身を経て「銭春　崇禎三年歴陞尚書、総督倉場」

にて終えている。また、「左右侍郎」は経歴無記の「呉璽」から「崔爾進　陝西長安県人、甲辰進士。崇禎三年任右」にて終えている。本書はまた、「進士題名碑」同様、本来は碑文として残される「題名」が摩耗等による考証性の低下を恐れて書籍として刊行された事例でもある。

こうした書籍としての明朝「題名」のほか、刻本の形態をとる明朝の官僚名簿として佚名『礼科給事中仕籍』などの存在が知られる(99)。本来『仕籍』とは官庁側が管理していた官僚名簿であり、致仕や罷免の際に仕籍から名前が除去されるべきであった(100)。それに対し、『礼科給事中仕籍』の場合は、版心の「仕籍」の名と相違し、退休したと思われる官僚の名も掲載されている。たとえば目次部分には「名例」「礼科給事中」「金達　由礼科陞礼科都　詳見礼科仕籍第十五葉」と記載があるが、実際にその十五葉に次のような金達の記載を見ることができる。

> 金達、年三十四歳。浙江省寧波府鄞県人。官生から永楽二十二年（一四二四年）に父である兵部尚書金忠の廕により翰林院検討を授けられるも、原籍の儒学にて奨学金を給付されながら勉学を続ける。正統十二年（一四四七年）閏四月二十二日に礼科給事中となり(101)、功績があったために礼科都給事中となる(102)。景泰二年（一四五一年）八月二十日に長蘆運塩使司運使となる(103)。

その記述は詳細なもので、明朝の多くの「題名」が出身と就任時期のみの記載に留まることと比較して実に長大である。ただし、管見のかぎり『礼科給事中仕籍』はその下限を「李充濁」の「嘉靖十二年【則是一五三三年】十二月二十六日、陞戸科右給事中」としている。この『礼科給事中仕籍』が本来の『仕籍』として運用されていたならば、金達のように長蘆都運塩使司運使として異動し、かつ嘉靖の李充濁在任の時点でおそらく死去しているような人物の記録が残存していることは奇異である。しかも本書は金達にとどまらず「鉄鉉　河南鄧州人。監生。洪武年、授礼科給事中」のような洪武年間（一三六八年～一三九八年）の事例など国初以来の多くの官僚を収録している。すなわち本書は官僚管理のための『仕籍』とするより、過去の事例を調べるため、また過去の栄光を顕揚するための「題名」に近い存在であった。

以降清朝に入ると「題名」の伝世数は激増する。北京の首都図書館には、万暦十二年（一五八四年）の「戸部福建清吏司題名記」から始まり、年月不明の「河南道題名碑」や乾隆三十七年（一七七二年）の「御史題名碑記」、道光十年（一八三〇年）の「満御史題名碑」、対太平天国戦争さなかの咸豊三年（一八五三年）五月から同四年（一八五四年）七月までについての「御史題名姓氏横石」、清末の光緒三十三年（一九〇七年）の「満御史題名碑」といった中央官なかでも御史の「題名」拓本が多数収録されている。[104]

こうした「題名」について、すでに第二節でも触れた戴璐は『藤陰雑記』巻三において以下のように述べる。

> 『都察院題名記』は、陳文勤公（世倌）が丁巳年（乾隆二年、一七三七年）に都察院左副都御史であったときに始まる。『都察院題名記』の内容を簡略に以下に記そう。「若いころに司馬文正（司馬光）の「諫院題名記」を読み、[105]報恩の難しさに凛乎としたものである。我が家からは都御史を一人、副都御史を三人だしている。わたし世倌は菲才ながらその後に列することとなった。ここに謹んで父および伯、叔、兄そしてわたしの名前を別に壁に刻み、ここに朝廷のご恩を記録する次第である」なるものである。按ずるに、この方々は、文勤公の父上にあたる陳詵さん、伯父の陳鼓永さん、叔父の陳論さん、兄の陳世倕さんであろう。『御史院題名碑』は、長い間に摩耗してしまった。もと黄侍御玉圃（叔璥）は、[106]謹んで一書を刻した。乾隆の初めには、王給諫【応綵】[107]が許農部【道基】[108]とともにさらに増補を行った。以降は年ごとに増補を行っている。わたし戴璐が「給諫題名」を編集したときには、手ずから上奏文を調査し、康熙以前で漏れていた十名あまりを補充し、また就任年月が前後していた者をみな訂正した。ただ願うのは、後の諸君が増補を行うとき、さらに校正を加えることだけである。

給事中には「題名」が無かった。各科にはただ近年の就任者について扁額が懸けられているのみで、それも時間が経つと交換されてしまい調査できなくなっていた。であるので、わたしが甲辰年〔乾隆四十九年、一七八四年〕に礼科給事中に異動となったとき、「題名」を編纂しようとしたのだが、まったく資料がなかったのである。そののち吏科掌印給事中へ異動となったとき、書庫を見たところ国初以来の中央官の昇任あるいは地方官への転任についての上奏が保管されており、しかも詳細に履歴や着任年月を掲載していた。あまりの喜びに気狂いになりそうになりつつ、ここにやっと「題名」を編纂できたのである。とはいえ、資料は持ち出しが難しく、やむなく斎戒のために役所で宿直するときに[109]、ずっと資料をめくる手を止めず、一冊を書き上げたのであった。この書が『題名碑録』『館選録』『御史題名』『文武搢紳』といったものに並ぶような、京師で必備とされるような書籍となれば幸いである。ときに明朝の蕭彦が『掖垣人鑒』を著しているが[110]、残念ながら万暦年間で止まっている。わたしとしては、さらにこの続編を制作するべく、我が王朝の詩文集を博捜し、事績を取捨選択しているが、なお果たして成書しうるかどうか覚束ない状態である。光禄寺には以前には「題名」は存在しなかったのだが、呉白華司空が光禄寺卿でいらっしゃったとき[111]、最近の光禄寺卿が版木の原板を作成していたものを発見したという。なお、光禄寺は英親王〔阿済格、順治八年に誅殺〕のもとの邸宅であり[112]、その規模はまことに広壮なもので、いまもなおその半ばが利用されていない。わたしはまた国初以来の文集などを博捜してきたが、いまだ完全な状態にはなっていない。もし内閣や給事中の文書を閲覧することができれば[113]、遺漏も無くなることが期待できるのだが。

この戴璐の言葉に端的にあらわれるのが、「題名」が制作者の勤務する省庁の過去を顕揚し、そしてその偉大なる連綿のなかで、自らが後継者として厳然と存在する、そのような栄光感に裏打ちされた営為であるということである。乾隆二年（一七三七年）の陳世倌による『都察院題名記』はその中に親族の陳詵、陳鼓永、陳論、陳世倕が含まれ、しかも題名記に「世倌以槫散復廁其後」すなわち、自分が菲才ながらもその後に列することとなったと述べる。この精神は、朱彭寿が『搢紳全書』に感じた祖先の栄光と同様のものであるといえよう。

ただし勤務官僚すべてが「題名」編纂を行ったわけではない。戴璐は給事中について乾隆四十九年（一七八四年）になって初めて「題名」を編纂したのである。しかも手許には明朝の『礼科給事中仕籍』のような史料もなく、その際には人事異動を記した上奏の副本のみを手掛かりとしたのであった。『仕籍』不存在は光禄寺も同様で、戴璐はおそらく「光禄寺題名」を完成することはできなかった。なお、戴璐の言葉で注目すべきは、自らの「題名」の業績が『題名碑録』『館選録』『御史題名』『文武搢紳』といった書物と同様に「京師必有之書」（京師で必備とされるような書籍）となることを願っている点である。すなわち、『進士題名碑録』あるいは『搢紳全書』は京師で必備とされており、しかも戴璐「題名」もまた明朝『戸部題名記』同様に、あるいは『進士題名碑録』同様に、碑文であることを脱して書籍として立ち現れていた。碑刻を前提としないならば、その内容は当然ながら詳細に度を加えていくことになる。おそらくそれは明朝『礼科給事中仕籍』に近似したものとなっていたであろう。

こうした「題名」とも異なるものが、導言にも触れた『庾亮僚屬名』などの書籍である。残念ながら現在には伝世していないが、魏晋南北朝期には『明帝東宮寮屬名』『征西寮屬名』『大司馬寮屬名』など部局ごとに多くの書籍があったことが知られている。侯旭東は[114]、これらの「官吏名籍」が漢王朝において地方より時々に中央へ届けられた官僚名簿に端を発していると指摘[115]、少なくとも隋代以前において外官は長官のみ朝廷の任命にかかり、僚属はみなその長官の辟除によるものとなり、彼らの名籍が朝廷ではなく長官の手中となったことにあったとする。こうした抄本は隋代まで伝世したようだが、辟除の消失とともに部局ごとの「官吏名籍」も消滅したものであろう。

抄本という形態のみに着目すれば、清朝初期の順治元年（一六四四年）に執筆された『北直河南山東山西職官名籍』

一巻など地方を特定した「官吏名籍」があらわれることもあった。これは羅振玉編『史料叢刊初編』（東方学会、一九二四年）に収められているが、内閣大庫文書の原本は現在それぞれ北京の国家図書館に善本指定抄本として『北直隷河南山東山西職官名冊』不分巻（請求記号〇〇九四八）、『議用蘇松常鎮肆府営制各官職名履歴文冊』不分巻（請求記号〇〇九四七）、『議用徽寧池太安慶伍府広徳壱州各官職名履歴文冊』不分巻（請求記号〇〇九四六）、『内翰林弘文院各官履歴文冊』不分巻（請求記号〇〇九四九）として閲覧が可能であり、みな抄本である。その内容は「涿州知州　張錦【原偽官照旧】」「武清県知県　耿応旦【原偽官照旧】」「曲阜県知県　孔貞堪。山東人。聖裔。廩生」といったものだが、たとえば孔貞堪が明朝、順朝、清朝の三代に曲阜知縣であることを許されているなど[116]、清朝が占領直後の地方官すべてを把握し、有事に備える必要で編纂されたものであろう。平和が訪れれば、当然ながら本書のような書籍は見られなくなる。

このような「題名」の伝統は、官界だけに留まらず、宗教の世界にも流入することになった。杭州の名刹であり霊陰寺の近隣にある三天竺寺の一寺として知られる法喜寺は明代まで上天竺寺として知られていたが[117]、その上天竺寺について『杭州上天竺講寺志』巻三「題名」は[118]、開慶元年（一二五九年）の仏光法師法照による「上天竺講寺住持題名碑記」、および皇慶二年（一三一三年）の竹屋元浄法師による「上天竺寺歴代住持題名碑序」を掲げ、「開山第一代道翊法師、石晋天福四年〔すなわち九三九年〕」から仏光法師自身である「二十四代、仏光法照法師、淳祐三年〔すなわち一二四三年〕」および再任記事である「二十九代、仏光法照法師、咸淳六年〔すなわち一二七〇年〕、再任」を経て竹屋法師自身である「三十七代、竹屋元浄法師、皇慶二年〔すなわち一三一三年〕」から「九十三代、月楼憲法師、万暦二年〔すなわち一五七四年〕」までを収録している。王朝の省庁「題名」が冒頭を国初や中興に置くのに対し、こうした宗教における「題名」は開山以来連綿と継続され、王朝により断代されることはない。しかし、ここにもまた仏光法師、竹屋法師、そしておそらく月楼憲法師といった人物により適宜増補が加えられ現代にまで営為を継続するという思想が見て取れるのである。

しかも、雑記にはさらに超越的な世界が描かれる。佚名『分門古今類事』巻六「夢兆門上」には詹玠『唐宋遺史』を出典として「鴻漸相位」なる逸話が収録されている(119)。

杜鵬舉の父〔杜慎行〕は(120)、かつて夢に「宰相題名碑」なる、とても大きな碑文を見かけた。そこで碑文を警備している者に「杜の名字の人は居ますかね」と聞いた。すると「おお、二人だけだな。どちらも鳥がついている」とのことだった。そこで子に〔鳥のつく〕鵬舉という名を与えた。そして杜鵬舉に「おまえが宰相となったあかつきには、子孫代々の名に鳥をつけるのだぞ」と諭したのである。実際に杜鵬舉に子供が生まれると、杜鵬舉は〔鳥のつく〕鴻漸という名を与えたのであった。だからこそ杜鴻漸もまた宰相となったのである。（『唐宋遺史』より）

この彼岸の「宰相題名碑」は、過去の宰相はもとより、未来の宰相までをも連綿と記している。それゆえ杜慎行は息子杜鵬舉へ未来の宰相たるべき名を与えることができた。この逸話は、「題名」がただ過去と現在だけではなく、未来へすらおよぶ一直線のものとして認識されていたことを示している。さきには『常郡宦浙同官録』序文に「ここに同年より『登科』の記が起こり、また同僚より『題名』の碑が起こった」とする文言があることを示したが、『同官録』も『題名』もともに〝同僚より起こる〟ものの、『同官録』は『搢紳全書』同様に現任官の採録という命題が、そして『題名』には過去からの連綿という命題が厳然と存在し、それぞれの立ち位置の違いを明確にしていると言えよう。

以上、「題名」の推移を確認してきた。「題名」は漢王朝からの粉壁慣行に基づく過去の完了の列挙からはじまり、唐代に体系化し、唐代から宋代にかけて中央地方の区別なく製作され、清朝に至った。その形態も木板から刻石、ひいては書籍へと推移し、その内容も詳細になっていく。編纂の動機は、司馬光「諫院題名記」や魏了翁「涪州太守題名石記」こそ、歴史の評価を得るべく賢官も愚官もとりまぜて列挙するとしているものの、その実態はおおむね陳世倌や戴璐の暗示するように、前代の偉大な人物と同じ職場に勤務する自己の表彰にあったのであろう。しかも宗教界や彼岸の世界では、「題名」は王朝ひいては時空を越え連綿と続くことになる。こうした「題名」は死者を含む過去の業績が現在の自分へと至るという栄光を媒介に「記念碑」として成立しているものであったと考えてよかろう。特定の官庁に勤務する人物を列挙したという要素において「題名」と『同官録』は同一であるが、『同官録』があくまで人材査定や縁故獲得のために成立した〝実利の書〟であることと「題名」の思想とは大きくことなるのである。

五．おわりに

導言に述べたように、『同官録』は道光年間に登場、同治年間にその形態を完成させた。それを象徴するのが、冒頭に紹介した光緒十二年（一八八六年）『浙江同官録』劉秉璋序に続く後半部分の「浙江省が回復してから同治年間には『同官録』が編纂印刷された。以降今に至るまで、すでに十年あまりが過ぎた」という言葉である。浙江省における太平天国最後の拠点湖州府が陥落したのは同治三年（一八六四年）七月二十七日であり、劉秉璋の述べる同治刊『浙江同官録』とは、「浙江省が回復」した同治三年以降となる。

では、その『同官録』が同治年間に多くの省で姿を見せ、光緒年間にかけて点数を増加させていった理由は那辺にあるのだろうか。ここで書物の性質を明らかにするため、改めて『同官録』を先行する職員録『搢紳全書』『題名』の記載内容と比較してみよう。『搢紳全書』は清朝全土の官僚について網羅的に収集した民間の職員録であり、周知よりも営利に重点が置かれる性質のものであった。地方官については巡撫、道台、知府、知県といった清初以来の官僚について、当該地方の戸数などを交えながら収録する。また、『題名』は省庁あるいは地域を限定し、国初以来の就任者を列挙する書籍であった。その編纂は戴璐のように一個人による多分に趣味的なものから、「御史題名」のように時をおかず連綿と記録され続けたものまで存在し、その内容も対象の官僚個人について名前のみを著録するものから出身地や官歴を記録するものまで様々である。

それに対し『同官録』は、現任の官僚について記録する点については『搢紳全書』に、また特定の限定を行って記録する点については『題名』と近似する。しかし、後者の『題名』は前述のように過去と現在とを結ぶ性質を持つ、いわば編纂者自らへと至る時間の連綿を象徴する記念碑であった。その点からすれば、『同官録』は現任官僚を著録するのみで、時空を超越する『題名』とは大きく思想を違えるものである。といって現任に限定する前者の『搢紳全書』が『同官録』と共通するわけではない。『同官録』がただ現任の官僚を著録するのみであれば、『同官録』は『搢紳全書』の一部を出版したものとなるであろうが、実際の内容間の差異は大きい。というのも、たとえば『同官録』には確かに地方官が掲載されるが、そこには戸数や統治の注意点など、勤務地に関する情報は掲載されない。しかも『同官録』には、地方官として勤務していない、いわゆる「候補」状態にある官僚が掲載されているのである。『搢紳全書』もまた清朝も最末期になり『新増直省候補同官録』のような附録書籍として全国の候補官僚を提示するようになるが[121]、おおむね候補官僚の記載は省かれていた。同治年間およびそれ以降とは、まさに『搢紳全書』未掲載のこれら候補官僚が激増し、そして後述する候補官僚の「委員」として各事業運営へと大々的に参加していく時代であった。『同官録』の特徴とは、まさにこうした候補官僚を掲載したことにある。以降、地方はもとより中央においても『廕生同官録』[122]、『総理各国事務衙門同官録』[123]、『戸部満司員同官録』[124]といった多種多様な『同官録』が作成されていった。

『同官録』とは、その編纂思想は大官にとってみれば管轄下の数多くの候補官僚を識るため、また候補官僚にとってみれば周囲の情報を得、縁故を形成し、生存を図ることに置かれるのみである。しかもその途次には地方大官が中心となって編纂する『全省同官録』のほか、同郷団体が編纂した当該地方勤務者を網羅した『同郷同官録』があらわれる。これらの書籍はみな候補官僚が激増する同治年間以降においてこそ意味性を上昇させるものであった。『同郷同官録』の場合には、それが官僚主体の同郷団体の運営と密接に結びついているため、義捐金を寄付しうる候補官僚の増加なしには存在することすら不可能である。『全省同官録』に垣間見える綱紀粛正の精神とは対照的に、『同郷同官録』は縁故形成が強く意識されることとなる。

官僚主体の同郷団体そして『同郷同官録』の発行の発端は、対太平天国戦線にあって活躍した曽国藩、左宗棠といった湖南省出身者の活躍があるだろう。[125]彼らは他の地方に先んじて各所に官僚による同郷団体を建設、強力な同郷集団を建設していった。[126]そこでは正途すなわち科挙及第者、そして雑途すなわち捐納や軍功出身という区別はなく、みなが同郷の義のもとに集うことが求められたのである。その一体意識が最も強くあらわれたのが『畿輔宦浙同官録』[127]の直隷付近出身者の団体であった。この同郷団体は序文に「八旗奉直宦浙同郷録序」とあるように、正式には「八旗奉直」すなわち八旗官僚、奉天府など現在の東三省、そして直隷の漢族を集うものであった。序文および章程によれば、彼らは八旗奉直会館を建設し、さらなる懇親の睦を深めた。ほか、江蘇巡撫が駐する蘇州府でも江蘇巡撫で直隷天津府南皮縣人の進士張之萬、江蘇布政使で鑲黄旗満洲の恩錫、蘇州織造で鑲黄旗漢軍の耿氏徳壽が醵金して八旗奉直会館が建設され、[128]また福建省に旗奉直東會館、湖北省に八旗奉直會館、広東省に八旗奉天直隷山東會館が見られるようになる。[129]彼ら八旗官僚は同郷会館の建設について例えば湖北省で「近ごろ四川や安徽、湖南や浙江はみな〔湖北省に〕同郷会館を建設しており、我が郷でも以前に設立を議論したものの、どうしても出身官僚が少なく果たせないできた」として他省の漢族にくらべ後発であることに危機感を抱きながら、[130]財政や規模の問題を解決するうえで近傍の漢族と結びついていったのであった。なかでも甘粛省の蘭州八旗奉直豫五省會館では蘭州府知府の慶恕により「同郷の念が五省を束ねたからには旗人官僚であれ漢族官僚であれ蘭州に在っては立ちどころに一家の人となろう」として満漢一体を寿ぐ対聯が執筆されたといい[131]、省をまたぎ満漢を超越するような広域な区分を設定してなお官僚間の交誼を深め勢力を保とうとした意志を感じることができる。

結局は、清末という生活の困難な時代にこそ発生した実利の書こそが『同官録』であったといえよう。孔子は『論語』「衛霊公第十五」で「羣して党さず」と述べた。とはいえ中国では歴史上じつに多くの〝朋党〟が形成されたわけだが、こと清朝では雍正帝が「朋党とは最大の悪習である」（『世宗実録』巻六、雍正元年四月丁卯条）、「唐宋元明の積習を全て洗い流す」（同巻五十三、雍正五年二月庚申条）と訓誨するなど〝朋党〟への警戒感は強かった。それでもなお、この清末にいたると時局は変化し、人事権者は部下の履歴を検討するため、あるいは部下は人事権者の官歴、籍貫そして出身から共通の話題を引き出し縁故を形成するため、『同官録』は『縉紳全書』と比較して不必要なほどに詳細な情報を掲載した。それはあるいは『登科録』『同年歯録』のような構成にすら見える。しかし『同官録』の思想は科挙に及第し聖人に近しい存在となった精英としての自負とはまったく異なる場所にあった。これは『題名録』との偏差にもあてはまる。『題名録』には現任官も記載されるものの、その中には歴史の表彰により、勤務地を同じくする自己の顕揚を図るという意識が内在されていた。それに対し、『同官録』とは高官からの綱紀粛正要求と候補官僚からの生存戦略確立といった実利こそがその淵源であり、『同官録』に掲載されたがゆえの栄誉は検出されないのである。

注

（1）入門書として藤実久美子『江戸の武家名鑑——武鑑と出版競争』（吉川弘文館、歴史文化ライブラリー二五七、二〇〇八年六月）、また研究書として同『武鑑出版と近世社会』（東洋書林、一九九九年九月）を挙げることができる。ほか、小川恭一『江戸の旗本辞典』（講談社、二〇〇三年九月）が参考となろう。

（2）決定版として深井雅海・藤実久美子編『江戸幕府役職武鑑編年集成』全三十六冊（東洋書林、一九九六年九月〜一九九九年五月）を挙げることができる。ほか、それ以前の業績として石井良助が編者となり『編年江戸武鑑——文化武鑑』全五冊（柏書房、一九八二年十二月〜一九九二年五月）、また『編年江戸武鑑——文政武鑑』全七冊（柏書房、一九八一年九月〜一九八二年九月）を刊行している。

（3）なお、平安時代の補任や除目の実態については、玉井力「平安時代の除目について——蔵人方の成立を中心として」（『史学雑誌』九三ノ十一、一九八四年十一月）等を参照のこと。

（4）ただし、土田直鎮によれば、平安時代前期における記事の不正確さや政治的な事情から書き直しが行われた部分もあるという（『奈良平安時代史研究』吉川弘文館、一九九二年十一月）。

（5）国立公文書館内閣文庫所蔵、全二九冊（請求記号一五二・〇〇七八）。

（6）国立公文書館内閣文庫所蔵、ともに抄本。それぞれ請求記号一五二・〇〇九二、および一五二・〇〇九三、一五二・〇一二一である。

（7）たとえば財団法人東洋文庫蔵（岩崎文庫三・H・b・九）。

（8）たとえば天保八年の情報を伝える鹿児島大学附属図書館蔵（玉里文庫天部五番智一七二）、また幕末の情報を伝える尚古集成館影印本（尚古集成館、一九九六年一月）が存在する。

（9）林保登編『芸藩輯要——附藩士家系名鑑』（一九三三年五月）所収の『元和五年侍帖』等。

（10）山本宗尚「地下官人賀茂季鷹と賀茂の氏人たち」（『賀茂文化』第四号、二〇〇七年四月）。

（11）その存在は二〇一三年度明清史夏合宿の席上にて伍躍教授よりご教示いただいた。記して感謝申し上げたい。その序文はたとえば光緒九年『中州同官録』（上海図書館蔵、請求記号四七〇〇〇〇）の冒頭にみることができる。

（12）上海図書館蔵、請求記号四九七四六六〜六九。

（13）上海図書館蔵『同官録』（請求記号三四三四二七〜三二一）。本書表紙には手写により「曾文正同官録、南昌蔡蔚挺先生所贈共五冊」と記載され、その同官冒頭は両江総督曾国藩に始まる。『江甯同官録』（上海図書館蔵、〇五六一二九）の両江總督新甯劉坤一序には「同治六年、曾文正公總制兩江、編『甯屬同官録』」とあり、本書を指すものであろう。なお上海図書館には同じく「道光年間」の『同官録』が存在するが（請求記号五三三三一三）、本書第五冊目の内容と同様である。

(14) 拙稿「清末における地方官僚社会の変容――浙江省各種『同官録』成立を中心として」（東北大学大学院文学研究科大学院GP事務室編『組織的な大学院教育改革支援プログラム 歴史資源アーカイブ国際高度学芸員養成計画 平成二〇～二二年度 歴史資源アーカイブ成果報告書』東北大学大学院文学研究科、二〇一一年四月）、また「科舉正途官員與雜途官員――通過同鄉會館的建立看清末官僚社會的變革」（武漢大學文學院・武漢大學中國傳統文化研究中心・中華炎黄文化研究會科舉文化專業委員會『第八屆科舉制與科舉學國際學術研討會 科舉文獻整理與研究論文集』下冊、武漢大學文學院、二〇一一年九月）。論文掲載を要請されたものの、紙幅により摘要を陳文新・余來明編『科舉文獻整理與研究――第八屆科舉制與科舉學國際學術研討會論文集』（武漢大學出版社、二〇一三年四月）に掲載するに留まった。

(15) その実態は拙稿「太平天国江南蘇福兩省地域考略――以清末江蘇甯屬蘇屬的分化為中心」（王繼平主編『曾國藩研究』第六輯、湘潭大学出版社、二〇一二年四月）、また二〇一二年四月に東北大学へ提出した博士論文『中国近代地方行財政制度研究』第六章「地方官と釐金行政――その管理権限の形成と展開」を参照のこと。

(16) 光緒六年『江蘇同官録』（上海図書館蔵、請求記号三二一六九～七六）。

(17) 張淑萍「中國近代私人藏書第一樓――曾國藩故居藏書樓」（『当代圖書館』二〇〇七年第一期）を参照の事。

(18) 『申報』光緒七年八月念一日「光緒七年閏七月初九日京報全録」「前兵部侍郎彭（彭玉麟）特參局員摺」。

(19) 浙江通省釐捐總局會辦をつとめた徐士霖の『浙江認捐弊款全案彙鈔』（上海図書館蔵、請求記号長六五二一八）。浙江道監察御史姚舒密により弾劾されており、巡撫聶緝槼、布政使翁曾桂はともに罷免された。

(20) 同様の指摘は、概説的ながらも、呉逢辰『江南第一衙――浮梁縣署』（江西人民出版社、二〇〇二年十月）の「我國古代政區制度的演化」第二節「清代地方衙門」「紳士――地方官的護官符」にも見られる。

(21) 拙稿「清末官員考試制度小論――以浙江『甄別仕途新章』為中心」（天一閣博物館編『科舉與科舉文獻國際學術研討會論文集』上冊、上海書店出版社、二〇一一年七月）

(22) 上海図書館には光緒七年のもの（請求記号四九七五四八）、および光緒十七年のもの（請求記号五五四〇二四）が所蔵されている。

(23) 『隋書』巻三三「経籍二」や『新唐書』巻五十八「芸文志」によれば、陳に『太建十一年百官簿状』二巻があった由。その他の簿状については王応麟『玉海』巻五十「芸文」「譜牒」の「晋姓氏簿状」に詳しい。なお、徳馨の本文部分は鄭樵『通志』巻二十五「氏族略」の「氏族序」および、『通志』を祖述する乾隆五十四年成書『続通志』「氏族略」「総叙一」に拠ったものと思しい。

(24) 『通志』巻二十五「氏族略」によると「図譜局」である。その根拠であろう『新唐書』巻一九九「儒学中」「柳沖伝」における柳芳の言葉には譜局として出現、令史を置いたとする。この譜局なる官庁はほかに『通典』巻三「食貨三」「郷党」における尚書令沈約上言の引用をおえた『通典』本文中にもあらわれるが、六朝各正史にその名を見出すことはできない。また、その意義は官吏任用よりも戸籍記載の是正におかれていたとおぼしい。農民反乱まで惹起した戸籍調査については最も詳細な研究に川合安「唐宇之の乱と士大夫」(『東洋史研究』五四巻三号、一九九五年十二月)がある。また、唐代の柳芳にいたる言論変化については、川合安「柳芳「氏族論」と「六朝貴族制」学説」(平成一七年度〜平成一九年度科学研究費補助金成果報告書『「六朝貴族制」の学説史的研究』二〇〇八年三月)に詳しい。

(25) 応劭は後漢末の人。『新唐書』巻一九九「儒学中」「柳沖伝」に「応劭有氏族一篇」なる文言を見出すことができる。

(26) 『旧唐書』巻一八九下「儒学下」「柳沖伝」によれば、先天元年(七一二年)に一度『大唐姓族系録』二百巻を奏上、また『旧唐書』巻八「玄宗本紀上」によれば、開元二年(七一四年)七月丙午に改めて皇帝に上呈している。

(27) 上海図書館には光緒十六年のもの(請求記号四九七五二六)、および光緒二十四年のもの(請求記号五五四九八三)が所蔵されている。

(28) 上海図書館蔵(請求記号〇五六一二九)。

(29) 上海図書館蔵(請求記号三三七四二〇)。

(30) 初出は「書き入れ本」(『京都新聞』一九七一年六月十五日号「現代のことば」内)、のちに『宮崎市定全集』二三「随筆(上)」「Ⅱ(一九六六年 - 七五年)」(岩波書店、一九九三年十月)に転載された。

(31) 大島立子「『搢紳全書・中枢備覧』所在目録」(『東洋文庫書報』第九号、一九七七年三月)、および伍躍「前近代中国の職員録」(『大阪経済法科大学論集』第八八号、二〇〇四年十月)。なお伍躍は以降も「縉紳録与清代地方官員人事制度研究」(『新亜学報』第三十九巻、二〇二二年八月)、また「清代末年的安徽官場」(『徽学』第十七輯、二〇二二年十二月)のように精力的に分析を進める。

(32) 馮爾康『清代人物伝記史料研究』(天津教育出版社、二〇〇六年一月)、なかでも「前言」および第十三章「題名録・像賛的伝記史料」を参照のこと。

(33) 大象出版社、二〇〇九年五月。ただし、鍾少華「支離破砕的『清代縉紳録集成』」(光明日報社『博覧群書』二〇一〇年第十期)は蒐集の不徹底を攻撃している。

(34) このうち「供朝報」の実態については、何揚鳴「試論南宋臨安的新聞事業」(浙江大学伝媒与国際文化学院『中国伝媒報告』二〇〇九年第三期)に詳しい。

(35) たとえば『邸抄』(北京圖書館出版社、二〇〇四年四月)第四十八冊「光緒拾參年玖月」九月二十三日條には「吏部呈進冬季搢紳」の記載を見ることができる。

(36) 『申報』光緒元年二月初八日「光緒元年正月二十日京報全録」「御史袁【掌江西道監察御史袁承業】奏遵旨謹陳管見摺子」。

(37) その中には紀昀と法式善が相互に跋文を記載していたこと、法式善が『詩纂』を編纂しており、慎靖郡王愛新覚羅氏允禧の詩文収録について紀昀が父紀容舒『孫氏唐韻考』巻一を引いて批判するなど、乾嘉知識人の交遊の一端を知ることができる好適な資料となっている。なお、以降も本書は文人達に賞玩されたようで、上記の法式善や阮元の跋に続いて李文田、李鴻裔、潘祖頤らが題款などを加えたものが北京の国家図書館に収蔵されている（請求記号一〇三八七）。

(38) 李慈銘の日記『越縵堂日記』には「其中滿洲皆隷漢軍者、鏘鏘濟濟、可謂盛矣。後此局勢漸定則滿漢兼用、雍乾以降至道光則滿多於漢、以後因鎮壓太平天國、漢人取得重要地位、至末年又略近乎衡。勝清一朝疆寄大致如此」なる記載があるという（羅継祖「清初督撫多遼東人」『吉林大学社会科学学報』一九八〇年第五期）。

(39) 宋代の科挙同年録は『紹興十八年同年小録』および『宝祐四年登科録』のみ伝世した。それぞれ紹興十八年（一一四八年）は朱子学の朱熹が五甲九十名にて同進士出身となり、宝祐四年（一二五六年）は南宋に殉じた文天祥が状元で及第した年の同年録にあたる。詳細は傅璇琮・龔延明・祖慧主編『宋登科記考』（江蘇教育出版社、二〇〇九年十一月）を参照。

(40) 清代史料筆記叢刊の一冊として中華書局より一九八二年二月に刊行を見た。作者の朱彭寿（一八六九年～一九五〇年）は光緒二十四年戊戌科の二甲十一名進士であり、序文には己卯（民国二十八年すなわち一九三九年）の記載がある。

(41) 朱履亭。光緒『黄州府志』巻十一「文秩官表下」「広済県」に「巡検」「分駐二鎮」として記載がある。

(42) 朱蘭馨。光緒『嘉興府志』巻五十六「海塩列伝」の当人列伝を参照のこと。

(43) 朱方増。朱錦琮『治経堂集』巻二十に「族兄内閣学士兼礼部侍郎虹舫公家伝」を確認できる。

(44) 朱鳴雷。同治『徐州府志』巻六下「職官表」に「豊県知県」として掲載がある。

(45) 朱昌頤は嘉慶十八年（一八一三年）に抜貢生となり国子監へ進学した。そして七品京官となり戸部主事として勤務することとなった（道光二年二月二十九日「戸部為朱昌頤著准作為額外主事由」中央研究院歴史語言研究蔵内閣大庫档案、請求記号一八三〇二二－〇〇一）。そして道光五年に順天郷試にて挙人となり、道光六年に状元となったのである。道光本は道光六年（一八二六年）のものと述べるが、状元となり翰林院修撰へと叙せられる前の情報により印刷したものであろう。あるいは殿試以前に出版されたものであろうか。朱昌頤については本書『安楽康平室随筆』の著者である朱彭寿の『旧典備徴』巻四「鼎甲改官」にも記載がある。

(46) 李慈銘『受礼廬日記』上集（『越縵堂日記』第六冊、広陵書社、二〇〇四年五月）。

(47) 李慈銘については、王標「清末浙東における一帰郷官吏の生活空間――『越縵堂日記』（一八六五－七一）を資料として」（高瑞泉・山口久和編『中国における都市型知識人の諸相――近世・近代知識階層の観念と生活空間』大阪市立大学大学院文学研究科都市文化研究センター、二〇〇五年二月）を参考にした。

(48) 本件は雍正帝を扱った編年史料である蕭奭『永憲録』雍正元年春三月庚戌条にも見出すことができる。紅本とは、本来は上奏が行われ硃批が書き込まれ「紅」となった文書を指す。これら紅本については実録庫と並び称される紅本庫へ収蔵された。乾隆『欽定大清会典則例』巻二「内閣」の「乾隆十三年」には紅本処など制度運営についての詳細な記事が存在するほか、愛新覚羅氏昭⊠『嘯亭続録』巻一「批本処」にも詳しい。ただし、本件における紅本は硃批つきとなった上奏の意とは考えられない。なお、馮爾康『清史史料学』第二章「編年体・紀伝体清代通史史料」「清代歴朝実録」（瀋陽出版社、二〇〇四年三月）によれば、清朝の実録には大紅綾本、小紅綾本、小黄綾本の三種が存在したという。なお、現存する『実録』大紅綾本は、表装を紅綾とし本文を白地とする。例えば乾隆年間に国家事業として編纂が行われた『欽定宗室王公功績表伝』巻首には「並著交国史館、恭査実録紅本、另行改纂、以昭徴信」、目録には「詔国史館、恭検実録紅本、重為改撰」の文字が見えるほか、同じく乾隆の国家事業である『歴代通鑑輯覧』を構成する『通鑑輯覧明季編年』巻下「唐王」冒頭にも「臣等謹案」として「謹案実録紅本及明史列伝所載、参以王鴻緒『史稿』諸書」として実録紅本の名があらわれる。書籍の表装に紅綾を利用することは『実録』以外でも実施されており、乾隆『欽定大清会典則例』巻一五八「欽天監」「時憲科」の「乾隆七年」によれば、嬪の使用する時憲書は表装を紅綾とすることが規定されている。とすれば、本件の紅本とは手抄による紅綾表装の図書を指すものであろうか。

(49) 大野晃嗣「明代の廷試合格者と初任官ポスト――「同年歯録」とその統計的利用」（『東洋史研究』第五八巻第一号、一九九九年六月）、「明代の進士観政制度に関する考察」（『東北大学文学研究科研究年報』第五六号、二〇〇六年三月）、「明代の「同年歯録」が語る進士とその子孫――『嘉靖丙辰同年世講録』を中心に」（『集刊東洋学』第九八号、二〇〇七年十一月）などを参照のこと。なかでも「明代の廷試合格者と初任官ポスト」の第二節「「同年歯録」について」は『登科録』と『同年歯録』との差違を的確かつ簡明に紹介している。また銭茂偉にも多くの研究があるが、自身による紹介（銭茂偉「明代進士登科録及相關問題研究」天一閣博物館編『科舉與科舉文獻國際學術研討會論文集』下冊、上海書店出版社、二〇一一年七月）を参照のこと。

(50) 雨竜の頭が石碑を装飾し、石碑は亀に乗せられる。詳細は平勢隆郎『亀の碑と正統――領域国家の正統主張と複数の東アジア冊封体制観』（白帝社、二〇〇四年二月）を参考のこと。

(51) なお、『池北偶談』の記述からは北京の題名碑は順治三年の後には全く建立されなかったかのように記載されるが、本書の情報は序文「康熙辛未秋」からして康熙三十年（一六九一年）より以前のもので、その一年後の康熙三十一年には過去にさかのぼっての進士題名碑制作が開始され、また以降の科挙についても進士題名碑が制作されていった。また、雍正二年（一七二四年）には、進士の義捐金のみに拠っていた題名碑建立をふたたび国費の醸出とすることが定められている（愛新覚羅胤禛『世宗憲皇帝上諭内閣』巻二十七、雍正二年十二月初四日条）。

(52) 王定保『唐摭言』巻三「慈恩寺題名遊賞賦詠雑紀」によれば、それは唐代も則天武后末から中宗にかけての神竜年間（七〇五年～七〇七年）に始まる伝統という。詳細は侯振兵「史事評説——唐代長安大慈恩寺史事鉤沈」（郭紹林主編『洛陽隋唐研究』第二輯、群言出版社、二〇〇七年七月）を参照。

(53) 阮安の詳細は何孝栄「明代的中越文化交流」（『歴史教学』一九九八年十期）を参照。

(54) 路遠『西安碑林史』（西安出版社、一九八八年八月）および該書に紹介される宋の黎持による元祐五年の「京兆府府学新移石経記」によれば、開成二年（八三七年）に儒教の経典を刻す「開成石経」が制作され、以降国都である長安に置かれたという。国都の地位は以降たびたび洛陽との間を往復したが、長安は黄巣の乱により壊滅する。乾寧三年（八九六年）には韓建が華州の鎮国軍節度使より京兆尹および京城把截使、修創京城使となり長安城を再建し始めるが、石経は捨て置かれたという。なお、天祐元年（九〇四年）正月には洛陽への遷都が決定している。そして唐が滅亡し、禅譲により後梁が建国されると、開平元年（九〇七年）四月に長安は大安府と改名された。開平三年（九〇九年）に後梁の武将劉知俊が長安近傍の同州で反乱を起こすと、侍衛親軍馬歩軍都指揮使の劉鄩が討伐に派遣され、長安の節度使である永平軍節度使および大安府の府尹となった。大安出身で以前に劉鄩の保大軍節度判官となっていた幕職の尹玉羽は石経の輸送を上申、劉鄩が不要不急であると答えると「敵兵が大安に迫ると、石経を砕いて武器とする可能性があります」と述べ、ここに唐王朝の尚書省遺址に移送されたという。この逸話は顧炎武『金石文字記』巻五「唐」「国子学石経」などにおいても知られており、王士禎がこのように述べた理由は不明。

(55) 戴璐は浙江省湖州府帰安県の出身で乾隆二十八年癸未科（一七六三年）の二甲二十七名進士となり後述のように中央官を歴任した。

(56) 大成門への立石については、『欽定国子監志』巻四十二「経費」にも見える。

(57) 最も早期の『国朝歴科題名碑録初集』は北京図書館古籍出版編輯組編『北京図書館古籍珍本叢刊』（第一一六冊、書目文献出版社、一九九八年）に見ることができる。『題名録』の詳細は江慶柏『清朝進士題名録』（中華書局、二〇〇七年六月）の「清朝進士題名文献概述」第六節「題名録」を参照のこと。

(58) また「宴臺金源國書碑」とも呼ばれる。金の哀宗の正大元年（一二二四年）六月に立てられたもので、現在は河南開封市博物館に所蔵されている。羅福成「宴臺金源國書碑考」（『国学季刊』第一巻第四期、一九二三年）、「宴臺金源國書碑釋文」（『考古』第五期、一九二三年）を参照のこと。

(59) 耿慧玲「越南碑銘中漢文典故的應用」（『域外漢籍研究集刊』第五輯、中華書局、二〇〇九年五月）。

(60) 陸深『儼山集』巻九六「江西家書」。詳細は前出「明代の「同年歯録」が語る進士とその子孫」（『集刊東洋学』第九十八号、二〇〇七年十一月）を参照のこと。

(61)『惲毓鼎澄齋日記』(浙江古籍出版社、二〇〇四年四月)。

(62)たとえば光緒二十二年四月廿七日、二十三年二月二十八日、同年四月二十七日、六月初八日、九月初一日、二十四年二月二十二日、同月二十八日、同月二十九日、光緒二十五年二月十三日、同年五月初七日、光緒三十年二月初五日、同月初六日、同年三月十四日、宣統三年四月初九日、同月初十日、同月十一日の記事を参照のこと。

(63)官僚の名が碑面に列挙されたものは、漢代にはすでに存在していた。漢代には故人の顕彰のため故吏や故民といった関係者が石碑を建立しており、往々にして碑陰に建立者の官位や姓名を列挙していた。当時の「故吏」習俗に関する最新の論文としては、角谷常子「後漢時代における為政者による顕彰」(『奈良史学』第二十六号、二〇〇九年一月)を参照のこと。

(64)現在は一九九二年二月に出版された中華書局が閲覧に容易である。なお、同じ著者により光緒六年(一八八〇年)に『唐御史台精舎題名考』が出版されており、こちらも中華書局より一九九七年六月に出版されている。陳九言の序文は都穆『金薤琳琅』巻九に「唐尚書省郎官石記序」としても収められている。

(65)こうした唐王朝の基層を担った官僚については、頼瑞和『唐代基層文官』(中華書局、二〇〇八年五月)、同『唐代中層文官』(聯経出版公司、二〇〇八年十二月)を参照のこと。

(66)王応麟『玉海』巻十五「地理」の「唐両京新記」には、淳熙五年(一一七八年)六月に完成した『中興館閣書目』を引き(『館閣続録』巻四「修纂」)、「『新記』韋述、開元中撰。西京、始於開皇。東都、起於大業」と述べる。

(67)甘粛省文物考古研究所編『敦煌漢簡釈文』(甘粛人民出版社、一九九一年一月)第一章「新中国建立後出土的漢簡」十二節「敦煌酥油土出土的漢簡」、一三六五号文書。

(68)『唐会要』巻三十九「定格令」。同様の文は『通典』巻一六五「刑法三」「刑制下」「大唐」にも見える。

(69)高柯立「宋代粉壁考述——以官府詔令的伝布為中心」(『文史』二〇〇四年第一期)を参照のこと。

(70)欧陽修『集古録』巻六「唐華嶽題名」に載る。

(71)北宋末の崇寧元年(一一〇二年)、蔡京は司馬光ら三〇九名を元祐姦党と称して石に刻んで中央や地方に建立させたが、この「元祐党籍碑」もまた党員とされた梁燾の曾孫梁律により慶元四年(一一九八年)に覆刻され、現在はこの桂海碑林博物館に残されている。

(72)なお、周応合『景定建康志』巻三十三「文籍志一」「石刻」には「梁都承旨題名碑」の記載がある。この碑文は張鉉『至大金陵新志』巻十二下「古蹟志」「碑碣」にも存在し「在上元県花林村」という。都承旨とは枢密院の都承旨であろうが、後梁の時代には枢密院は存在せず崇政院と名を変えていた。しかも『資治通鑑』二六八巻「後梁紀三」乾化元年六月癸丑朔条の「受旨」に対する胡三省の注によれば「受旨、蓋崇政院官属、猶枢密院承旨也。梁避廟諱、改承為受」とあり、存在したとすれば崇政院都受旨となりそうである。「元祐党籍碑」同様、子孫が開封より建康へと移動せしめたものであろうか。あるいは後梁と同時期に存在した建康を首府とする呉王国の官制とも思われるが、呉王国は唐の正朔を奉じ続けており、題に「梁」とあることがいぶかしい。しかも呉王国は徐温が後梁開国の年である開平元年（九〇七年）に張顥を殺害したことにより実権が徐温へうつるものの、呉王国が名実ともに滅亡したのは後晋の天福二年（九三七年）であり、唐や晋あるいは呉の名を冠さず「梁」とのみ記すことは奇異にうつる。なおその名を著録する地方志「石刻」「碑碣」はともに南朝の碑文の間に配列するが、これは南朝梁を指すものであろうか。

(73) 司馬光『伝家集』巻七十一「記」に「諫院題名記【嘉祐八年作】」として収録される。なお、文中の諫官六員は『続資治通鑑長編』巻八九、天禧元年二月丁丑条に記載があり、また銭明逸は『続資治通鑑長編』巻一五三、慶暦四年十一月辛未条に右正言諫院供職となった記載がある。なお、司馬光当人は『続資治通鑑長編』巻一九四、嘉祐六年七月壬辰に「同修起居注同知諫院」として登場し、『続資治通鑑長編』巻一九六、嘉祐七年五月丁未朔に知諫院へと昇進している。

(74) 宣統元年に繆荃孫編『藕香零拾』として収録され、中華書局により一九九九年二月影印されている。その成立年代については王応麟『玉海』巻一一九「官制」「官名」「紹興祖宗官制旧典」を参照のこと。

(75) 詳細は陳振孫『直齋書録解題』巻六「職官類」「中興百官題名」を参照のこと。

(76) 『玉海』巻一百十九宋王応麟撰「官制」「官名」の「紹興続皇朝公卿百官表」にその記事が見える。李燾はこの後『続資治通鑑長編』編纂を行ったという。なお、完成の記事は『宋会要輯稿』崇儒五ノ六・紹興二十九年七月十七日にも見える。

(77) 『欽定日下旧聞考』巻六十三「官署二」によれば、清朝が刑部の庁舎を明朝の錦衣衛の跡地に建立したが、その大堂の壁には「錦衣衛題名碑」が存在したという。なお、同巻六十「城市」「外城西城二」によれば、金王朝の大定年間（一一六一年～一一八九年）の「礼部令史題名碑」が存在したという。

(78) 『欽定日下旧聞考』巻六十三「官署二」によれば、清朝は都察院を明朝の通政司の庁舎を修築して入居させたが、その大堂の左には「嘉靖乙未通政司題名碑」が存在したものの、すでに摩耗して判読不能になっていたという。

(79) 兪汝楫『礼部志稿』巻四十二「歴官表」の「附礼部題名記」および「附礼部儀制清吏司題名記」。

(80) 兪汝楫『礼部志稿』巻四十三「歴官表」の「附祠祭清吏司題名記」および「附礼部主客清吏司題名記」。

(81) 兪汝楫『礼部志稿』巻四十四「歴官表」の「附礼部精膳清吏司題名記」および「附司務題名碑記」。

(82) 元結『元次山文集』巻九「刺史廳記」、また呂温『呂衡州集』巻十「雜著」附元結「道州刺史廳壁記」。なお元結『元次山文集』巻四「舂陵行」冒頭には「癸卯歳、漫叟授道州刺史」とあり、元結は寶應二年（七六三年）に道州刺史として赴任していた。

(83) 呂温『呂衡州集』巻十「雜著」「道州刺史廳後記」。

(84)『景定建康志』巻十三。
(85)光緒『廣州府志』巻一〇一。
(86)『會稽掇英總集』巻十八。
(87)劉攽『彭城集』巻三十二。なお本巻には他に「直講題名記」「群牧司題名記代韓龍圖作」が含まれる。
(88)『淮郡文獻志』巻二十五。
(89)『永樂大典』巻六六五第十七葉「雄」「宦蹟」「(南雄)路志」、光緒『江西通志』巻二十一。
(90)『赤城集』巻四。なお本巻は蔡範「黄巖知縣續題名記」より始まる多くの題名を収録している。記年および歴代列挙は『台州金石録』巻九「南宋五」のみ著録。
(91)『赤城集』巻三。ほか呉子良は「兩浙轉運使題名續記」(『咸淳臨安志』巻五十、『赤城別集』巻二)などを執筆している。
(92)『呉都文粹續集』巻九。
(93)『鶴山先生大全文集』巻四十八「涪州太守題名石記」。なお魏了翁はほかに巻四十三「海州太守題名壁記」、巻四十九「靖州教授廳題名壁記」を執筆している。
(94)曾超・彭丹鳳・王明月「白鶴梁題刻『晁公溯題記』價值小議」(『三峽大學學報(人文社會科學版)』二〇〇七年第三期)、曾超「三峽庫區白鶴梁題刻的姓族考察」(『重慶三峽學院學報』二〇一〇年第二期)によれば、謝興甫は南宋紹定三年(一二三〇年)ごろに涪州の知州をつとめている。
(95)辺貢『華泉集』巻十四「文集」「雜著」の「県令丞簿史題名碑記」を参照の事。
(96)文中には胡永錫が僉書より掌司事となった時、洪武の毛礼以下都指揮使の名を捜索したという。『世宗実録』巻二七一、嘉靖二十二年二月壬辰条には「罷鎮守遼東総兵官李鳳鳴・河南都司掌印都指揮僉事胡永錫任、以各按臣論其不職也」とある。陳講も嘉靖年間の河南右布政使として登場するため、その頃に依頼されたものであろう。
(97)『甘粛通志』巻四十七「芸文」「記」に存在する。本件は唐景紳・謝玉傑校『楊一清集』(中華書局、二〇〇一年五月)には収録されていないようである。
(98)「用国立北平図書館旧蔵明崇禎三年序刊本景照」として東洋文庫に収蔵されている(請求記号Ⅱ・一四・A・一三五)。
(99)「用国立北平図書館旧蔵明刊本景照」として東洋文庫に収蔵されている(請求記号Ⅱ・一四・A・一三)。
(100)たとえば張方平『楽全先生文集』(北京図書館古籍珍本叢刊、書目文献出版社、一九八八年)巻二十四「論事」「請致仕官免擧官連坐事」には「其致仕官、已去仕籍」なる記載があるほか、費袞『梁渓漫志』巻八「蘇子美与欧陽公書」にも「今得脱去仕籍」などと見える。

また明代においても高挙『大明律集解附例』巻一にも名例律「除名当差」において「言追奪除名、謂追去誥敕、削去仕籍姓名」と述べている。

(101)『英宗実録』巻一五三、正統十二年閏四月壬戌癸未条によれば、金達当人が在京衙門での勤務を申し出て辞令が下ったという。

(102)『英宗実録』附『廃帝郕戻王附録』巻十四、景泰元年九月壬寅丙寅条によれば、土木の変のおり独石堡にて兵糧輸送などに尽力した功績によるという。

(103)『英宗実録』巻二〇七、景泰二年八月甲申条に礼科都給事中の金達が河間府長蘆都転運塩使司運使とされている。

(104)以下に挙げるものはみな天壇東方の潘家園に新築された首都図書館（北京市朝陽区東三環南路八八号）五階の北京地方文献中心に収蔵されている。なお、清朝においては特異な「題名」として、欧州言語学習を目的とした北京同文館の「題名」、雲南で反乱を起こした杜文秀政権の「各大司提名録」といった題名も誕生した。それぞれ、「同文館題名録」は中国科学院近代史研究所史料編輯室・中央档案館明清档案部編輯組編『洋務運動』（上海人民出版社、一九六一年四月）「育才編」に、杜文秀「各大司提名録」は馬生鳳『雲南回教紀録』稿本より収録とされるものを中国史学会編『回民起義』（神州国光社、一九五二年十二月）に見ることができる。

(105)司馬光『伝家集』巻七十一「記」に「嘉祐八年作」（一〇六三年）として収録。

(106)黄叔璥は康熙四十八年（一七〇九年）己丑科の二甲十二名進士。

(107)王応綵は雍正八年（一七三〇年）庚戌科の二甲八十二名進士。

(108)許道基は雍正八年庚戌科の二甲三十二名進士。

(109)なお、斎戒のための宿直とは「斎宿」であるが、翰林院における斎宿について、黄佐『翰林記』巻六「入直」「留宿」および巻十五「斎宿」が参考になる。巻十五によれば宗廟や社稷の祭礼などの時に「文武百官は先に沐浴し衣を更め、各役所において宿泊を行う」とある。王鏊『震沢長語』巻上「官制」においても「国朝（明朝）では翰林院は長安門の外に設けられており、〝宿斎〟〝委積〟をする所にして使われていた」とある。これは清朝においても同様で、たとえば『聖祖実録』巻一によれば、順治帝の死去および康熙帝の即位にともない、順治十八年正月庚申には「部院官員は各役所において斎宿し、なお平常のように勤務せよ」との記事を見出すことができる。また『高宗実録』巻四十では、乾隆二年四月庚午のこととして、雨乞いの儀式ののちに、内閣学士兼礼部侍郎であった伊爾根覚羅氏春山の「これからは内閣部院の各大臣および翰林院科道郎中等の官は、通常勤務を続けつつ、輪番にて雨壇にて祈禱を行い、夜になったら各役所において斎宿を行うこととしましょう」との上奏を紹介している。ほか『高宗実録』巻三百十五によれば、乾隆十三年五月癸丑には、武官は公爵から軽車都尉まで、文官は尚書から員外郎までが斎戒陪祀していたにもかかわらず大学士は参加しておらず、以降の大学士参加を義務付けている。そして、『高宗実録』巻三百五十二によれば、乾隆十四年十一月乙卯に「大臣らはその役所において斎戒する。侍衛は侍衛教場において斎戒する」という規定を発展させ、自らの所属する役所の存在しない大臣については「たとえば領侍衛内大臣、御前大臣、散秩大臣などについては、ともに紫禁城内において斎戒せよ」との規定を発布している。

(110) 『掖垣人鑒』は現在『四庫全書存目叢書』史部第二五九冊の影印を参照できる。本書には「万暦甲申〔十二年、一五八四年〕仲春日賜同進士出身資政大夫吏部尚書前吏兵二科給事中山東楊巍」の序文を見ることができるほか、その記述は『掖垣人鑒』後集巻十六「万暦六科之籍」の「張希皐【字直卿、号玄章。湖広安陸県人。万暦五年進士。十一年十月、由広東電白知県、選兵科給事中】」とする万暦十一年の記事を最後としている。なお、本書附録には許讃「吏科題名記」、張璧「戸科題名記」、張潮「礼科題名記」、欧陽徳「兵科題名記」、徐階「刑科題名記」、楊慎「工科題名記」が収録されている。本書は当然ながらこうした「題名」を参考に編纂されたものであったろう。

(111) 呉省欽は乾隆二十八年（一七六三年）癸未科の二甲三十名進士で、乾隆四十九年から五十年にかけて光禄寺卿を勤めた。

(112) 光禄寺については『欽定日下旧聞考』巻四十「皇城二」や巻六十五「官署四」に記載がある。鹿璐「浸在歴史与現実中的北河沿街区」（『北京青年報』二〇〇六年十一月七日電子版）によれば、英親王の王府は光禄寺として転用された後、宗正寺が入居、辛亥革命後には蔡元培らがドイツの哲学者カントの名前を冠した孔徳学校を設立、現在は北京市第二十七中学となっている。なお英親王府となる以前には明朝以来の十王邸が存在したようだが、『明太宗実録』巻二百三十二の永楽十八年十二月癸亥条にその完成記事を見出すことができる。

(113) 『欽定日下旧聞考』巻六十三「官署二」は、孫承沢『春明夢余録』巻二十五「吏部」「六科」を引きながら、もともと六科の直房は午門の内側にあり、西側の内閣と向かい合い六科廊と呼ばれていたとする。

(114) 侯旭東「中国古代人「名」的使用及其意義――尊卑・統属与責任」（『歴史研究』二〇〇五年第五期）。

(115) たとえば胡平生・張徳芳『敦煌懸泉漢簡釋粋』（上海古籍出版社、二〇〇一年八月）第一節「詔書・律令・司法文書與政治類」二十五号文書に見られる「三月吏員（薄）〔簿〕。長以下卅二人、卅一人長、秩四百石、守陽關侯一人、丞秩二百石、見……」や、謝桂華・李均明・朱國炤編『居延漢簡釋文合校』（文物出版社、一九八七年一月）二一四頁の「校甲渠候移正月盡三月四時吏名籍」など。

(116) 『孔府档案選編』中華書局、一九八二年六月、第六章第一節の孔府档案三〇〇号文書「明末李自成起義軍過山東、曲阜知県孔貞堪投順」を参照のこと。

(117) 梁詩正『西湖志纂』巻八「北山勝蹟【下】」に「勅賜法喜寺」として乾隆十六年三月初四日に乾隆帝が天竺寺に巡幸、上天竺講寺に法喜寺の名を与え扁額を御書したとある。

(118) 釈広賓の『杭州上天竺講寺志』は『四庫全書存目叢書』（齋魯書社、一九九五年）の史部第二三四冊として閲覧できるほか、『杭州仏教文

(119) 『唐宋遺史』四巻は治平四年（一〇六七年）に詹玠が撰したとある。陳襄『古霊集』巻二十「墓誌銘」「夫人呉氏墓誌銘」によれば右侍禁湖州兵馬監押の呉充の娘であった呉氏は熙寧三年（一〇七〇年）十月三十日に六十八歳で死去したというが、その次女が「西安詹玠」に嫁いだという。おそらくこの「西安詹玠」が『唐宋遺史』の著者であろう。
ほか『唐宋逸史』、『遺史紀聞』とも呼ばれる。王応麟『玉海』巻四十七「芸文」「雑文」の「治平唐宋遺史」によれば、
献叢刊』（杭州出版社、二〇〇七年十二月）として刊行されている。

(120) 『新唐書』「巻七十二上」「表第十二上」「宰相世系二上」「杜氏」「濮陽杜氏」によれば、「鴻漸字之巽、相代宗」の父「鵬擧、安州都督」、その父は「慎行、荊益二州長史、建平侯」という。

(121) 栄宝齋の刊行による。本書は宣統三年（一九一一年）のものであり、現在は独立行政法人国立公文書館内の内閣文庫旧蔵本として所蔵される（請求記号二八九・四九）。なお、本書によれば江蘇省に一四九五名、湖北省に七九四名、浙江に七九〇名もの候補官僚が存在する。

(122) 上海図書館蔵（線普長四七〇一五〇～五四）。本書は恩蔭により国子監に入学し、勤務をはじめた人物について記録する。ただしその性質上『同官録』とするよりは『登科録』に近似する印象をうける。

(123) 上海図書館に所蔵されている（線普長四〇三五一二）。その内容は現任者についてではなく、過去の就任者をすべて収録しており、『同官録』とするよりは『題名録』に近似する印象をうける。

(124) 東京大学東洋文化研究所に所蔵されている（大木・総類・官制・二一・一一）。これは戸部に勤務する郎中以下の八旗籍現任官のみ記録した書物であり、省庁を限る『同官録』の一種として捉えることができよう。ただし本書は抄本である。

(125) たとえば、『曽国藩全集』二九「書信九」（岳麓書社、一九九四年十二月）、同治六年四月二十四日付「与彭玉麟」、また「（光緒二十八年、一九〇二年）七月初二日同郷聯名呈【江督皖撫】兩憲稟稿」（東京大学東洋文化研究所蔵『蕪湖湖南會館事實彙録』請求記号仁井田・史・N二二七〇）。

(126) たとえば呉汝綸が李鴻章にかわり執筆した「廬州會館記【代】」（呉闓生編『桐城呉先生文書』巻四「外集」）、費澤甫「李鴻章軼事」（『合肥文史資料』第一輯、一九八四年十一月）。

(127) 導言注十二前掲上海図書館蔵（請求記号四九七五四八、請求記号五五四〇二四）

(128) 范烟橋『拙政園志不分巻』（蘇州博物館藏手稾本、『中國園林名勝志叢刊』揚州廣陵書社、二〇〇六年五月）、張鳴珂『寒松閣集』、また光緒十二年「八旗奉直會館記」および光緒十六年「八旗奉直會館名宦題名碑」（蘇州歴史博物館・江蘇師範学院歴史系・南京大学明清史研究室合編『明清蘇州工商業碑刻集』江蘇人民出版社、一九八一年二月、二四五号文書および二四七号文書）を参照のこと。

(129) 福建省については『旗奉直東會館月捐新章』（東京大学東洋文化研究所蔵、仁井田・史・N二一二三）、湖北省については『八旗奉直會館章程』（同N二一二二）、廣東省については『八旗奉天直隷山東會館章程』（同N二三五一）を参照のこと。

(130) 『八旗奉直會館章程』（東京大学東洋文化研究所蔵、請求記号仁井田・史・N二一二二）。

(131) 「會館楹聯」解維漢『中国衙署会館楹聯精選』下編（陝西人民出版社、二〇〇五年十二月）。

第二部　分節と演者

本間は、口を尖らせ不服そうに答えた。「私は立派な党員ですよ。党歴三十年、生粋の党員です。私は田舎者じゃない。こう見えても、会津労農大学の英文科を出てるんだ。──いいですか？これは行きがかりです。ただの行きがかりに過ぎん。それを、どうぞ忘れんでくださいな」「行きがかりって、ゲリラに脅されてたんですか」私は尋ねた。「脅された？」本間が睨んだ。小馬鹿にしたように、口の端で笑った。「そんな簡単なもんじゃない。都会の人には判りませんよ。田舎の人間関係ってのは大変なんです。本家がどうしたの、分家がどうしたのって、まったく、ほんとに、大変なんだから。──私はね、もちろん唯物論者ですよ。科学的弁証法を信じてます。でもね、年取った母親に先祖の墓に入りたいって泣かれたら、──」「墓がゲリラの支配地域にあるんですね？」本間は、すると憤然として怒鳴った。こんなふうに。「墓は寺の支配地域にあるんです。まったく、日本もアメリカも、白も黒もありゃしない。都会の者はどこだって同じだ」

矢作俊彦『あ・じゃ・ぱ・ん』（新潮社、1997年11月）
第1部第19章

第三章　標語宣伝と出版活動
――軍への学習・教育と人事査定を中心に

一．はじめに

二〇一二年に習近平政権が総書記に就任すると、政権は以前に増して中国共産党員に対して党中央への忠誠を求め、また反腐敗運動を大々的に展開してきた。そして二〇一五年末には「党への絶対忠誠」「中央を看斉（見てならう）せよ」と呼号するようになる。その渦中の二〇一六年一月中旬から二月にかけて、主に地方高官から「習近平総書記というこの『核心』を断固として擁護する」とする発言が飛び出すようにもなった[1]。こうした中、同年二月十九日には習近平が新聞テレビ各社を視察、官製メディアへ対党忠誠を求める。おりしも三月五日に始まった全人代でチベット代表団が文化大革命の時代を思わせる習近平バッジを着用して登場した[2]。この頃からインターネット世論は加熱、「忠実なる共産党員」や「一七一名の共産党員」が習近平「個人崇拝」傾向を攻撃する習近平辞任要求の公開書簡を公開するにおよんで[3]、中央や地方の高官は「核心」言及を控えるようになった。なお、当時の香港メディアは一連の顛末を「十日文革」（十日で終わった文化大革命）と呼称している[4]。

こうして「核心」スローガンは一時的に消滅したものの伏流して再起を試み、二〇一六年十月二十七日に共産党第一

表１：「看斉」の始動　典拠：『人民日報』や各地方党委機関紙

・習近平　2015年12月12日　全国党校工作会議の席上、「一つの重要な目的は皆に党中央を「看斉」させる事にある。党校が看斉意識を強化するには、党校のすべてのしごとがみな党中央の決定に従って進行することを堅持すればよい」と述べた。

・中央党校副校長の何毅亭　2015年12月21日　党校の機関誌『学習時報』に「習近平総書記が講話のなかで明確に指摘された看斉意識」について丁寧な解説を投稿。

・党中央弁公庁主任の栗戦書　2015年12月15日　栗戦書が書記を勤める中央直属機関工作委員会が座談会で「牢固として看斉意識の実行を樹立し自覚し、真剣に党へ絶対忠誠をつくす」と議決。

・習近平＆中央政治局　2015年12月29日　民主生活会で「中央政治局の同志は強い看斉意識を持ち、つねに自ら党中央を看斉し、党の理論や路線・方針・政策を看斉すべき」と議決。

・習近平　2016年1月5日　重慶駐屯の解放軍視察時に「政治意識・看斉意識・帯頭意識」を訓示。

・習近平＆中央政治局　2016年1月7日　中央政治局常務委員会で「政治意識・大局意識・責任意識」の堅持を訴える。

・地方での反応

1月4日（月）：遼寧省委書記の李希が「政治意識・大局意識・紀律意識」＋「党中央を看斉しよう」

1月8日（金）：山西省委書記の王儒林・山西省長の李小鵬（元総理李鵬の子）・遼寧省委書記の李希（「4つの意識」揃う）・天津市代理書記の黄興国が「看斉意識」を訴える

1月9日（土）：北京市委書記の郭金龍・湖南省委書記の徐守盛が「看斉意識」を訴える

1月11日（月）：重慶市委書記の孫政才・チベット自治区委書記の陳全国が「看斉意識」を訴える

以降中央地方の各地に「看斉意識」が広がっていく

八期中央委員会の第六次全体会議（六中全会と略称される）は「全体会議は呼びかける。全党の同志は習近平同志を核心とする党中央の周囲に緊密に団結し、全面的今次の全体会議の精神を掘り下げ貫徹し、政治意識・大局意識・核心意識・看斉意識を牢固と樹立せよ」と宣言するにいたる。[5] こうして習近平はスローガンにおいて「核心」の地位を獲得し、[6] 二〇一七年十月二十四日に党大会を通過した党規約にも盛り込まれ、現在も継続する学習対象となったのである。

ただし、紆余曲折のあった民政方面への忠誠要求とは異なり、人民解放軍に対する集権化は少なくとも表面上において一方的に進んだ。「核心」問題の渦中にあたる二〇一六年二月一日、習近平は軍制に関する大規模な組織改革（命令系統の見直し、七大軍区の五大戦区への改変）を行った。また平行して紀律違反の軍事官僚に対する断罪も進行し（後掲の表八「解放軍関係の反腐敗運動による「落馬」（失脚）者」を参照）、

表２：歴代の軍事委員会 主席

毛沢東	1936/12/7 ～ 1976/9/9
華国鋒	1976/10/7 ～ 1981/6/29
鄧小平	1981/6/29 ～ 1989/11/9
江沢民	1989/11/9 ～ 2004/9/19
胡錦濤	2004/9/19 ～ 2012/11/15
習近平	2012/11/15 ～ 現在に至る

複数の上将（諸外国における大将）はもとより、二〇一七年八月には現役の軍事委員会委員（当時十一名で構成されていた軍事最高指導機関で、軍委と略称される。二〇一七年十月より七名）のうち二名までもが動静不明となり、後に失脚が発表された。そして習近平は二〇一七年七月三十日に建軍節記念行事としては建国後はじめて大規模な親率閲兵を行う。中央への権限集中は更に加速しているといってよい。本章では、こうした当代の変化を彩る諸要素のうち、主に教育・宣伝活動から習近平政権の目指す組織像を検討するものである。

なお、以下に人民解放軍の位置づけ及び先行研究について簡単な紹介を行っておく。人民解放軍は共産党の私設軍として一九二七年八月一日に成立、早くも同月七日には毛沢東が「軍事には注力せねばならない、政権は銃口から生まれることを認識すべきだ」[7]と発言している。とはいえ初期の軍事活動は惨憺たる状況で、毛沢東は綱紀粛正のため同一九二七年十月に「連隊の上に党組織を建設する」[8]、また一九二九年十二月に福建省古田で「全軍は共産党の絶対的指導下に置かれる」[9]と決議している。こうして共産党が人民解放軍を指導する理論背景が整った。その後も毛沢東は「われわれの原則は党が鉄砲を指揮するものであって、鉄砲が党を指揮することを決して許さない」[10]などと発言する。その後、一九四九年十月一日には共産党が中華人民共和国を建設するが、人民解放軍は共産党麾下の軍隊（党軍）にとどめ置かれ、国軍となることはなかった。

以降、権力はおよそ毛沢東から鄧小平、江沢民、胡錦濤、習近平と継承されるが、彼らはみな解放軍の把握に努めた。しかも一九八九年に天安門事件が発生すると、党国維持のため軍の把握は急務となった。ただし、毛沢東や鄧小平には軍務に就き建国を導いた経験があるものの、いわゆる〝文民〟出身の江沢民・胡錦濤・習近平には実質的な軍務経験がない[11]。おのずと人民解放軍への統制力は低下し、解放軍は独自色を強めることとなった。

こうした共産党・国家・人民解放軍の関係性について、たとえば党軍関係（Party-Army Relations）[12]、また軍事専門

表３：先行研究に基づく解放軍管理体制の推移

彭徳懐路線（～1959 年）

「現代化・正規化」（軍備の近代化、専門性強化）

林彪・毛沢東路線（～1978 年、彭徳懐名誉回復）

人民戦争戦略　分散・ゲリラ・総力戦　政治教育に熱心

……　混乱する紅衛兵同士の抗争を圧倒するため軍が前面に

……　共産党中央委員会や中央政治局における軍代表ポスト数が最大に

鄧小平路線（1978 年～）　　鄧小平の逝去：1997 年 2 月 19 日

「現代化・正規化」（軍備の近代化、専門性強化）

・膨らんだ解放軍の縮小・再編

……　予算自弁を認め「軍隊経商」（1985 年 5 月～1998 年 3 月）

・個人によるリーダーシップから集団指導体制へ

……　1978 年憲法では共産党主席が武力の統率者

1982 年憲法の第 92 条で「中央軍事委員会の主席が責任を持つ」

天安門事件後、鄧小平は軍委主席江沢民の政治負担軽減を企図し

腹心の劉華清を副主席に、楊白冰を秘書長に

主義（Military Professionalism）[13]、軍の政治関与（Political Involvement of the Military）[14]、軍事官僚制（Military Bureaucracy）といった側面より、朝鮮戦争当初から文化大革命そして現代にいたるまで、多くの研究が著されてきた。

そして二〇一〇年ごろには、解放軍では文民の軍事委員会（軍委）主席の権限が後退して軍事官僚の自律性が高まっていると認識されるようになった。じっさい毛利亜樹は以下のように述べている[15]。

> 中央軍事委員会は主席一名と多数の軍幹部の合議制であり、党の軍に対する統制を、主席一名に依存する構造をもつ。したがって、主席のリーダーシップが弱まると、意思決定の重心は軍幹部に移行する。軍幹部に重心が傾いた中央軍事委員会の権力関係のもとでは、党規約に書き込まれた「軍隊の党の組織体制と機構は、中央軍事委員会によって規定がつくられる」という規定は、鄧小平によるトップダウン式の改革という当初の意図から離れ、軍の自律性に法的根拠を与えてしまうのである。……鄧小平は、おそらく期せずして、

中央軍事委員会における制服組への重心の移行を促進し、ポスト鄧小平の党軍関係の基本的枠組みとして定着させてしまった。……皮肉なことに、必ずしも法制度を内面化していなかったカリスマ指導者が作り出した法制度と慣行に、カリスマなき時代の党軍関係は枠づけられている。

また、ハンチントンは近現代において軍人は専門主義を増大させ政治介入の動機を失うと仮定した。[16] 中国の国情に即しての反論もあるが、人民解放軍にその定式を当て嵌め、国軍化の可能性をみた研究者も多い。それに対して山口信治は次のように述べる。[17]

まず「党軍」としての特徴と、「国防軍」という役割の増大の間には潜在的な矛盾が常に存在してきた。軍が国防という役割に特化することは、国内政治への関与が減少することを意味するであろう。また高度な戦争形態に対応し、より近代的な装備を使用し、より効率的な作戦行動を追及することは、軍隊の組織形態そのものの変革を必要とする可能性がある。こうした変革は党が軍を指揮するという原則との間に矛盾をきたすかもしれない。しかし、このような潜在的矛盾が常に噴出しているわけではない。むしろ党軍関係は、中華人民共和国史の大部分において安定しており、これは近代化の進展と奇妙に同居してきた。特に改革解放以降、人民解放軍はS・ハンチントンが定義づけたような職業専門集団とは明らかに異なる、脱政治化なき専門集団化を経験してきた。すなわち軍の近代化と党軍関係の潜在的矛盾は、党軍関係が不安定化することの必要条件であっても十分条件ではない。

ともあれ、現代において人民解放軍は革命烈士の集団から職業的専門集団へと変貌しながらも、なお脱政治化せずに党軍関係のもとに置かれているのである。

ただし、その研究は困難である。というのも中国では少しずつ情報公開が進んでいるものの、高層の意思決定過程はもとより、軍に関する多くの情報は非公開である。[18] こうした中でもなお現代の人民解放軍について土屋貴裕は軍令・軍政にかかわる制度分析をすすめ、また安田淳は毎年にわたって人民解放軍の解剖を行っている。(19) とはいえ習近平の行う近年の軍政改革やスローガン構築に関する研究は未だ少ない。

そこで本章では、解放軍経営に関する習近平政権と江胡両政権との差異、また習近平政権の企図を検討していく。

二、指導者の交代と「軍委主席責任制」宣伝活動の伸長

鄧小平は一九八二年十二月の新憲法の第九十三条に「中華人民共和国中央軍事委員会は全国の武力を指導する」「中央軍事委員会は主席責任制を実行する」と記載した。従来は共産党主席が武力の統率者と定められていたものを、軍事委員会（軍委）すなわち集団へと変更し、またその中での主席の優越を定めたのである。その時点での共産党主席・総書記は胡耀邦であり（一九八一年六月より一九八七年一月。なお一九八二年九月の党規約改正により最上位ポストは党主席から党総書記へ変更された）、軍委の主席は鄧小平であった（一九八一年六月より一九八九年十一月、前任は華国鋒、後任は江沢民）。そして江沢民以降の指導者はこの憲法の精神を継承し、少々の文言変更を行いながらも、自ら軍委主席を兼任して軍を率いてきた。

ただし、江沢民や胡錦濤が軍委主席として軍に対して述べた「十六字」（二〇〇一年）「二十字」（二〇〇八年）や、共産党の解放軍指導方法を定めた『政治工作条例』『委員会工作条例』（江は二〇〇三年と二〇〇四年、胡は二〇一〇年と二〇一一年）には、「中国人民解放軍は中国共産党の絶対的指導下に置かれ、その最高指導権と指揮権は中国共産党中央委員会と中央軍事委員会に属する」といった規定が繰り返されるのみで、主席責任制を強調することはない。なお江の十六字、胡の二十字とは、それぞれ「集体領導、民主集中、個別醞釀、会議決定」（集団指導体制、民主集中制、少

ない人数での共有深化（謂わば「根回し」）、そして会議で決定せよ）、「忠誠於党、熱愛人民、報効国家、献身使命、崇尚栄誉」（党に忠誠をつくせ、人民を熱愛せよ、国家へ報いよ、使命に献身せよ、名誉を尚べ）というものである。それに対し、習近平はみずから主席責任制に言及する。そして軍人の軍委副主席やそれ以下の指導部、また解放軍機関紙『解放軍報』もその主張に追随して主席責任制を強調したのである（次頁の表四を参照）。

あくまで憲法に「中央軍事委員会は主席責任制を実行する」との規定があるかぎり、江沢民政権や胡錦濤政権であっても最終的な権限は主席に帰属する。習近平政権とて、制度から見れば軍権は軍委主席すなわち習近平の個人一身へ集中するのは明らかである。しかし習近平にとり、この制度上の権限集中は実質を伴わなかったようである。二〇一五年十一月二十四日から二十六日、北京で人民解放軍の改革に関し「中央軍委改革工作会議」が開催されたが、その席上で習近平は重要講話を発表、現状に強い不満を漏らした。人民解放軍の機関紙『解放軍報』はその発言をうけて以下のような概説記事を掲載している。[20]

我が軍の現行の総部（参謀・政治・後勤・装備の中央四総部）・軍区（管理から戦闘までを担当する地方七軍区）による指導指揮体制は、決定・執行・監督という職能が一体となっており、多くの弊害があらわれている。なにより四つの総部に権限が過度に集中しており、事実上の独立指導階層を形成し、軍委の多くの職能を代行し、客観的にみて軍委の集中的統一的な指導に影響を与えてしまっている。……（中略）……軍委の集中的統一的な指導体制を強化し、軍委主席責任制を強化し、軍隊の最高指導権・指揮権を党中央そして軍委に集中し、軍の一切の行動を党中央そして軍委さらには主席の指揮に従うべく確保する。……（中略）……指導指揮体制の改革を通して、軍委の下部機関は総部制から多部門制（一六の職能機関）へと調整される。もともと権限が高度に集中していた〝総部という指導機関〟は権力を互いに制約しあう〝軍委の補助機関〟へと再編される。また軍区も二度と権力が強大す

表４：「軍委主席責任制」宣伝の推移

江沢民時代　……　1989 年～2004 年

1999 年 6 月 28 日　各部局の共産党委員会に対し「十六字方針」を発布
「集体領導、民主集中、個別醞醸、会議決定」
（集団指導体制、民主集中制、少ない人数での共有深化、そして会議で決定せよ）

2001 年 10 月 16 日　軍委が解放軍への「十六字」導入を宣言

2003 年 12 月 5 日　全軍に対し『中国人民解放軍政治工作条例』（原案は 1954 年 4 月・1963 年 3 月）

2004 年 4 月 15 日　「十六字」を踏まえた『中国共産党軍隊委員会工作条例（試行）』発布

胡錦濤時代　……　2004 年～2012 年

2008 年 12 月 24 日　解放軍の“とある重要な会議”で「現代的革命軍人の基軸価値観二十字」
「忠誠於党、熱愛人民、報效国家、献身使命、崇尚栄誉」
（党に忠誠をつくせ、人民を熱愛せよ、国家へ報いよ、使命に献身せよ、名誉を尚べ）

2010 年 9 月 14 日　『中国人民解放軍政治工作条例』の改訂版を発布

2011 年 2 月 9 日　「試行」を改訂した『中国共産党軍隊委員会工作条例』の発布

↓

江沢民・胡錦濤は解放軍に対する軍委優越のみで主席責任制を強調せず

習近平時代　……　2012 年～

2014 年 11 月 1 日　15 年ぶり開催の全軍政治工作会議で　軍委副主席の范長龍と許其亮が
范長龍　「党の軍に対する絶対的な指導体制を堅持し……軍委主席責任制を擁護し貫徹することを堅固に自覚するべき」
許其亮　「軍委主席責任制とは憲法が明確に規定する我が国の軍事制度の重要な内容であり、それは党の軍隊に対する絶対的な指導という根本制度の最高実現形式なのである……全軍が一切の行動を党中央・中央軍事委員と習近平主席の指揮に従わねばならない」

2014 年 12 月 30 日　習近平が大きく手を入れた『新形勢下の軍隊政治工作における若干の問題に関する決定』（経過は『人民日報』2015 年 2 月 2 日「『決定』誕生記」参照）
「軍委主席責任制を確保する有効な制度機構を固く貫徹する」

2015 年 11 月 24 日　習近平が軍委改革工作会議に出席して重要講話（11 月 30 日づけ要点解説記事）
「軍委主席責任制とは我が国の憲法が定める根本的軍事制度であり、また党が軍へ絶対的な指導を行うということを最高度に表したものである」

2016 年 3 月 24 日　習近平批准の軍委による『強力な軍隊を建設するための教育活動と“党規約を学ぼう・習近平系列講話を学ぼう・合格党員になろう”（両学一做）学習教育に関する意見』発布
「政治意識・大局意識・核心意識・看斉意識の強化に力を尽くし、党へ看斉し権威を擁護するという政治的な自覚を増強し、党の軍隊への絶対指導という根本原則を聊かも動揺させず、真剣に軍委主席責任制を貫徹実行し、党中央・中央軍委・習近平主席の指揮に堅く従う」

2017 年 3 月 29 日　軍委による『核心を擁護し指揮に従う教育活動の展開と「両学一做」学習教育の常態化・制度化の推進に関する意見』発布

習近平は前政権が強調しなかった主席責任制を鼓吹　権限を一身に集める
軍委副主席以下、解放軍の指導部から「習主席を見てならう（看斉）」の合唱ぎる〝大諸侯〟にはさせず、「(東部戦区など五つの) 戦区が戦闘を担い、(陸軍など五つの) 軍種が管理を行う」ように作戦指揮と管理建設を分離させる。

ここで言及された四総部・七軍区は、講話の三ヶ月後となる二〇一六年二月一日に十五部門 (のち十六部門)・五軍区・五軍種へと再編された。習近平にとり、軍政は権力集中を欠き、命令系統は混乱を生じていたのである。

この認識を踏まえたものだろう、二〇一五年十一月二十七日に国防部で軍政改革に関する記者会見が行われたとき、国防部スポークスマンは記者の質問に対し以下のように答えている。[21]

【記者】今回の改革は軍委の下部組織の職能や配置の最適化についてどのような意味があるのでしょう?

【スポークスマン】我らは職能改革から手を入れていく。それで軍委の四総部体制を調整し、多部門制とする。これを通して〝核心〟を強調し、重複する職能を統合し、監督能力を強化し、協調能力を充実せしめ、また細々とした職権を下部へまかせることにより、機構をスリムアップし、また人員整理を行うのである。

【記者】今回の改革は (陸軍など) 軍種の指導管理体制の整備においてどのような意味があるのでしょう?

【スポークスマン】おもには陸軍の指導体制の建設である。陸軍は我が軍の重要な戦力であるが、過去には指導の職能はおよそ四総部が代行していたわけだ。今回の陸軍機構の建設は、陸軍のトップ機構建設を強化すること、管理効率建設をレベルアップすること、陸軍近代化の歩みを早めること、そして軍委の機関の職能調整に有効であろう。

【記者】今回の改革は解放軍の党組織の綱紀粛正や腐敗撲滅にどのような意味があるのでしょう?

【スポークスマン】第十八回党大会以来 (二〇一二年十一月開催、習近平が総書記に就任)、解放軍の党組織の綱紀粛正や腐敗撲滅は大きな成果を挙げているといえよう。この改革も重要な力点となるわけで、これは統治権をがっちり把握するカギとなり、解放軍の紀律検査や巡視査察、会計監査や司法監督の独立性や権威性が欠けていた問題を解決し、厳密なる部局の権力執行制限や監督体系を建設することができるだろう。新たに生まれかわる軍委紀律検査委員会は、軍委の部門と五大戦区にそれぞれ支隊を派遣し、二方面からの指導体制を推進する。軍委審計署（会計検査院にあたる）も完全なる支隊派遣監査を実行する。新たな軍委政法委員会は（従来は紀律検査委員会の下に置かれていた）、軍事司法体制を調整し、それぞれの区域に軍事法院（軍事裁判所にあたる）や軍事検察院を設置し、彼らが独立して公正に職権を行使するすべを確保する。

そして翌年の二〇一六年一月十一日にも軍委機構調整に関する記者会見が開かれたが、別のスポークスマンが記者の質問に対し以下のように解答している[22]。

【記者】四総部が多部門制へと改革されるうえでは、どのようなことを主に念頭においているでしょうか？

【スポークスマン】四総部は歴史的に形勢されたもので、我が軍の発展や重大任務の完成に大きな力を発揮してきた。とはいえ時勢や任務の変化により、この体制はいまや問題が日々に突出するにいたっている。そこで我々は四総部を多部門制へと改め、軍委による総合管理、五大戦区による戦争遂行、五大軍種による建設維持という総原則のもと、軍委の機関の職能や機構配置を最適化し、〝核心〟を強調し、重複する職能を統合し、監督能力を強化し、協調能力を充実せしめ、軍委機関を軍委の下の参謀機関・執行機関・サービス機関とするのである。こうした調整は、共産党の軍に対する絶対的な指導、また軍委による統一的集中的な指導に効果があり、また軍委機関が戦略計画やマクロ的管理機能を執行するうえで有益であり、また部局の権力執行制限や監督体系を強化するうえで有効なのである。

彼らスポークスマンが強調するのは、①過去は四総部が軍委の指導を代行していた、②彼らを名実ともに軍委の下部組織へと再編する、③各部局の権限を制限して相互監視に置く、④強力な監察機構を設置する、以上の四点となる。ここからすれば、二〇一五年以前の軍の体制は、①②軍委は有名無実化して部局に強大な権限が分散し、③彼らは各々隣接部局からの制限を受けずに越権行為を繰り返し、④監察機構未整備のなか多くの行為が隠蔽されていた、ということになる。

以上はあくまで習近平そして改革勢力の言動であり、四総部にもまたそれぞれに主張があることだろう。とはいえ、この言動からは習近平の問題意識と企図が見て取れる。そしてその企図の実現のため、習近平はスローガン作成による理論面での主席責任制強化、腐敗幹部撲滅による（と銘打つ反対派の）粛正、さらには軍政制度改革による命令系統の一本化を急いだのであった。

ここで軍政から一時目を転じ、民政における権限強化と宣伝活動を確認しておこう。基本的に民政部門の活動は軍政部門に先行しており、少なくとも本章の対象とする内容に大きな影響を与えているからである。

三．民政部門における権限強化とスローガン作成

二〇一五年末、習近平政権は「看斉」（見てならえ）および「核心」を新たなスローガンとして呼号しはじめた。看斉とは号令をかける者を「看」てそれに「一斉」に倣うことをあらわす言葉であるが、中国共産党にとっては中央の動向を「見てならう」ことを指す言葉となる。そもそも戦中の一九四五年四月には毛沢東が全人代予備会議で「中央の基準を看斉し、代表大会の基準を看斉する」ことを党員に求めている。[23] 以降、「看斉」（見てならえ）の言葉は共産党が中央集権を求める文脈で使用されてきた。二〇一四年三月にも陝西省委書記の趙正永が「中央の基準を看斉しよう」運動

を推進している（ただし陝西省の運動は後続がみられず自然消滅したようである）。[24] そして二〇一五年十二月十二日、習近平もまた共産党学校について「看斉意識を強化するには、党校のすべての業務がみな党中央の決定に従って進行することを堅持すればよい」と述べ、中央の意向に従うよう求めたのである。

また核心とは中心をあらわす言葉であるが、中国共産党にとっては政権中枢を指す新語でもある。[25] 天安門事件渦中に鄧小平は江沢民を後継者と決定、一九八九年五月には李鵬・姚依林へ毛沢東・鄧小平・江沢民が過去・現在・未来のそれぞれの世代の「核心」であるとする談話を行った。[26] こうして毛鄧江が「核心」と確定し、一九八九年六月に江沢民が共産党総書記に就任する（二〇〇二年十一月まで）。ただし、その「核心」の用語は後に続く胡錦濤（総書記として二〇〇二年十一月より二〇一二年十一月）や習近平（二〇一二年十一月より）が自動的に踏襲できるものではなかった。胡錦濤は二〇〇五年二月に中央電視台で自己を「核心」とする報道を試み、[27] また二〇〇八年一月二日には共青団時代の部下であった劉玉浦が深圳市委書記として胡錦濤を「核心」と発言した。[28] しかしどちらも拡大を待たずに終熄し、公式の場はあくまで「胡錦濤同志を総書記とする党中央（という指導グループ）」の語を使用した。この立場は習近平もまた同様で、総書記就任以来ながらく胡錦濤と同様の「習近平同志を総書記とする党中央」の語が使われてきた。

そのような中、党中央辦公庁主任の栗戦書（二〇一七年十月より党内序列第三位）は二〇一四年七月一日の辦公庁幹部向け講話で、一九八九年五月の鄧小平「核心」談話を引用しつつ習近平の偉大性を称揚し、事実上習近平が核心にあたるとしたのであった。[29] つづいて中央党校副校長の何毅亭も党学校の「看斉」を述べた二〇一五年十二月二十一日の記事で、やはり鄧小平「核心」談話を引用し「習近平同志を総書記とする党中央」という核心の擁護を要求した。[30] そして二〇一六年一月八日に遼寧省委書記の李希が「核心意識」の語を使用するのである。[31]

ただし、中国は当然ながら早期から民主集中制を導入している。すでに一九二二年七月の第二次全国代表大会制定の

「中国共産党章程」（日本では党規約と呼称）では「全国代表大会および中央執行委員会の議決には、共産党党員はみな絶対にこれに服従しなければならない」と規定している。以降、条文整理や文言変更が行われるものの、党規約には「全党は中央に服従する」（一九六九年、一九七三年、一九七七年党規約）、「全党の各々の組織と全ての党員は党の全国代表大会と中央委員会に服従する」（一九八二年以降現在にいたる）といった服従規定を盛り込んでいる。この点からすれば、党中央の「核心」を「看斉」し、「絶対的な忠誠を捧げる」ことは殊更に強調する程のものではない。しかし時代が降るにつれ、中央の権限は「何も行われず何も進まない」などと揶揄されるほどにまで弱体化してしまう。(32)

実際、習近平は自身の共産党総書記の就任直前にあたる二〇一二年十一月八日の第十八回全国代表大会の大会報告において（胡錦濤が報告、報告起草組組長は習近平）、「党の紀律を厳正にし党の集中統一を護持するべきことを自覚せしめる」と主張している。しかも、集中統一といった文言こそ過去の大会報告にも見られたものの、この報告ではその分量が大きく増加したのである。そのため人民日報評論部の李拯は以下のように分析する。(33)

国際環境から言えば、欧米勢力の行う〝色の革命〟や内部瓦解への陰謀（いわゆる「和平演変」論）により、一部の国家は政治的混乱に陥っている。これは我らに団結を護持し思想を統一すべきという警鐘を鳴らしているものだ。また国内環境からみれば、一部で地域主義が盛行し、地方の政策が中央精神から離れており、甚だしい場合は（大会報告で指摘された）「命令があるのに実行せず、禁令があるのにやりつづける」という〝政令不出中南海〟（政令施行範囲が中南海を出ない）という現象まで存在する。これらは客観的にみて、堅く党の集中統一を護持し中央の政令の普遍的施行を保証してこそやっと全党が歩調を一致し奮起して前進する強大な力を形成できるというものだ。

実際、地方では自らの経済発展を至上命題とし、景気減速につながるような中央の指令を等閑視しており、外交分野においてすらも地方の独断専行がみられたという[34]。

そして習近平は二〇一二年十一月十五日に新たな中央政治局常務委員の初めての外国メディア記者会見において「一部の党員や幹部の中で発生した汚職や腐敗、大衆からの遊離、形式主義や官僚主義といった問題」といった綱紀弛緩の粛正を行い、またそのために「党が党を管理し厳格に党を統治すること」を推進すると発言した[35]。以降、重要な講話だけでも二〇一三年六月二十八日（全国組織工作会議）、二〇一四年三月九日（第十二次全国人民代表大会第二次会議における安徽代表団の審議での発言）、二〇一五年三月六日（第十二次全国人民代表大会第三次会議における江西代表団の審議での発言）と、「党が党を管理する」「厳格に党を統治する」ことを訴えている。

こうして習近平は、汚職撲滅および党管理の厳格化により綱紀粛正・中央集権を目指した。そして汚職撲滅の代表格として反腐敗運動が始まり（習近平政権のものを特に「習王反腐」すなわち習近平・王岐山の反腐敗運動などと呼称）、また党管理の厳格化のために「政治工作」と呼ばれる共産党理念教育が行われたのである。

官僚汚職の弾劾や政治工作は前政権でも行われている。解放軍においても胡錦濤政権末期の二〇一二年二月十一日には総後勤部副部長で中将の谷俊山が「落馬」（失脚）しており[36]、同時期からは「政治を重視し、大局を顧み、紀律を守る」学習教育活動が行われている[37]。しかし習近平主導の運動規模は前政権とは大きく異なる。たとえば党幹部というべき共産党中央委員会の委員で失脚した者は次のようになる。すなわち、胡錦濤政権一期目である二〇〇二年十一月当選の第十六期中央委員会（計一九八名、任期は二〇〇七年まで）のうち失脚者は二名（陳良宇・田鳳山）であった。また胡錦濤政権二期目である二〇〇七年十月当選の第十七期中央委員会（計二〇四名、任期は二〇一二年まで）のうち失脚者は四名（于幼軍・劉志軍・康日新・薄熙来）であった。それに対して習近平政権一期目である二〇一二年十一月当選の第十八期中央委員会（計二〇五名、任期は二〇一七年まで）はすでに失脚者二十名（黄興国・孫政才など）を数えられるのであった。[38]胡錦濤政権においても反腐敗運動は展開されていたが、習近平政権下の運動規模は以前を大きく上回る。しかもそれは基層・中層官僚はもとより、党幹部まで及ぶ。

しかも習近平の綱紀粛正は党政の枠を超え、国家的問題として捉えられるようになる。二〇一四年十二月十四日には習近平が「四つの全面」を指示（江蘇省視察時の講話）、「①全面的にややゆとりのある社会を完成する、②全面的に改革を深化する、③全面的に法に基づく国家統治を推進する」という国家的目標に並置して「④全面的に厳格に党を統治する」ことを打ち出した。そして二〇一五年三月五日には李克強による政府活動報告（第十二期全人代第三次会議）にも、この党政改革を含む「四つの全面」が盛り込まれたのである。

四　軍政における軍委主席の権限強化と教育・査定・粛清

民政部門では、毛沢東「看斉」（一九四五年四月）が「看斉意識」（二〇一五年十二月）に、また鄧小平「核心」（一九八九年五月）が「核心意識」（二〇一六年一月）となり、民政部門で呼号がはじまる。そして江沢民時代から存在した「政治意識」（旗幟鮮明なる政治姿勢）、「大局意識」（大局を意識して大局に服従する）[39]とあわせて「四つの意識」として浸透が図られるようになった。こうした民政系のスローガンは解放軍にも奨励される。二〇一六年二月五日には、軍事委員会委員・国防部部長の常万全が「さらに一歩政治意識・大局意識・核心意識・看斉意識を強化せよ」と述べている。[40]

ただし、ここで注目すべきは民政系と軍政系で習近平の立場が異なることである。民政系ではもとより文化大革命を反省し集団指導体制が徹底され、党規約にも個人崇拝の禁止が明記された。事実上において習近平を「看斉」（見てならう）としても、あくまで制度上は「習近平を共産党総書記にいただく党中央」を「看斉」するに留まる。その渦中には地方大官たちが「堅決維護習近平総書記這個核心」（習近平総書記まさにこの核心を堅固に擁護しよう）として習近平個人への忠誠を唱えたが、少なくとも二〇一六年二月末から十月まで呼唱回数は大きく減少したのである。

それに対し、軍政における「看斉」の対象は軍事委員会（軍委）であり、しかも軍委は主席責任制を採用している。すなわち軍内で「核心」「看斉」といえば、おのずと習近平一身へと結びつくこととなる。実際、二〇一六年三月四日には、陸軍司令員の李作成と政治委員の劉雷は連名で下記のように述べている。[41]

堅固に党中央を「看斉」し、習近平主席を看斉し、党の理論と路線方針政策を看斉し、習近平主席まさにこの核心を堅固に擁護し、党中央・中央軍事委員会・習近平主席の権威を堅固に擁護し、党中央・中央軍事委員会と習近平主席の指揮に堅固に従う。

解放軍内部でもこのように「習近平（軍委）主席まさにこの核心を堅固に擁護」を直接呼唱する例は少ない。ただし四月一日には少将の魏智威が「維護核心・聴党指揮」（核心を擁護し党の指揮に従う）と述べている。[42]この「核心を擁護する」という表現は曖昧で、核心が何を指すものか判然としない。ただし魏智威は続けて「軍事委員会主席責任制という政治自覚を強化し貫徹し擁護しよう」と述べており、その核心とは当然に習近平一個人に帰せられるものとなる。すなわちこれは民政系で減少した「堅決維護習近平総書記這個核心」の略語にあたるものなのであった（他の事例については後掲の表七「解放軍関係「維護核心」発言者」を参照）。以降も、二〇一六年五月十八日に中央軍事委員会が『習主席国防和軍隊建設重要論述読本（二〇一六年版）』を配布したところ（二〇一四年八月二十六日に続く二冊目）、講読を推奨する『解放軍報』の記事は「四つの意識」「維護核心」を訴えている。[43]同様に二〇一七年五月および六月に『習近平論強軍興軍』を配布したところ（五月に「団以上領導幹部使用」版、六月に「基層官兵使用」版）、やはり講読推奨記事は「忠誠核心」「擁戴核心」「維護核心」を求めたのであった。[44]

そしてこの「四つの意識」「維護核心」は汚職撲滅そして組織改革と一対に推進された。高級軍事官僚の罷免は着々と進められる（後掲の表八「解放軍関係の反腐敗運動による「落馬」（失脚）者」を参照）。そのなかで二〇一六年五月二十五日の『解放軍報』学習記事は、郭伯雄や徐才厚の汚職を弾劾した上で、「四つの意識」「軍委主席責任制」を称揚し、忠誠心があれば汚職などしないと結ぶ。[45] また二〇一六年六月二十七日にも、軍委・政治工作部主任である上将・張陽は全く同じ意見を述べ、後述の「両学一做」推進を強調している。[46] 軍指導部にとり、プロパガンダと反腐敗は連動するものであった。

当事者の目に見える反腐敗、体感できる軍制改革と異なり、理論の徹底は困難である。そこで習近平が行ったのが、大規模な学習運動の奨励であった。それが「両学一做」運動である。この運動は「党規約を学ぶ」「習近平による系列講話を学ぶ」の二つの「学」、また「合格党員になる」という一つの「做」（なしとげる）よりなる学習運動である。そしてその学習内容の中心に据えられたのが、「核心」「看斉」を含む「四つの意識」獲得であった。この運動は民政系では二月二十八日に共産党中央辦公庁より『意見』が提示されており、解放軍にも三月二十四日に中央軍委辦公庁より同様の『強力な軍隊を建設するための教育活動と「両学一做」学習教育に関する意見』が示され、軍人の「意識」獲得が目指された。この運動は以降上層から末端組織にいたる各部署で連綿と続けられ、写真を付す報道が頻々と行われている。こうして教育が徹底したためか、二〇一七年三月には軍委辦公庁が『核心を擁護し指揮に従う教育活動の展開と「両学一做」学習教育の常態化・制度化の推進に関する意見』を発布し、「両学一做」学習のさらなる定着と「核心擁護」の教育の展開を図っている。以降も二〇一七年十一月には軍事委員会が『軍委主席責任制の全面的な深い貫徹に関する意見』を頒布、二〇一八年二月には政治工作部が『軍委主席責任制学習読本』を頒布している。[47]

しかも、この「意識」獲得が査定に加えられることになった。たとえば南部戦区陸軍某旅では『党員量化評分細則』を策定、「両学一做」学習運動の成果を査定したという。そして五月中旬には十名の党員が表彰を受け、また五名の党員が〝イエローカード〟を受けたのであった。[48] もとより共産党には党員査定制度が存在しており、今後も学習成果を査定材料とする部隊は増加こそすれ減少していくことはないだろう。しかも学習成果の査定は、かれら在勤者だけではなく、少なくとも一部の入隊希望者にも行われることとなった。[49] とはいえ、こうした一部局での「意識」獲得度チェックはいずれもそれぞれの部局内で完結する行動で、解放軍全般で行われているわけではないようだ。

ただし、解放軍全体に対して、巡視制度の充実により思想教育が図られることとなった。二〇一六年四月、『解放軍報』は「二〇一六年の解放軍における党風の粛正に関する観点について」と題して今後の綱紀粛正について概略している。[50] その第一項目は「突出して政治紀律を擁護せしめる」であり、その解説として「政治意識・大局意識・核心意識・看斉意識を強化する。また軍委主席責任制を堅固に貫徹そして擁護する」と宣言されている。すなわち解放軍における政治紀律とは核心・看斉であり、主席責任制であった。またその第七項目は「〝巡視工作〟を深化する」（いわゆる巡視組なる監察機構による査察）であるが、まさにそこには「政治紀律や政治規範の遵守につき重点的に監督・検査を行う」とあるのである。

そして実際に武装警察（解放軍関連機関である）では、二〇一六年五月十二日に「中央軍委巡視組」に備え巡視動員会テレビ会議を開催、「この巡視は四つの意識を強化するために行われるということを十分に認識する」ことなどを確認している。そのようななか、二〇一七年の軍委の「巡視」（監察）では「権威を擁護し核心を擁護し軍事委員会主席責任制を擁護貫徹するという政治的監察というテーマを鮮明に確立し、四つの意識を強化するという点を根本要求として始終に貫く」ことが求められたのである。[51] 以降、二〇一八年一月には『中央軍委巡視工作条例』が頒布され、三月から六月にかけて「全面深入貫徹軍委主席負責制専項巡視」なる軍委主席責任制の貫徹状況に関する大々的な巡視が行われた。[52] こうして「核心」「看斉」の獲得が査察対象となるのであれば、スローガンの内容理解は名目的な目標ではなく必須対象となるだろう。[53]

表5：全軍政治工作会議の開催　（注記しない限り北京開催）

毛沢東	8回	1956年12月、1958年1月、1958年12月（広州）、1960年3月、1961年10月、1963年2月、1963年12月、1965年12月
華国鋒	1回	1978年4月
鄧小平	3回	1980年4月、1981年1月、1982年1月
江沢民	1回	1999年7月
胡錦濤	0回	なし
習近平	1回	2014年10月（福建省古田、15年ぶり開催）

習近平の行った理論面での立場強化はそれだけに留まらない。習近平はじつに十五年ぶりに全軍政治工作会議を開催した。政治工作とは共産党による解放軍への政治教育を指す。しかもその会場は国初以来十三回のうち十二回が北京であったが、今次は古田会議の故地での開催となった（一九二九年十二月の古田会議で毛沢東は「全軍は共産党の絶対的指導下に置かれる」ことを決議）。これは久しく中絶していた政治工作会議を、なかでも軍に対する共産党の優越が定められた古田の故地で開催することにより、解放軍政治将校たちへ「軍委主席責任制」を強く印象づけるための演出であったのではないか。

また、二〇一五年末・二〇一六年二月には、全軍に対して「訓詞」や「訓令」などの表題で訓戒を与えている。従来の主席たちは解放軍へ「講話」を行っており、「訓」は毛沢東以来六〇年あまりにわたって使用されていなかった。習近平はここで「訓」を使用して軍委主席の優位性を示したことになる。

すなわち習近平は、解放軍むけスローガンの作成・浸透と平行し、自己と軍との彼我の立場を明確にする行動を採っているといえる。そして注目すべきは、スローガンのうち「看斉」が毛沢東に、また「核心」が鄧小平に求められるように、政治工作会議は実施という点で原点に、また古田開催という点で毛沢東に、そして「訓詞」「訓令」が毛沢東に由来するように、あくまで習近平は前代の指導者の軌跡をなぞり権威を高めていることである。

表６：全軍への「訓詞」「訓令」

毛沢東	1947/10/10	毛沢東の「三大紀律八項注意」に関する「訓令」
毛沢東	1953/8/26	毛沢東の５度目・最後の「訓詞」
習近平	2015/12/31	解放軍ロケット軍など設立大会で「訓詞」（62 年ぶり？）
習近平	2016/2/1	五大戦区設立大会の席上で「訓令」（69 年ぶり？）

五．おわりに

以上、習近平政権の解放軍に対する政策を確認してきた。習近平は江沢民・胡錦濤と同様に文民の出身であったが、解放軍に対する管理を強めていく。第一には「政治工作」による軍事委員会主席（すなわち習近平）への忠誠の徹底と命令系統の確認であり、第二には腐敗撲滅の旗幟にもとづく軍事官僚の粛清である。それぞれ前者はスローガンの鼓吹、教育活動の徹底、査定への応用、監察での対象化により、また後者は粛清官僚の数的増加、また高位官僚も対象とする質的深化を行っている。しかも並行して軍政組織改革も行った。

この組織面・理論面の改革でもたらされる結果は自明である。以前、真偽不明ではあるものの、人民解放軍では方面軍による〝不規則行動〟が話題となった。習近平本人の発言からすれば、当時の方面軍や総部が一定の裁量権を持って自律的に行動していたろうことは想像に難くない。しかしこうして改革が行われたからには、方面軍や軍種の独自の行動は大きく制限されることになるだろう。権限や地位を下降させた者は不満を持つであろうが、人事や制度のうえで力を持つ指導部へ表立った異議申し立てをすることはできない。しかも、二〇一六年四月二十日には軍委聯合作戦指揮センターが設置され、その総指揮には習近平自身が就任した。人事・教育はもとより作戦指揮においても習近平の意向が働くようになったのである。こうして権限集中を行えば失策の際の責任も一極へ集中する。世界の軍事情勢が混沌とするなか、おりしも「中華民族偉大復興」が呼号されており、民政方面での人心収攬に配慮した行動も求められる。それでもなお指導部は今後の危機より現在の独断専行の排除と指揮系統の統一に力点をおいたものであろう。生粋の軍人たちが軍籍期間の短い習近平へ不安を抱いていることがあるにせよ、制度面において習近平一身の優位は確立しつつある。そしてこの傾向は、反腐敗運動そして理論学習が進むにつれ加速しこそすれ後退することはないと思われるのである。

表７：解放軍関係「維護核心」発言者

（「4 つの意識」「両学一做」発言者は省略している。基本的に『解放軍報』による）

日付	階級	氏名	所属・役職
2016/2/5			軍委政治工作部党委（主任張陽は上将）
2016/2/24	少将	薛君	陸軍第 20 集団軍（河南開封）の政委
2016/2/27	上将	王教成	南部戦区の司令員
2016/3/8		桑林峰	『解放軍報』記者
2016/3/16	少将	薛今峰	火箭軍少将（洛陽 54 基・96251 部隊参謀長？）
2016/3/18	文民	羅志軍	江蘇省委書記・省軍区党委第一書記
2016/3/24	文民	朱克江	江蘇省塩城市委書記・軍分区党委第一書記
2016/3/27	不明		『解放軍報』評論員
2016/3/30	上将	張陽	軍委委員・軍委政治工作部主任
2016/3/30	文民	藍紹敏	江蘇泰州市委書記・泰州軍分区党委第一書記
2016/3/30	文民	張国華	江蘇徐州市委書記・徐州軍分区党委第一書記
2016/4/1	上将	劉粤軍	東部戦区の司令員
2016/4/1	上将	鄭衛平	東部戦区の政治委員
2016/4/1	少将	魏智威	武警・河北省総隊の政治委員
2016/4/5	上将	苗華	海軍の政治委員
2016/4/5	少将	張学鋒	第 40 集団軍（遼寧錦州）の軍長
2016/4/10	少将	鄒鵬	装備学院の院長
2016/4/20	少将	劉志明	軍委機関事務管理総局の局長
2016/4/22	中将	楊成熙	軍委紀律検査委員会の専職副書記
2016/4/22	少将	関友飛	軍委国際軍事合作弁公室の主任
2016/4/29		古琳暉・汪玉明・劉鵬	解放軍南京政治学院の軍人教授
2016/5/6		許為飛	66362 部隊（北京平谷）の政治委員
2016/5/2	大校	燕潤成	陸軍防空兵指揮学院の副政治委員
2016/5/2		崔昌国	77156 部隊（四川楽山）の政治部主任
2016/5/7	少将	朱生嶺	軍委国防動員部の政治委員
2016/5/10	少将	徐航	装甲兵工程学院の院長
2016/5/11	大校	趙全紅	96531 部隊（河南洛陽）の政治委員
2016/5/31		邱聖宏・蔣義明・周忠堅	解放軍南京政治学院の軍人教授
2016/6/3	上将	孫思敬	武装警察部隊（武警総部）の政治委員
2016/6/6	少将	張書国	陸軍政治工作部の主任
2016/6/14	不明		『解放軍報』特約評論員　6 月 13 日の軍委政治工作部編『習近平国防和軍隊建設重要論述選編（三）』発行に寄せて。（一）は 2014/2/20、（二）は 2015/4/13
2016/6/16		王洲奇	69010 部隊（新疆烏魯木斉）所属・全人代の解放軍代表団
2016/6/21	大校	呉暁源	安徽省軍区池州軍分区の政治委員
2016/6/28			空軍党委員会（常委メンバーの司令員馬暁天は上将）
2016/7/1	上校	沈建華	東部戦区の解放軍第 101 医院（江蘇省無錫市）の政委、優秀表彰
2016/7/4	少将	畢永軍	火箭軍指揮学院の政治部主任
2016/7/8	少将	劉訓言	軍委政法委の副書記

表８：解放軍関係の反腐敗運動による「落馬」（失脚）者

年月	階級	氏名	職務
2013/11	少将	王明貴	防空兵指揮学院の政委
2014/3	少将	方文平	山西省委常委・省軍区司令
2014/3	上将	徐才厚	中央軍委もと副主席
2014/4	少将	衛晋	西蔵軍区の副政委
2014/5	少将	葉万勇	四川省委常委・省軍区政委
2014/5	少将	陳強	第二炮兵56基地の副司令
2014/5	少将	符林国	総後勤部司令部の副参謀長
2014/7	中将	楊金山	成都軍区の副司令
2014/8	少将	張祁斌	済南軍区の副参謀長
2014/8	少将	朱和平	成都軍区の聯勤部部長
2014/10	少将	苑世軍	湖北省軍区の司令員
2014/11	少将	王愛国	瀋陽軍区聯勤部の部長
2014/11	少将	戴維民	南京政治学院の副院長
2014/11	少将	高小燕	解放軍信息工程大学の副政委
2014/11	少将	段天傑	国防大学政治部の副主任
2014/11	少将	黄献軍	山西省軍区政治部の主任
2014/11	中将	劉錚	総後勤部の副部長
2014/12	少将	張代新	黒龍江省軍区の副司令
2014/12	大校	馬向東	南京政治学院政治部の主任
2014/12	中将	范長秘	蘭州軍区の副政委
2014/12	中将	于大清	第二炮兵の副政委
2015/1	少将	程傑	海軍・北海艦隊の副参謀長
2015/1	少将	張東水	第二炮兵の副政委
2015/1	少将	黄星	軍事科学院科研指導部の部長
2015/1	少将	蘭偉傑	湖北省軍区の副司令員
2015/1	少将	劉洪傑	総参謀部管理保障部の副部長
2015/1	少将	陳剣鋒	広州軍区聯勤部の副部長
2015/1	少将	蔡広遼	武警・広東省委弁公庁の副主任
2015/2	少将	陳紅岩	北京軍区空軍政治部の副主任
2015/2	少将	王声	広州軍区空軍後勤部の部長
2015/2	少将	郭正鋼	浙江省軍区の副政委
2015/3	少将	占国橋	蘭州軍区聯勤部の部長
2015/3	少将	董明祥	北京軍区聯勤部の部長
2015/3	少将	占俊	湖北省軍区の副司令員
2015/3	少将	傅怡	浙江省軍区の司令員
2015/4	上将	郭伯雄	中央軍委もと副主席
2015/5	少将	周明貴	南京軍区政治部の副主任
2015/5	少将	寇鉄	黒龍江省軍区の司令員
2015/5	少将	劉占琪	武警・交通指揮部の司令員
2015/7	少将	鄧瑞華	蘭州軍区聯勤部の政委
2015/7	少将	王信	武警・交通指揮部の政委
2015/8	少将	張万松	蘭州軍区聯勤部もと部長
2015/9	中将	王玉発	もと広州軍区空軍の政委
2015/9	少将	繆貴栄	武警・交通指揮部もと総工程師
2015/9	少将	汪玉	海軍南海艦隊装備部もと部長 全人代軍隊代表（16/2/27 発表）
2015/10	少将	周国泰	総後勤部軍需物資油料部もと副部長
2015/11	少将	楊海	武警・福建総隊もと司令員
2015/11	少将	沈涛	武警・河南総隊もと司令員
2015/11	少将	張根恒	武警・新疆公安辺防総隊もと総隊長
2015/11	少将	尹志山	武警・公安部警衛局もと副局長
2015/11	少将	馬徳文	武警・江蘇消防総隊もと総隊長
2015/11	少将	呉瑞忠	第二炮兵工程大学もと副政委
2015/11	少将	瞿木田	武警・交通指揮部もと副司令員
2015/12	少将	李明泉	総装備部通用装備部もと部長
2016/1	少将	于鉄民	武警江蘇総隊もと司令員
2016/2	中将	牛志忠	武警部隊の副司令員
2016/7	少将	張鳴	済南軍区もと参謀長
2016/7	上将	田修思	空軍党委もと書記
2016/9	少将	周林和	総後勤部軍需物資部もと部長
2016/10	上将	張樹田	中央軍委紀委もと書記
2016/12	上将	王建平	聯合参謀部の副参謀長
2017/2	上将	王喜斌	国防大学もと校長
2017/3	少将	朱洪達	空軍後勤部もと部長
2017/3	少将	李志堅	武警河北総隊もと司令員
2017/4	中将	楊世光	海軍政治工作部の原主任
2017/5	中将	蘇支前	海軍の副司令員
2017/8	上将	張陽	軍委委員・政治工作部の主任
2017/10	中将	劉生傑	中央軍委後勤保障部の副部長
2018/1	上将	房峰輝	軍委委員・聯合参謀部参謀長

注

（1）「四つの意識」と称されるようになる政治意識・大局意識・核心意識・看斉意識が揃ったのは遼寧省委書記の李希による発言（『遼寧日報』二〇一六年一月九日）。「堅決維護習近平総書記這個核心」の語が出たのは後述の黄興国および四川省委書記の王東明による発言（『四川日報』二〇一六年一月十二日）。なお後者については新聞報道などで天津市代理書記・市長の黄興国による一月八日の発言が端緒ともされるが、その典拠となる『天津日報』二〇一六年一月十二日記事は一月八・十一両日の発言をあわせたもので、一月八日と確定するものではない。

（2）香港紙『蘋果日報』電子版、二〇一六年二月二十一日「『南都』深圳版封面驚現「媒体姓党魂帰大海」」。シンガポール紙『聯合早報』電子版、二〇一六年三月五日「西蔵人大代表団戴習近平像章」。

（3）それぞれ二〇一六年三月四日と三月二十九日。『蘋果日報』電子版、二〇一六年三月二十九日「明鏡新聞網登「倒習信」刊出不久遭下架」。

（4）『蘋果日報』電子版、二〇一六年五月十六日「権鬥激化 文革重現」など。

（5）『人民日報』二〇一六年十月二十八日「中国共産党第十八届中央委員会第六次全体会議公報」。

（6）たとえば『人民日報』二〇一七年九月十九日「中共中央政治局召開会議　中共中央総書記習近平主持会議――研究擬提請党的十八届七中全会討論的文件　審議『関於五年来中央政治局貫徹執行中央八項規定並以此帯動全党加強作風建設情況的報告』」では、習近平主催の中央政治局で「以習近平同志為核心的党中央」の「指出」が行われている。

（7）一九二七年八月七日の漢口八七緊急会議における「槍桿子裡面出政権」。『毛沢東選集』第二巻（人民出版社、一九六六年四月）に収録。

（8）一九二七年九月九日に開始した秋収蜂起で敗北、逃げ延びた三湾村楓樹坪（現在の江西省吉安市永新県）で九月末に毛沢東が「党支部建在連上」と主張、十月一日から大規模な編成変更「三湾改編」が行われた（十大元帥の一人である羅栄桓の回顧録「秋収起義与我軍初創時期」（『星火燎原』選編之一、中国人民解放軍戦士出版社、一九七九年十一月）のほか、任偉「先党後軍――中共早期与〝槍桿子〟関係考論」（『南京大学学報（哲学・人文科学・社会科学）』二〇一四年第五期）や王燕・魏華「略論何挺穎在〝三湾改編〟中的歴史貢献」（『陝西党史』二〇一六年第三期）を参照のこと）。

（9）一九二九年十二月二十九日に福建省龍岩市上杭県古田鎮の曙光小学で議決された「中国共産党紅軍第四軍第九次代表大会決議案」の第八節「紅軍軍事系統与政治系統的関係問題」（中央档案館編『中共中央文献選集』第五冊（中共中央党校出版社、一九九〇年四月）「附録」）。『葉剣英軍事文選』（解放軍出版社、一九九七年三月）の一九六三年一月十八日付「加強司令部的建设、充分発揮司令部的作用」などを参照のこと。

(10) 一九三八年十一月六日の延安橋児溝での第六届中央委員会第六届全体会議における結論「戦争和戦略問題」にみえる「我們的原則是党指揮槍、而決不容許槍指揮党」。『毛沢東選集』第二巻（人民出版社、一九六六年四月）に収録。

(11) ただし習近平は一九七九年四月に清華大学化学工程系を卒業すると「分配」（大学卒業者への職業強制割り当て）により副総理・国防部長（軍委の一員）耿飈の三人の秘書の一員となり、一九八二年三月に河北省正定県の県委副書記となるまで軍籍にあった。

(12) Ellis JOFFE, *Party and Army: Professionalism and Political Control in the Chinese Officer Corps, 1949-1964*, East Asian Research Center, Harvard University, Distributed by Harvard University Press. 1965. また Ellis JOFFE, "Party-Army Relations in China: Retrospect and Prospect", *The China Quarterly*, volume 146, 1996 June.

(13) 本章後述ハンチントンに基づく David L. SHAMBAUGH, *Modernizing China's Military: Progress, Problems and Prospects*, Berkeley: University of California Press, 2002. あるいは Andrew SCOBELL, "China's Evolving Civil-Military Relations: Creeping Guojiahua," *Armed Forces & Society*, volume 31 number 2, 2005 Winter.

(14) 川島弘三『中国党軍関係の研究』上巻「党軍関係の法的形成と政治展開」（慶應通信、一九八八年十一月）、同『中国党軍関係の研究』中巻「国防現代化過程と党軍関係」（慶應通信、一九八九年一月）、同『中国党軍関係の研究』下巻「対外戦略の形成と党軍関係」（慶應通信、一九八九年二月）、同『中国の政治と軍事・外交』（第一法規出版、一九九〇年五月）、また金野純「文化大革命における地方軍区と紅衛兵――青海省の政治過程を中心に」（『中国研究月報』第七十巻第十二号、総八二六号、二〇一六年十二月）、林載桓『人民解放軍と中国政治――文化大革命から鄧小平へ』（名古屋大学出版会、二〇一四年十一月）など。

(15) 毛利亜樹「中国共産党の武装力――法制度化する党軍関係」（加茂具樹・小嶋華津子・星野昌裕・武内宏樹編『党国体制の現在――変容する社会と中国共産党の適応』慶應義塾大学出版社、二〇一二年二月）。なお阿南友亮「現代中国における国防戦略の変遷と党軍関係」（慶応義塾大学大学院法学研究科『法学政治学論究』第三十九号、一九九八年十二月）、同「中国共産党による軍隊を対象とした政治工作の起源と初期の展開」（東北大学法学会『法学』第七十七巻第四号、二〇一三年十月）、同『中国はなぜ軍拡を続けるのか』（新潮社、二〇一七年八月）を参照。

(16) Samuel Phillips HUNTINGTON, *The Soldier and the State: The Theory and Politics of Civil-Military Relations*, Harvard University Press, 1957.（市川良一訳『軍人と国家』原書房、二〇〇八年十二月）に基づく

(17) 山口信治「党軍関係と軍の近代化――一九五〇年代の議論を中心に」（国分良成・小嶋華津子編『現代中国政治外交の原点』慶應義塾大学出版会、二〇一三年十月）。

(18) たとえば鄧小平は軍事委員会主席となった江沢民の政治負担軽減を企図して腹心を軍事委員会構成員としたという。これは当時軍委副

主席となった劉華清の回顧する鄧小平の発言「主席要有助手、就是副主席・秘書長。有両三個助手、他這個主席就好当了。有事可以找人辦、否則什麼事情都要主席出面那受不了。……劉華清当副主席、楊白冰当秘書長。……当然、聴党的話的人多得很、但是他幾個条件都具備、我比較傾向這次加一個副主席、搞一個新秘書長、作為沢民同志的主要助手。」（『劉華清回憶録』解放軍出版社、二〇〇四年八月、第二十章「動蕩的世界」第一節「新的任命」五七六頁）による。

(19) 土屋貴裕『現代中国の軍事制度――国防費・軍事費をめぐる党・政・軍関係』（勁草書房、二〇一五年一月）。また安田淳「中国の党軍関係に関する一考察――党の軍隊に対する絶対的指導と軍の役割をめぐって」（防衛学会編・朝雲新聞社刊『新防衛論集』第二十四巻第一号、一九九六年六月）、同「文化大革命と人民解放軍――軍隊院校教育をめぐって」（加茂具樹・飯田将史・神保謙編『中国改革開放への転換「一九七八年」を越えて』慶應義塾大学出版会、二〇一一年十一月）、同「「中国の特色ある現代軍事力体系」構築と「威嚇」力――二〇一二～二〇一三年の中国人民解放軍」（慶應義塾大学日吉紀要刊行委員会『中国研究』第七号、二〇一四年三月）、同「多方面、多分野に展開する「軍事闘争の準備」――二〇一三～二〇一四年の中国人民解放軍」（『中国研究』第八号、二〇一五年三月）、同「「深化」が求められる「国防と軍隊の改革」――二〇一四～二〇一五年の中国人民解放軍」（『中国研究』第九号、二〇一六年三月）、同「「国防と軍隊の改革」における制度・編制の改編――二〇一五年の中国人民解放軍」（『中国研究』第十号、二〇一七年三月）など。

(20)『解放軍報』二〇一五年十一月三十日「重塑我軍領導指揮体制是強軍興軍的必然選択」。

(21)「中国軍網」電子版、二〇一五年十一月二十七日「国防部挙行深化国防和軍隊改革専題新聞発布会」。なお担当の国防部スポークスマンは国防部新聞事務局局長で大校（上級大佐）の楊宇軍。

(22)「中国軍網」電子版、二〇一六年一月十一日「国防部召開軍委機関調整組建専題新聞発布会」。なお担当の国防部スポークスマンは国防部新聞局副局長の上校（大佐）の呉謙。

(23) 一九四五年四月二十一日の中国共産党第七次全国代表大会の予備会議で、毛沢東は「要知道、一個隊伍経常是不大整齊的、所以就要常常喊看齊、向左看齊、向右看齊、向中間看齊、我們要向中央基準看齊、向大会基準看齊。看齊是原則、有偏差是実際生活、有了偏差、就喊看齊」と述べた。

(24)『人民日報』二〇一四年三月四日、趙正永「我們要向中央基準看斉――深入学習習近平同志関於維護党的団結統一的重要講話精神」。

(25) とはいえ毛沢東も「核心」の語により集団指導体制を説明したことがある。王晃星（武漢大学哲学系）編『毛沢東思想万歳』（鋼二司武漢大学総部、一九六八年）の一九四二年十一月二十一日付「党的布爾什維克化（十二条）――毛主席在西北高幹会議上的報告」には、第九条「必須使党善於把先進戦士中的優秀分子選抜到基本的領導核心中去」に対応する毛沢東の解釈として「但領導核心只能有一個。一個桃子剖開来有幾個核心嗎?不、只有一個核心」「没有領導核心、事情辦不好」の語が見える。同様の内容は楊栄彬「毛沢東在瑞金関心群衆生活二三事」（『福建党史月刊』二〇一三年第十五期）に「一九三三年夏、瑞金下肖区両個幹部来到沙洲壩元太屋向毛沢東彙報工作」の内容として描写される。ただし一般には略ぼ知られておらず、栗戦書が『人民日報』二〇一六年十一月十五日「堅決維護党中央権威――学習貫徹党的十八届六中全会精神」で触れて中央による再確認がなされた。

(26) 鄧小平による一九八九年五月三十一日の談話。『鄧小平文選』第三巻「組成一個実行改革的有希望的領導集体」（人民出版社、一九九三年一月）。出席者は鮑樸『李鵬六四日記』（西点出版社、二〇一〇年六月）による。なお『百年潮』記者「晩年陳雲与鄧小平：心心相通――訪国家安全部部長・原陳雲同志秘書許永躍」（中国中共党史学会『百年潮』二〇〇六年第三期）によれば、一九八九年五月二十六日の当初予定では「鄧小平同志為〝頭子〟的中国共産党党中央」であったものを「核心」へと変更したとするが詳細不明。また一九八九年六月十六日にも鄧小平は江沢民、李鵬、喬石、姚依林、宋平、李瑞環、楊尚昆、万里らに対して同様の談話を行っている。

(27) 香港紙『文匯報』二〇〇五年二月二十七日「央視首称胡総為「核心」」によれば、二〇〇五年二月二十五日の中央電視台の午後七時「新聞聯播」の記事「党中央重視建設和諧社会」のなかでキャスターが「党的十六大以来、以胡錦濤総書記為核心的新一届領導審時度勢」などと読み上げたという。

(28)『南方日報』二〇〇八年一月三日「新任深圳市委書記上任後給自己提出五点要求」。なおここでは「以胡錦濤同志・江沢民同志為核心的両届中央領導集体情繋特区、親臨視察指導、対深圳的進一歩発展傾注了大量心血。……五要清正廉潔、不貪図名利。要始終堅定共産主義理想和中国特色社会主義信念、加強党的執政能力建設和先進性建設、在思想上・政治上・行動上与以胡錦濤同志為核心的党中央保持高度的一致。在省委的正確領導下、団結帯領広大幹部群衆、共同建設深圳特区美好的明天。」と述べたとする。

(29) 栗戦書「忠実践行〝五個堅持〟、做党性堅強的中辦人」（中央辦公庁秘書局『秘書工作』二〇一四年第九期）。なお「党政指導幹部にとって深刻な啓示としての価値を持つ」という理由により二〇一四年九月二十八日になって中国共産党新聞網へと転載された。

(30) 中央党校機関紙『学習時報』二〇一五年十二月二十一日、何毅亭「新形勢下做好党校工作的綱領性文献――学習習近平総書記全国党校工作会議重要講話」。

(31) 注一前掲。四つの意識「政治意識、大局意識、核心意識、看斉意識」を揃えたのは遼寧省委書記の李希による発言（『遼寧日報』二〇一六年一月九日）である。ほどなく四川省委書記の王東明も「堅決維護習近平総書記這個核心」と述べた（『四川日報』二〇一六年一月十二日）。なお李希は二〇一七年十月に胡春華の後任として広東省委書記へ〝栄転〟している。

(32)『新京報』二〇一四年八月十二日「国務院七月組織大督察除政令不出中南海之弊」や『中国紀検監察報』二〇一四年八月十五日「国務院組織大督査 除〝政令不出中南海〟之弊」には「為官不為」「中梗阻」「不幹事了、也不敢幹事了」といったフレーズが登場する。

(33)「中国共産党新聞網」二〇一二年十一月十一日、「人民網・中国共産党新聞網〝十八大系列網評〟之五」としての李拯「十八大報告為什麼強調〝集中統一〟」。

(34) 青山瑠妙『中国のアジア外交』（東京大学出版会、二〇一三年十一月）、なかでも第三章「アジア経済一体化の戦略と実像」（初出は日本現代中国学会『現代中国』第八十五号、二〇一一年九月）。

(35) 『人民日報』二〇一二年十一月十六日「習近平等十八届中央政治局常委同中外記者見面　人民対美好生活的向往就是我們的奮闘目標」。

(36) 香港『文匯報』二〇一二年二月十二日「軍隊反腐 谷俊山中将渉貪落馬」。

(37) 『人民日報』二〇一二年三月十三日「胡錦濤在解放軍代表団全体会議上強調　深入貫徹国防和軍隊建設主題主線　以優異成績迎接党的十八大勝利召開」。

(38) 蒋潔敏・李東生・楊金山・令計劃・周本順・楊棟梁・王珉・黄興国・孫懐山・蘇樹林・呉愛英・李立国・楊煥寧・田修思・王建平・項俊波・王三運・孫政才・張陽・房峰輝。なお候補委員からも同じく十八名の失脚者がいる。李春城・王永春・万慶良・陳川平・朱明国・王敏・楊衛沢・仇和・潘逸陽・余遠輝・呂錫文・范長秘・牛志忠・李雲峰・楊崇勇・張喜武・莫建成・李士祥。

(39) 少なくとも一九九九年九月二十九日の「中共中央関於加強和改進思想政治工作的若干意見」には出現している（『中央党内法規和規範性文件彙編（一九四九年十月—二〇一六年十二月）』法律出版社、二〇一七年八月、第三部「党的領導法規制度」第二章「宣伝思想文化工作」に収録）。以降も二〇〇二年八月二十八日の宣伝部長丁関根「宣伝思想戦線必須做到清醒・学習・用心・奉献」（『新聞戦線』二〇〇二年第十一期）などに見られる。このころには「政治意識」「大局意識」「責任意識」が訴えられていた。

(40) 『解放軍報』二〇一六年二月六日「常万全在看望慰問軍委国防動員部基層官兵時強調　深入学習貫徹習主席系列重要講話精神　努力為国防動員事業作出新的更大貢献」。

(41) 両人の署名記事、『解放軍報』二〇一六年三月四日「学習践行雷鋒精神　弘揚陸軍光栄伝統」。李作成は忠勤が認められたものか、房峰輝にかわり聯合参謀部の参謀長へ昇進した。しかも習近平の副官となる軍委副主席への就任も取り沙汰されたほどで（Minnie Chan, "War hero tipped as Xi Jinping' s choice for key role in world's biggest army". *South China Morning Post*, 2017 August 17. https://www.scmp.com/news/china/diplomacy-defence/article/2106947/war-hero-tipped-xi-jinpings-choice-key-role-worlds）、二〇一七年十月二十五日には構成員が減り重要度の増した軍事委員会委員へと昇格した。

(42) 武警河北省総隊の政治委員をつとめる。署名記事、『解放軍報』二〇一六年四月一日「増強深入学習貫徹習主席系列重要講話精神的政治自覚」。

(43) 『解放軍報』二〇一六年六月二日「『習主席国防和軍隊建設重要論述読本（二〇一六年版）』深入学習貫徹習主席国防和軍隊建設重要論述、堅定不移走中国特色強軍之路、為実現強軍目標、建設世界一流軍隊而奮闘」。

(44)『解放軍報』二〇一七年五月二十二日「経中央軍委批准『習近平論強軍興軍』印発全軍団以上領導幹部」。

(45)『解放軍報』二〇一六年五月二十五日「『習主席国防和軍隊建設重要論述読本（二〇一六年版）』充分発揮政治工作生命線作用――関於貫徹新的歴史条件下政治建軍方略」。

(46)『解放軍報』二〇一六年六月二十八日「許其亮在軍隊〝両学一做〟学習教育工作推進会上強調　認真貫徹習主席重要指示精神　推動〝両学一做〟学習教育往深里走往実処落　張陽主持会議」。

(47)ほかにも規定や綱要が頒布される。『解放軍報』二〇一八年六月十九日「中央軍委印発『伝承紅色基因実施綱要』」、二〇一八年八月二日「中央軍委印発『軍隊実施党内監督的規定』『軍隊実行党的問責工作規定』」、二〇一八年九月七日「中央軍委印発『関於加強新時代軍隊党的建設的決定』」などを参照のこと。

(48)『解放軍報』二〇一六年六月六日「南部戦区陸軍某旅細化評価標準定期考評党員　学有榜様 做有標準」。この動きはこの部隊だけに留まることなく、たとえば北部戦区管下の南疆軍区（『解放軍報』二〇一六年五月十日報道）、中部戦区麾下の第三十八集団軍（二〇一六年五月二十五日報道）、南部戦区麾下の第四十二集団軍（二〇一六年四月十四日報道）、東部戦区麾下の第十二集団軍（二〇一六年四月十九日報道）、西部戦区麾下の第十三集団軍（二〇一六年五月十八日）、空軍党委（二〇一六年六月二十八日）などで見られる。

(49)『解放軍報』二〇一六年五月十日「二〇一六届畢業国防生軍政素質考核展開　考核不合格者将按相関要求作違約或淘汰処理」。二〇一六年五月九日の発表によれば、国防生（解放軍の返済不要奨学金を得て一般大学で就学、卒業後に解放軍へ入る学生。日本における自衛隊貸費学生）の大学卒業・解放軍入隊にあたって、「四つの意識」など党理論の習得を含む各種試験を実施し、不合格者には契約違反や罷免処分を行うという。

(50)『解放軍報』二〇一六年四月十一日「二〇一六年軍隊党風廉政建設看点掃描」。

(51)「中国軍網」二〇一七年八月二十一日「中央軍委巡視組共開展十三個批次巡視」。なお二〇一六年二月一日の軍政改革および習近平直轄という「巡視機構」の追加設置により、四総部は十六部門へ細分化された。この巡視機構の母体であろう「中央軍委巡視工作領導小組」も部局長を軍委副主席の許其亮が兼任しており、習近平の監査機構重視をみてとれる。

(52)『解放軍報』二〇一八年四月九日「中央軍委展開全面深入貫徹軍委主席負責制専項巡視」、二〇一八年八月十七日「在党的旗幟下奮進強軍新時代――以習近平同志為核心的党中央領導和推進人民軍隊党的建設述評」。

(53)たとえば『解放軍報』二〇一八年六月十三日「一声号令風雷動　千帆競発啓新航――交流幹部積極投身国防動員建設記事」の「既要立足新崗位、更要謀求新作為」には四川省の「国防動員系統新交流幹部」について『習近平論強軍興軍』『習近平談治国理政』『軍委主席負責制学習読本』是他們的必読書目。習近平強軍思想是他們重整行装再出発的精神力量」と記載される。

第四章　政党と企業の関係性および企業ガバナンス

一．はじめに

一九四九年の建国ののち、中国は社会主義体制構築を標榜し、多くの企業は国営企業となった。とはいえ一九七八年に改革開放が始まると、国営企業改革により、「国営」から「国有」へ[1]、また「国有」から「民営」へと体制変換が行われた。たとえば中国の四大銀行（世界第一位の中国工商銀行、第二位の中国建設銀行、第三位の中国農業銀行、第四位の中国銀行）[2]もまた例外ではなく、形式的には国家の手を離れている[3]。とはいえもちろん銀行は産業の基幹となるものであり、現在も中央政府は銀行業へ「強監管」（強力な監督管理）[4]をすすめ、締め付けを強化している。銀行の頭取に内部出身者は少なく、他行や政府機関出身者が名を連ねる[5]。銀行は政府の指導を受ける存在であり、銀行側が政府の政策に積極的に影響を及ぼすことはない。

ただし、全ての企業が国初に国有化されたわけではない。一九四〇年代、国内は戦禍で疲弊しており経済復興は急務であった。建国に先立つ一九四九年三月五日に毛沢東は「国民経済に有利」な「資本主義成分」である民間企業の存続を許している[6]。一九五三年九月十一日時点でなお周恩来は「一九四九年の国営企業と私営企業の生産額比は四対六であったが、去年（一九五二年）の年末時点では六対四へと変化した」と述べている。[7]そして大躍進や文化大革命といった政策転換のなかで民間企業の立ち位置は国家の側へと大きく変化したのである。とはいえ、鄧小平が実権を握り改革開放を推進すると、多くの民間企業が設立され、また大きく発展していく。その中で法整備も進められ、一九九三年十二月二十九日には「公司法」（会社法）が成立した。なお注目すべきは、その第一章「総則」第十七条に「会社の共産党基層組織の活動は『中国共産党規約』に基づき行う」との一文があることである。しかもその条項は二〇〇五年十月二十七日の「公司法」改正により「会社のなかでは『中国共産党規約』の規定に基づき共産党の組織を設立し、党の活動を展開する。会社は党組織の活動に必要条件を提供しなければならない」（第十九条）として強化されたのである。

なお二〇〇〇年九月十三日には「個体や私営等の非公有制経済組織の中での党の建設強化に関する意見（試行）」が出され、二〇〇二年十一月十四日に行われた『中国共産党規約』改訂では「非公有制経済組織の中の党の基層組織は党の方針を貫徹し、企業による国家の法律法規の遵守を引導監督し、組合や共産主義青年団といった大衆組織を導き、労働者大衆を団結凝集し、各方面の合法的権益を擁護し、企業の健康的発展を促進する」（第五章第三十二条）との一文も盛り込まれた。そしてこの動きは留まることなく維持され、習近平政権成立前夜の二〇一二年三月二十一日には、建国以来初となる「全国非公有制企業党的建設工作会議」が習近平臨席のもと開催され、同年五月には「非公有制企業の党の建設を強化改進することに関する意見（試行）」が発布されたのである。なおこの制度は外資系企業も例外ではない。以前より外国企業でも党組織設立の動きは存在したが、近年はさらに拡大しているのである。[8]

おりしも著者は二〇〇〇年代前後に中国の外資系企業で勤務した一連の人物へインタビューすることができた。[9]現在、日本企業の海外現地法人数は中国が最多である（二〇一七年度として二五〇三四社中に在華現地法人七四六三社、在北米三二二一社である）。[10]中国政府は企業にどのような行動を求め、企業側はどのように対応しているのか。本章では共産党と企業の関係について概要を示していく。

二、党から企業へ

さきに触れたように、中国では各企業へ党組織建設が求められている。その動きは加速しこそすれ、留まることはない。二〇一七年六月二十日、『人民日報』は以下の記事を掲載している。[11]

現在のところ、中央企業集団方面では定款の改正が進んでおり、相次いで審査発布が行われている。また三〇七六社の中央企業の二・三級部門でも党支部建設が定款に盛り込まれており、今年中に全ての中央企業の二・三級部門での実現が求められている。……兵器工業集団の党建工作局の侯新副局長によれば、この会社の定款の第七条と第二十二条で「党組織は企業内の党支部のリーダーシップと共産党への集権という思想を発揮せしめ、正しい方向を把握し、大局を推進し、処置を行う」「取締役会は会社の重大な問題を決定するとき、まず先に会社の党支部の意見をお聞きする」と明確に改正されたという。ここから理解できるように、このような記述が今回の国有企業の定款改正の一般例である。

こうした傾向は中央政府も大いに称揚するものである。実際、同年十月十八日に習近平は中国共産党第十九回党大会において企業などでの党組織建設を「改革発展を推進するための強力なトーチカとする」と述べている。[12] まさにその発言に沿うものであろう、十月十九日には「党支部設立・発展を強化する業務および全面的に厳しく党を統治すること」に関する記者会見が行われ、共産党中央組織部の齊玉副部長が以下のように発言している。[13]

現在までに、全国の大多数の国有企業や、多くの民間企業、そこには外資系も含まれるのだが、多くの党組織を建設してきた。二〇一六年末までの段階で、我々は一四・七万社の国有企業の九三・二%で、また二七三万社の民間企業の六七・九%で、そしてさらには外資系企業一〇・六万社のうち七〇%で党組織を建設したのである。……そして多くの民間企業の責任者や出資者はみな党支部の建設が生産力はもとより企業の競争力へも良好に作用しているという。

この党大会の代表に選ばれていた畢馬威華振会計師事務所（世界四大会計事務所の一社ＫＰＭＧ）の楊潔は、外資系企業の党支部業務について「ＫＰＭＧの党委員会にはどのような困難もありません。逆に会社からは大きな支持をうけております。ＫＰＭＧ（上海）には現在四百名の党員がおりますが、全職員の四分の一にあたります」と述べている。[14] また北京にある東芝医療系統の岳長海は「会社の管理職の二〇%は共産党員です。党組織の建設と会社の発展は良好な相互作用を形成しています」と述べ、同社の宋婧超も「毎月我々は党支部から党小組までそれぞれのレベルで集まり党と国家の最新重要会議や文献の精神を討論学習しています」と述べる。[15]

このように、外資系企業とて党組織と無縁では無い。こうした中で最も体制へ順応していると思われる外資系企業のうち一つが台湾フォックスコン（鴻海、富士康）であろう。二〇一七年三月の状況として、フォックスコン党委員会は「グループの全国各区では十六の党委員会が、一二三四の党総支部が、一〇八二の党支部があり、党員および入党予定者が三万名あまり存在する」という。[16] なお、この「全国各地の党組織」の一つにあたる子会社の富智康（河北省廊坊市）は自社につき以下のように称揚している。[17]

現在の労働者は三万四千人である。会社の共産党支部は二〇〇九年十一月に成立し、五党総支部、十七党支部、五十六党小組（グループ）があり、共産党員は三七四名である。わが委員会は河北省で初めての台湾資本の企業党委員会である。二〇一六年八月二十一日の中国中央電視台「新聞聯播」では「フォックスコン廊坊の共産党細胞が充実している」

と題する報道をいただいた。……二〇一〇年一二月二八日には富智康（廊坊）科技園工会（筆者補足——工会とは労働組合にあたり、企業党委員会が指導する）が正式に成立し、一万九千人の労働者が入会を志願した。初回での入会率は全労働者の六〇％に達し、河北省の外資企業の労働団体設立の歴史で最多記録となった。

彼らは党員や団員（共産主義青年団）にSNSグループ作成を推奨し、党費納入方法にも電子決済を加え、「フォックスコングループ党支部政治理論学習制度」や「基層党員への学習とチェック制度」など二十項におよぶ制度を策定するほか、ダンスや縄跳び、栄養サロンといったレクリエーション活動を充実させているという(18)。

以上、党委員会としての視点を概観してきた。ただし、これはみな組織設立をする立場からの論理である。それに対し、実際の管理職や社員・労働者には道徳的な教育やレクリエーションのほか党活動参加にどのような利点があるのだろうか。ここで参加者の利点という立場からフォックスコンの方策を確認してみよう(19)。

●採用方面。第一に、人事部門や労働者が必要な部門が労働者を募集する際、同等な条件の場合に党員を優先的に採用する。第二に、労働者の人事システムに「政治的側面」の欄を加える。

●人材育成方面。第一に……党や共産主義青年団の活動あるいは会社組織の専門研修の際に、党や団の幹部や労働者へ思想教育、能力涵養、汚職撲滅などを進行し、党員幹部の総合的素質を引き上げる。……

●人事方面。第一に、重要なポストには党員を優先考慮（執行力・貢献力・凝集力・組織力）する。第二に、会社組織の幹部の昇進時には同等な条件の場合に党や団の幹部を優先考慮（責任・能力・情熱）する。

●慰留方面。第一に、グループ党委員会などから毎年の表彰を行った個人を人事部門に報告し、その内容をグループの重要人材の管理システムへ登録する。……第三に、人事部門の離職システムへ党委員会書記による離職党員との面談という段階を加え、会社組織による党員社員の離職対策業務に協力する。

以上、党が採用・育成・人事・離職対策と人事の各方面に影響力を持つことがわかる。なかでも採用および昇進に若干ながら優先条項があることは注意すべきであろう。人事とは組織の根幹であり、少しでも早い出世を望む者は多い。こうした〝努力〟が実を結んだものか、フォックスコンには二〇一八年七月には党校（党教育を専門的に行う学校）が設立された[20]。ただし、こうした〝努力〟はフォックスコン会長郭台銘の選挙活動に少なからず影響を与えたようである[21]。

ただし、企業内で活動するのは共産党のみに限らない。不動産および医薬関連の深圳万沢グループは社長の林偉光が〝民主党派〟のひとつ中国致公党の党員であった[22]。致公党は共産党の友党であり、主席の万鋼は二〇〇七年四月から二〇一八年三月まで科学技術部部長（国務院の大臣）を勤めている。その万沢グループ三千名弱の中には共産党員が三百二十四名、致公党員が五十一名在籍するという[23]。友党とはいえ組織を異とするのであるから、協力関係の構築は欠かせない。そこで共産党委員会が主導し万沢内での致公党入党者を増加せしめ、またグループ内に二〇一三年三月に統一戦線工作部を設立し、両党共催によるバドミントン大会などを開催している[24]。

ただし、これらは一例に過ぎず、必ずしも全ての企業経営者が積極的に党を受け入れるわけではない[25]。とはいえ、Unirule Institute of Economics の調査によれば、九四％の民間企業は党組織を設立すれば政府との良好な関係の構築が可能であると考えているという[26]。実際、二〇一八年十一月にはＩＴ大手アリババ創業者の馬雲も共産党員と明らかになった[27]。規制緩和や認可申請において企業は必ず政府との交渉が必要になる。二〇一九年前後には政府の課長級職員が民間企業へ集団出向するという報道が見られるようになったが[28]、一方では景気減速に対応する企業側の実益にもつながるものともいえる。以上、党から企業への関係構築を確認してきた。ただし、彼らの関係性はそれだけに留まらない。以下に企業から党への動きも確認する。

三、企業から党へ

冒頭に述べたように、基本的に銀行は政府の管轄に置かれており、政府の推薦する人材を受け入れることがある。とはいえ銀行から政府へと転出するものもいる。彼ら異分野から行政へ転入するものを、中国では「従政」という。このような転入は以前から存在し、たとえば現在国家副主席をつとめる王岐山は江沢民時代に銀行から広東省の幹部へ転入し、さらなる出世の糸口をつかんだ。ただし王岐山のような銀行要職から省幹部への直接異動は当時にあって特殊例である。また、既に失脚した陳樹隆は、江沢民政権末期の二〇〇二年九月に投資信託会社から合肥市副市長として転出し、順調に出世をつづけ副省長となった。陳樹隆のような市町村レベルの事例も一般にみられるものではない。

ただし、習近平政権が始まると、銀行をはじめとする金融機関幹部が続々と省幹部へ登用されるようになる。彼らは長らく金融機関のみで昇進してきており、その多くは政府とかかわる経歴を持たない。こうした赴任を、中国では「空降」（パラシュート降下）という。

金融機関出身の官僚増加の端緒は郭樹清であった。郭樹清は建設銀行董事長・中国証券監督管理委員会主任から二〇一三年三月に山東省副書記そして省長となった。しかも郭樹清は山東赴任後ほどなくして「山東省の金融改革発展に関す

新たな「従政」キャリアパターン：朱鶴新	
1991 年 8	上海財経大学を卒業
	交通銀行南通分行へ
	以降分行で国際部副主任など
2001 年 11	交通銀行蘇州分行の副行長
2006 年 11	交通銀行南京分行の行長
2010 年 2	交通銀行北京管理部の常務副総裁
2013 年 5	交通銀行副行長
2015 年 3	中国銀行副行長
2015 年 7	中国銀行の業務執行取締役
2016 年 6	四川省の副省長

通常の「従政」キャリアパターン：陳樹隆	
1987 年 7 月	安徽財貿学院を卒業
	安徽省国債サービスセンターへ
	安徽省信託投資公司などで勤務
2002 年 9	合肥市副市長
2003 年 12	蕪湖市副書記
2011 年 10	安徽省委員会秘書長
2012 年 6	安徽省副省長
2016 年 2	安徽省常務副省長
2016 年 11	規律違反により失脚

る若干の意見」を発布、[29]「高度な金融関係の人材を招聘して（山東省の）市・県で任用し、各レベルの地方行政機関と金融機関のあいだで双方向的な出向を推進し、地方行政幹部の金融業務の訓練を強化し、各レベルでの金融業務能力をレベルアップさせる」と述べた。こうして金融機関などから三十名が行政へ進出し、山東省では省下十七市のうち十三市において金融系の副市長が誕生した。なお山東省の行政官も金融機関などへ三十四名が出向した。[30]

こうして山東省で大規模な「従政」「空降」が始まると、他の地域でも続々と金融系の官僚が増加するようになる。[31]これは基本的に金融系官僚の副省長就任、つづく市町村への金融系官僚の「空降」という形をとる。たとえば二〇一六年六月に交通銀行系の朱鶴新が四川省副省長となると、二〇一六年十月二十九日には、実に一二一名もの金融系出身者が四川省の各地へ行政官として赴任することとなった。[32]浙江省の各市にも馬興、呂金記、王毅、范輝、康華平、徐子福といった「空降潮」が確認されている。なお省レベル行政官でも郭樹清に続く金融系官僚が登場している。たとえば閻慶民（銀監会）、蔣超良（農業銀行）、劉桂平（中投公司）、朱鶴新（交通銀行系）、王江（建設銀行系）、朱従玖（証監会）、陳舜（証監会）、丁向群（中国銀行系）、殷勇（人民銀行）、康義（農業銀行）、呉清（上海証券取引所）である。しかし、そもそもなぜ中央政府はこのような金融系官僚の登用を進めているのだろうか。そこにはおそらく地方行政、中央行政、汚職撲滅の三点に理由を求めることができるだろう。

地方行政では地域振興が責務となっており、地域振興のためには金融機関の企業融資が必要である。また地方行政機関が直接に公共工事を行い、地域振興を担うこともある。こうした金融管理や財政出動は、地方各省の財政庁や市県の財政局の官僚が担当する。ここに金融系出身の「空降」官僚たちが加われば、財政官僚の金融行政を補うことができる。[33]また、金融系官僚は当然ながら前職との関係が強い。地方行政機関としては、地方経済振興のため金融機関との関係性強化を求めており、こうした「空降」を望んでいる側面がある。[34]

ついで中央行政からの視点を確認しよう。地方では長らく域内総生産上昇のため多額の公共投資が進行した。しかも開発推進のため地方行政機関は数々の特殊融資を開発し、地方債務を膨張させた(35)。二〇一八年十二月末時点でも地方行政機関の債務残高は一八兆三八六二億元にのぼる(36)。中央は地方行政機関の持つ多くの債務を圧縮し財政の健全化を目指す必要があり(37)、「強力な管理監督」を推進しているのである(38)。ただし、地方行政官僚は当該地方での長い経歴を持ち、財政健全化推進の上で阻害要因となる可能性がある。それに対し、中央の金融機関の「空降」官僚の場合、いわゆる「地方の論理」から離れ、中央の意をうけて地方で行動することも期待できる(39)。

また、汚職撲滅の観点を確認しよう。汚職官僚はその地方で長い経歴を持つことが多い。昇進の過程で癒着・汚職を行い、蒼蝿（小さな規模の汚職官僚）から大虎（大きな規模の汚職官僚）へと成長していく。汚職の摘発は中央や地方の紀律検査委員会が担うが、このうち地方の紀律検査委員会は長らく地方官僚自身が担っており、大小の汚職官僚との強い関係性から積極的な摘発を行うことはできなかった。そこで中央は地方の紀律検査委員会へ多くの「空降」人事を行うようになった(40)。こうした反腐敗のための「空降」は紀律検査委員会に限らず、たとえば中央官僚が地方へ(41)、ロケット・戦闘機開発の技術者が地方へ「空降」するようになる(42)。しかも、金融系や工学系といった他分野からの「空降」の場合、抜擢の恩義を集めることもできる(43)。彼らは江沢民の「石油閥」（中国語で「石油幫」）、胡錦濤の「共青団系」（中国語で「団派」）に続き習「新軍」などと呼ばれる。上層にとり、「空降」官僚の増加は、金融引き締め、汚職撲滅、自派強化という一挙三得の方策となるのである。

四　おわりに

以上、党と企業との関係性を確認してきた。企業には党からの党支部建設そして活動推進が求められる。その内容は学習活動のほか球技大会からカラオケまで多岐にわたり、社員の綱紀粛正やレクリエーションに貢献していた。また社員にとれば、一部企業で党員たることが昇進に有利であり、社員の党活動に対するインセンティブともなっている。また経営者側からすれば、なにより党や政府と良好な関係を構築し事業拡大への希望を見いだせるのである。

なお国有企業の事例ではあるが、彼ら社員が政府機構へと出向する場合があった。これは上級による下級の管理強化を目指したものであろう。彼ら「空降」官僚たちは該地の事情と関係が希薄で、該地での関係性より上級の意向を優先する期待感がある。なお、員数も多い金融系官僚は過度の地方債発行抑制や金融整備を行う。彼らの異動後もその知識は継承され、地方行政機関の金融管理能力上昇や将来的信用向上にも結び付くだろう。

現在、米中貿易摩擦により世界経済は安穏を許さない状態にある。一方の主軸である中国の企業が今後にどのような経営展開をみせるのか、今後も注視していく必要がある。

注

（1）一九七八年十二月二十二日の中国共産党第一一期中央委員会第三回全体会議で鄧小平は「工業農業の企業に経営管理自主権を与える」と発言、一九九三年三月二十九日の第八次全人代第一次会議では憲法第十六条の「国営企業」を「国有企業」へと修正した。

（2）Kat Van HOOF, "TOP 1000 World Banks 2019," *The Banker*, 2019 July edition.

（3）たとえば中国銀行は一九九四年に国有銀行となり、二〇〇四年には「国有」から「有限公司組織」となった。ただし現在でも中国国務院に属する中央匯金投資有限責任公司が筆頭株主として全株式の六四・〇二%を握っており、政府の影響力は強い。なお日本銀行にあたる中国の中央銀行は中国人民銀行である

（4）人民日報系『証券時報』二〇一八年一月二十七日「銀監会明確今年強監管十大挙措」。

（5）一九七九年六月から中国銀行董事長をつとめた卜明および続く金徳琴は浙江省政府勤務から、王徳衍は人民銀行香港支店からである。その後の王雪冰、劉明康は新卒採用、の陳四清は新卒採用からの内部昇進であるが、現任の劉連舸（中国進出口銀行系）や前任の田国立（建設銀行系）、蕭鋼（人民銀行系）は外部出身者である。

（6）毛沢「在中国共産党第七届中央委員会第二次全体会議上的報告」（『毛沢東選集』第四巻、人民出版社、一九九一年六月）。衡孝慶「党的非公有制経済政策研究述評」（『石油大学学報（社会科学版）』二〇〇二年第二期）を参照。

（7）周恩来「社会主義改造与国家資本主義」（『周恩来統一戦線文選』人民出版社、一九八四年十二月）。

（8）Alexandra STEVENSON, "China's Communists Rewrite the Rules for Foreign Businesses", *New York Times*, 2018 April 13th. また Zhang Lin, "Chinese Communist Party needs to curtail its presence in private businesses", *South China Morning Post*, 2018 November 25th. あるいは Richard McGREGOR, *The Party: The Secret World of China's Communist Rulers*, London: Penguin Books, 2010. また江岷欽・李世明「従中共反腐論国法与党規之競合関係」（『展望与探索』第十三巻第四期、二〇一五年四月）。

（9）たとえば二〇〇五年一月設立の東芝水電設備（杭州）有限公司の勤務者である。この企業の前身は一九七〇年十二月設立の国営（水利電力部の所属）富春江水工機械廠であり（現在の浙富控股集団股份有限公司）、一九九四年十二月に富士電機と合弁企業「富春江富士電機有限公司」を設立、この合弁会社を東芝が買収した。現在はこの二社が東方電機、哈爾濱動力、天津アルストム、フォイト＝ジーメンスとならぶ「水電六家」を形成している。なお浙富と東芝水電の本社所在地はまさに近傍であり、競争も激しかったという。ほか、切削工具大手の中国法人から現地法人顧問弁護士に至る多くの関係者にインタビューを行うことができた。

（10）「現地法人分布の状況」（経済産業省大臣官房調査統計グループ企業統計室・貿易経済協力局投資促進課『第四八回海外事業活動基本調査（二〇一八年七月調査）概要』二〇一九年五月十五日公開）。

（11）江琳「国企・党建工作要求進章程——目前、央企集団層面全部完成章程修訂、三〇七六家央企二・三級単位已実現党建工作要求進章程」（『人民日報』二〇一七年六月二十日）。

（12）習近平「決勝全面建成小康社会 奪取新時代中国特色社会主義偉大勝利——在中国共産党第十九次全国代表大会上的報告」（『人民日報』二〇一七年十月二十八日）第十三章「堅定不移全面従厳治党、不断提高党的執政能力和領導水平」第四節「加強基層組織建設」。

（13）「齊玉：很多非公企業対在企業建立党組織高度認可」（『人民日報』二〇一七年十月二十日）。

(14)「楊潔代表回答記者提問時説——在〝両新組織〟党員也是主心骨」(『解放日報』二〇一七年十月二十五日)

(15)「外企建中共党組織如虎添翼」(『文匯報』二〇一七年十一月二日)。なお一般党員は党の政策をどのように見ているのだろうか。やや古い二〇〇九年十二月時点のアンケート調査結果ではあるが、南京や蘇州といった蘇南地区の党員一千名へ胡錦濤主唱の科学的発展観に関する党員幹部学習運動について問うたところ、七二％こそ「とても有意義である」とするものの、二四％が「一定の意義があるが実際の効果は大きくない」、二.五％が「動員は不必要である」、〇.六％が「何も言うことはない、関心がない」とする(王世誼『非公有制経済組織党建運行機制研究』中国社会科学出版社、二〇一四年九月。第三章「非公有制経済組織党建工作与党員思想状況分析」九十四頁)。

(16)富士康科技集団党委「做実做強党建工作 打造幸福企業」(中共深圳市非公有制経済組織委員会『非公有制企業党建深圳実践』社会科学文献出版社、二〇一七年八月)の「基本情況」(六十一頁)。なお喩季欣・鄒少宏「新聞特写：党委会的匾額格外醒目」(『人民日報』二〇〇二年十一月七日)には二〇〇一年十二月十五日のフォックスコン党委員会の成立大会の様子が描かれる。当時の党員は一百五十六名であった。

(17)富智康(廊坊)科技園党委「打造党建服務平台 助推〝幸福企業〟建設」(本書編写組『非公有制企業党建築工作問答』党建読物出版社、二〇一七年六月)の「基本情況」(二一九頁)。

(18)前出、富士康科技集団党委「做実做強党建工作 打造幸福企業」の「経験做法」第三節「建設〝両支隊伍〟突出主題教育培訓」(六十九頁)、また第四節「促進〝両個健康〟、打造服務〝十大品牌〟」(七十七頁)。なお東芝水電でも共産主義青年団委員会が「青年労働者」に対するカラオケ大会を開催している(『東芝在中国 Toshiba in China』第二十九号二〇一〇年五月「東芝水電卡拉ＯＫ大奨賽」)。

(19)「富士康科技集団党委培育党団人才助力企業発展作業辦法」(前出『非公有制企業党建深圳実践』二二三頁)。

(20)『南方日報』系ネットメディア「南方網」二〇一八年七月九日、張瑋「擁有一.六万名在冊党員的富士康成立集団党校了」(http://pc.nfapp.southcn.com/39/1296948.html)。なお党校設立はフォックスコンに限るものではなく、香港スカイワースも党校を持つ(張東方「抓支部強基層——打造党建〝深圳品牌〟」(『南方日報』二〇一八年七月二日)。

(21)たとえば民主進歩党選出の立法院委員李俊俋による立法院内政委員会での質問(林麗玉「陸補助富士康郭選總統涉利益衝突？陳明通：全民檢視」『聯合報』二〇一九年五月六日、https://udn.com/news/story/6656/3796266)。

(22)万沢グループ有限公司董事長の林偉光は致公党深圳市委員会副主任委員を兼ねる。万沢の中には当然ながら致公党の支部も存在する(万沢グループ公式、二〇一五年十一月一五日「致公党万沢支部参加市委会深汕特別合作区調研座談会」http://www.wedge.com.cn/news/142.html)。

(23) 深圳万沢集団党委「発揮〝両個作用〟助推企業転型昇級」(前出『非公有制企業党建深圳実践』)の「書記感言」および「基本情況」(一六八頁)。

(24) 前出深圳万沢集団党委「発揮〝両個作用〟助推企業転型昇級」の「経験做法」第三章「党建与統戦工作融合、積極探索基層非公企業民主党派共建工作」(一八二頁)。

(25) 初明利『非公有制企業党組織工作機制創新研究』(南海大学出版社、二〇一四年十二月)は第八章「探索与公司治理相適応的非公有制企業党的建設工作機制」第一節第一項において(二一〇頁)、外資系企業の党組織について「出資者が積極的に支持している場合」「認可しているものの積極的な支持に乏しい場合」「協力的ではなく、あるいは党員が三名未満で党支部建設の基本条件を満たしていない」場合に分け党支部振興の方策を検討する。

(26) Zhang Lin, "Chinese Communist Party needs to curtail its presence in private businesses", *South China Morning Post*, 2018 November 25th.

(27)「関於改革開放傑出貢献擬表彰対象的公示」(『人民日報』二〇一八年十一月二十六日)には「馬雲、男、漢族、中共党員、一九六四年九月出生、浙江嵊州人、阿里巴巴(中国)有限公司董事局主席……」とある。

(28) 章卉・呉伊楠「民企迎来金融〝高参〟——首批五十位金融顧問昨日上崗」(『浙江日報』二〇一八年十一月十六日)、また『浙江日報』系「浙江在線」二〇一九年九月二十日、何泠瑶「杭州向阿里巴巴等一百家企業派駐〝政府事務代表〟」(http://js.zjol.com.cn/ycxw_zxtf/201909/t20190920_11055129.shtml)など。

(29) 二〇一三年八月七日付「山東省人民政府関於加快全省金融改革発展的若干意見」(魯政発〔二〇一三〕十七号)。第五章「営造金融業発展的良好環境」第十八節。済南大学金融研究院・山東省宏観金融研究院『山東省互聯網金融発展報告二〇一五』(中国金融出版社、二〇一五年十月)などに転載されている。

(30)『多維新聞』二〇一三年八月二十六日「郭樹清啓動山東金改 与李互動経改已破冰」。周慧「〝金融老将〟空降地方盤点——補斉地方経済短板」(南方日報系『二十一世紀経済報道』二〇一七年一月二日)。姜寧「地方官員転任銀行、金改後不鮮見」(『齊魯晩報』二〇一七年一月二十五日)。孫静波「山東農行百名幹部掛職基層一線 搭建郷村振興〝金融橋〟」(『中国新聞網』二〇一九年四月十七日)。

(31)『青海日報』二〇一八年八月三日「我省多種形式加大金融幹部人才雙向掛職力度」。

(32) 李龍俊「吸納金融才俊 一百二十一名金融〝高参〟掛職」(『四川日報』二〇一六年十月二十七日第十三面「全景報道」の「四川金融業以改革創新直面挑戦」特集)。

(33) 董希淼「治理互聯網金融乱象応形成監管閉環」(『経済参考報』二〇一七年四月十九日)、また劉双霞「金融大将頻被調任地方官員」(『北京商報』二〇一八年一月二十一日)。

(34) 周慧「〝金融老将〟空降地方盤点――補斉地方経済短板」(南方日報系『二十一世紀経済報道』二〇一七年一月二日)。

(35) おもてだった地方起債(「地方政府性債務」という)のほか、たとえば地方省庁の隠れた債務(「地方政府隠性債務」という)として「影子銀行」(シャドーバンキング、影の銀行、Shadow Banking)、またPPP(Public Private Partnership、官民協力モデル)など。封北麟「中国の地方政府の債務歴史、現状、要因、予測およびリスクの探求」(日中財政シンクタンクフォーラム、二〇一七年十一月三十日)を参照。

(36) 「新華網」二〇一九年一月二十三日「截至二〇一八年末我国地方政府債務余額達一八三八六二億元 風険整体可控」。なお二〇一七年末の時点については二〇一八年一月十八日付新華社『経済参考報』「財政部：至去年末我国地方債余額一六．四七万億元」。陳龍「我国地方政府債務風険総体可控」(『人民日報』二〇一八年一月九日)。

(37) 于海栄・王暁霞「地方啓動去杠杆」(『財新週刊』第七九五号、二〇一八年三月十二日)。

(38) 易永英「監管合力収緊資金供給 地方債将迎更強整頓」(『証券時報』二〇一八年一月十八日)。

(39) 海巌「防控風険十一個省份配備「金融副省長」」(『文匯報』二〇一八年二月四日)、周瀟梟「地方債強監管」(南方日報系『二十一世紀経済報道』二〇一七年一月二日)。

(40) 中国中央電視台「新聞一＋一」二〇一五年五月十二日報道「空降地方紀委書記 形成上位監督高圧態勢」、聶輝華・王夢琦「外来的和尚会念経？――〝空降〟紀委書記対反腐敗的影響」(中山大学嶺南学院・首届「官員激励与治理績效工作坊」報告論文、二〇一五年四月十一日。のち Huihua NIE and Mengqi WANG, "Are foreign monks better at chanting?: The effect of 'airborne' SDICs on anti-corruption", *Economic and Political Studies*, Volume 4 Issue 1, 2016 May.)。聶輝華らは紀委書記の「空降」率と腐敗摘発件数を数値分析し変化を考察している。

(41) 王紅茹「十八大後二十二中央官員空降地方――多是副部級別平調」(人民日報主管『中国経済週刊』二〇一五年八月十八日)。

(42) 『香港〇二』二〇一六年十月二十九日「技術官僚頻頻「空降」地方省市 務求専業知識改進施政質素」、人民日報系「人民網」二〇一六年十二月七日「盤点航天系統〝空降〟的地方領導 三人曾任国家航天局長」、江迅「中共政壇権力高層大洗牌」(『亜洲週刊』第三十一巻第十五期、二〇一七年四月十六日)。

(43) 王雅「習近平用人観全剖析 啓用〝閩浙新軍〟」(『多維新聞』二〇一七年十月十二日)、王雅「中国政壇五年変局 習近平用人観全剖析」(多維新聞系『多維CN』二〇一七年第二十六期)。ほか本章全体で渡邉真理子「三中全会決定と国有企業」(日本総合研究所『JRIレビュー』通号十三号、二〇一四年三月)、中川涼司「中国における市場ガバナンスの発展と国有企業改革」(『立命館国際地域研究』第四十三号、二〇一六年三月）、中屋信彦「中国国有企業における党の領導と国家の支配」（『調査と資料』第一二三号、二〇一九年三月）などを参照した。

第五章　大学入学試験制度と社会科教育
――二十一世紀における展開と変容

一．はじめに

中国には隋代（五八一年～六一八年）に始まる長い公務員試験「科挙」の歴史がある。あたかもその旧時を幻視するかのように、二〇一五年に歴史的文化施設の皇城相府（山西省晋城市陽城県）で「全国高考状元敕封典礼」が開催された[1]。そして康熙帝に扮した係員が山東省や河南省の「高考」最高成績獲得学生を「状元」（旧時の科挙最優秀者を示す雅称）に「敕封」し、賞金を授与したのである。ここで言う中国の「高考」とは、いわば日本のセンター試験にあたる「普通高等学校招生全国統一考試」を指す。こうした統一試験は約五万人が受験した一九五二年八月に遡り[2]、以降も政治的要因による中断を乗り越え、二〇二〇年七月には一〇七一万人が受験する世界最大規模の入学試験へと成長したのであった[3]。なお、全国統一の意義は一九四〇年度の試行趣旨に象徴的である[4]。すなわち、第一に統一試験による基準提示、第二に受験者の肉体的経済的負担軽減、第三に中等教育改善である。とはいえ過去には試験の〝害悪〟も知られていた。明末清初に生きた顧炎武は「合格答案の出版が盛行して（学問としての）儒教経典や歴史書は廃れた」と指摘する[5]。現代においても純粋学問と受験産業との乖離は往々にして問題となる。ただし同じ明朝でも、陽明の学徒が科挙の試験官へ就任し、試験問題および模範解答を通して学派の興隆を企図している。[6] そして現代でも当然ながら「高考とは基礎教育と高等教育を結ぶ重要な結節点であり、その教導性は我が国が基礎教育で「どのような人間を育成するのか」について重要な影響を有す」と考えられている。[7] 受験生は試験に出題されるからこそ学習するものである。この行動は試験制度の要点を衝いたものといえよう。そこで本章では主に歴史教育の分野から大学試験と教科書の内容について中国教育政策の一端を示していく。

二、高考とその問題文――総合的作題の同時代性

中国の「中等学校」とは初級中学（日本の中学校にあたる）および高級中学（おなじく高校にあたる）を指す。また「高等学校」は高等教育を行う学校を称し、四年制大学や専科学校を指す。そこで中国では、「中学生」が全国統一の「高校」入学試験を受験する事となる。ただし、歴史的な紆余曲折があり、現在は「全国統一」の名を冠しながらも完全なる全国統一試験ではない。[8] 具体的な試験制度は教育部考試中心が担当するが、その考試中心が作成する問題には「新課程標準全国巻」の第一巻・第二巻・第三巻、また「新高考」の第一巻・第二巻がある。そして試験問題は各省の教育庁や直轄市の教育局（旧名は教育委員会、なお党の組織として別に教育工作委員会が存在）が選択し、その地域内で統一実施する。二〇二〇年度実施分をとっても、全国一巻は河北・河南・山西・江西・湖北・湖南・広東・安徽・福建が、全国二巻は甘粛・青海・内蒙古・黒龍江・吉林・遼寧・寧夏・新疆・陝西・重慶が、全国三巻は雲南・広西・貴州・四川・西蔵が、新高考一巻は山東が、新高考二巻は海南が採用している。また、北京市、天津市、上海市、江蘇省、浙江省では、教育庁に直属する教育考試院が問題作成を担当している。

ここで学生はその地方が採用した試験問題を受験する。そのため前節で登場した「状元」も地方ごとに存在するのである。なお大学は地域ごとの合格者の配分人数を決定して「録取分数線」（合格最低ライン）を設定するため、同じ大学を希望しても受験地域によって難易度が異なるという悲喜劇も生じる。[9] また、以前より試験は選択問題と記述式問題で構成されており、答案の採点は機械に任せることなく大学や高校の教員さらには大学院生が担当してきた。[10] たとえば北京では二十万におよぶ答案に千名以上が十日以上をかけて採点を行っている。[11]

さて、およそ新高考や北京独自試験などにおいて、学生は語文（日本での国語）・英語・数学のほか、理系三科目（生物・物理・化学）あるいは文系三科目（地理・歴史・政治）の六科目を受験する。それに対して、最も採用数の多い全国巻による試験では、語文、英語、理系あるいは文系数学、理科綜合あるいは文科綜合の四科目を受験する。このうち理科綜合とは、もとは科目として分かたれていた生物・物理・化学を総合した科目である。同じく文科綜合とは地理・歴史・政治の総合科目にあたる。ただし新高考や独自試験と異なり全国巻の綜合科目は分野ごとの小問と分野横断の総合的記述式問題で構成される。たとえば二〇二〇年七月八日実施の全国一巻「文科綜合」[12] は三十五の「選択題」（四択問題）と十一の「非選択題」（記述式）で構成される。そして選択題のうち第一問から第十一問が地理、第十二問から第二十三問が政治、第二十四問から第三十五問が歴史に配当され、合計で一四〇点となる。試みに冒頭の第二十四問を挙げよう。なお導入文には「小問ごとの四種の選択肢に一種だけ問題の要求に適合するものがあります」との注記がある。

『史記』（巻四十「楚世家第十」武王三十五年）の記載によれば、春秋時代に楚国の君主の熊通は爵位の上昇を要求したが、周の桓王に拒絶された。熊通は怒り、周辺地域がみな楚国に帰服していると称して「王が爵位を昇進させないのならば、われ自ら尊くなるのみである」として「そして自立し（楚の）武王となった」という。これは当時の周王朝において【　　】状態であったことを表明している。

A．礼学制度はもはや存在しない　　B．王位の世襲制度が消滅した

C．宗族の制度の解体が始まった　　D．封建体制が挑戦を受けた

この解答はDであり、正解すれば四点を獲得する。以下設問要旨を列挙すれば、第二十五問は唐の閻立本による「歩輦図」と国際関係、第二十六問は北宋の占城米奨励、第二十七問は清代の族譜編纂盛行の理由、第二十八問は西学東漸と宣教師、第二十九問は一九二九年度量衡法前夜の状況、第三十問は解放前夜の党と資本家の関係、第三十一問は改革開放のもと一九八三年に倒産危機から立ち直った安徽省繁昌製薬廠の事績について、自国史を問う内容である。また第三十二問は古代アテナイの民衆裁判所、第三十三問はモンテーニュ思想における理想の人間、第三十四問は産業革命下の十九世紀パリの様相、第三十五問は一九九二年署名の北米自由貿易協定について、世界史を問う内容である。

また、これ以降は合計一六〇点の記述式問題であり、第三十六問から第四十二問が「必考題」（必答問題）、第四十三問から第四十七問が「選考題」（選答問題）となる。第三十六問では葡萄栽培から見た地理的特徴、第三十七問では玄武岩による地形形成、第三十八問では二〇一三年以降のＧＤＰや第二回中国国際輸入博覧会出品物からみた消費変化、第三十九問では党支部委員会・村民委員会・村民代表会議・村務監督委員会による「四会管村」、第四十問では新型コロナウイルス感染症（COVID-19）、第四十一問では一九五〇年代以来の中独関係、第四十二問では時代の特徴と歴史家の歴史認識を問う。そして続く選答問題は「地理二問と歴史三問から科目ごとに一問を選び解答」と説明した後、地理より「選修三　旅行地理」（宮廷に源流を持つ北京景泰藍いわゆる七宝焼と文化体験）および「選修六　環境保護」（高原鼠兎クチグロナキウサギの食害）が、また歴史より「選修一　歴史上の重大な改革の回顧」（清末光緒新政の商業振興策と関連法規について）、「選修三　二十世紀の戦争と平和」（パリ講話会議におけるトルコ領中東の分割と委任統治につ

いて）、そして「選修四　中国や外国の歴史人物の評論」（西魏宇文泰に仕えた蘇綽と彼の六条詔書について）が問われている。

過去には「単向灌輸知識」[13]（一方的な知識伝達）や「死記硬背」[14]（機械的な詰込知識）が強く批判されており、これら記述式の問題文には学生の柔軟な思考能力を試す創意が見て取れる。必答問題から試みに第四十二問を挙げてみよう。

材料を読み、問題の要求を完成しなさい。

【材料】宋代史に関する国内外の学者の著作は数多く、叙述の重点はそれぞれに異なる。たとえば〔Dieter Kuhn によるハーバード中国史の〕『儒家の統治する時代』、〔小島毅による講談社中国史の〕『中国思想と宗教の奔流』、〔游彪による中信出版『新編中国史』の〕『文治の隆盛と武功の退潮』といった書名には著者の時代認識が反映している。

（設問）学習した知識により中国史の一時期について時代の特徴を反映し得た書名を考え、また具体的な史実を応用し論証しなさい（論証充分、史実正確、論旨明晰であること）。（十二点）

このような問題への解答には臨機応変な対応が必要である。しかも、直近の現代すらも作題対象から除外されない。主に「政治」知識によるべき第四十問をとりあげよう。

材料を読み、問題の要求を完成しなさい。

【材料】新型コロナウイルス感染症の流行への対応の過程で、国家衛生健康委員会は専門家を組織して医療救助活動について分析・検討判断・総括を不断に行い、相次いで七版におよぶ新型コロナウイルス肺炎の診療プランを制訂・修訂そして発布し、人民の生命・健康をまもるために重要な保障を提供したのである。第一版のプランは比較的に簡単なもので、主に病因論や病例の特徴、病例の定義、鑑別診断、病例発見時の報告法、治療といった方面の内容であった。そして第三版のプランでは中国医学による治療などの内容を詳細化している。さらに〔二〇二〇年三月三日に発布された〕第七版のプランでは〔肺臓以外の脳組織などに対する〕病理変化の内容を増やし、臨床での症状、診断基準、治療方法や退院基準などを増補調整し、また無症状感染者の持つ感染性、治癒患者による恢復期血漿療法といった新発見を盛り込み、十三種の方面を包括する比較的に完成した診療体系を形成したのである。中国医学は中国人民が数千年の生活実践から作り上げたもので、中華文明の至宝であり、新型コロナウイルス感染症の流行へ対応するなかで独特な価値や魅力をみせた。中国医学と西洋医学を結合し、漢方薬と西洋薬とを併用し、「未病を治す」〔発病以前の養生による健康状態維持〕や「辯証施治」〔望診・聞診・問診・脈診の四診から症状病因を究明し治療を行う〕そして「多靶点干預」〔多方面への作用〕といった中国医学独自の長所を発揮し、流行の予防と管理に対し全面的かつ深く参与した。そして診療過程をカバーする中国医学診療の規範や技術のプランを形成し、全国で使用を推進したからこそ、発病率・重症化率・死亡率を有効に低減し、回復期患者の治癒を早めたのである。しかも中国医学はさらに国境を越えて世界の流行対応に助力している。中国側の専門家はオンラインやオフラインで日本・韓国・イタリア・カンボジアといった国家の専門家と治療経験を分かち合い、さらに新型コロナウイルス肺炎での中国医学による診療プランを英訳して国家衛生健康委員会のサイトで世界各国に共有したのである。

(一) 診療プランの変化が新型コロナウイルス肺炎に対する認識の発展を反映したことについて、〔辯証唯物主義における〕認識論の原理を応用して分析を加えなさい。(十二点)

(二) この問題に加えて文化生活の知識を応用し、中国医学文化の高揚による〔二〇一六年七月一日の慶祝中国共産党成立九五周年大会などで習近平が触れる〕「中国文化への自信」の強化に対する作用を説明しなさい。(十点)

（三）中国医学が「健康中国」の建設で発揮しうる作用を二種提議しなさい。（四点）

ここで問われるのは新型コロナウイルス感染症であり、中国医学であり、国民意識の高揚である。このうち試験当時に現在進行形であった感染症は当然ながら教科書に掲載があるはずもないものの、文化の概況や国民意識については人民教育出版社の教科書『思想政治』第三巻「必修　文化生活」（二〇一八年四月第六版）第二単元「文化の伝承と創造」第四課「文化の継承性と文化の発展」や第三単元「中華文化と民族精神」第七課「私たちの民族精神」を参照できる。しかも中国医学については人民教育出版社教科書でいえば『歴史必修』第三巻（二〇〇七年一月第三版）第三単元第八課こそが詳細である。試験は出題範囲なしに実施し得ない。二〇二〇年実施分こそ公布がなかったものの[15]、二〇一九年以前には教育部が「普通高等学校招生全国統一考試大綱」を発布し出題範囲の概要を示している[16]。そしてまさにその内容は当然ながら現行教科書と合致するものなのである。そこで以下に教科書や教育行政との関連性を確認していこう。

三．教科書と高考との関係性——学問奨励と範囲外問題

一九八三年十月、鄧小平は「十年内乱の消極的な結果」に対処するための思想教育強化を打ち出し、また「教育は近代化や世界そして未来に向き合うべきである」と主張した[17]。実際、一九八四年十月二十日に経済改革方針が成立すると、程なく教育改革方針が練られ始めた。その背景には、広範かつ多様な中国全土に対する画一的な教育の困難性、陳腐化していた教材、高等教育のみが優越した基礎教育や職業教育への軽視といった問題があったという[18]。当時の中国では教育部直属の人民教育出版社が独占的に共通教科書を製作販売していた。そこで一九八五年一月十一日、いわゆる検定制度を導入し、以降は国家の定めた内容に沿って作成し「審定」に合格すれば採用候補に加えられることとなった[19]。

この「審定」は地域の教材審定委員会および中央の全国教材審定委員会が段階的に実施する。こうして「審定」に合格した教科書は各地の教材選用委員会で採用決定し[20]、学校の現場で使用される運びとなる。また補助教材（副読本）である「教輔材料」も中小学教輔材料評議委員会が審査を行い、中央へ報告する[21]。

なお、教科書編纂者は「教学大綱」（日本の教育指導要領にあたる）や関連法規を遵守するが、このうち「大綱」が「課程標準」へと移行した[22]。高級中学の歴史科目でいえば、「大綱」が二〇〇二年まで改訂されたのち、新たな「課程」が二〇〇三年に登場し、二〇一七年に修訂された[23]。そして当然ながら同時期に新教科書が編纂・審定されたのである。なお、旧「大綱」では高級中学の歴史科目として中国の近現代史が必修であり、中国古代史と世界近現代史が選修とされとされ、旧「大綱」下で必修の人民教育出版社『中国近代現代史』（人民教育出版社、二〇〇三年六月）では第一冊が鴉片戦争から第一次国共合作まで、また第二冊が蒋介石北伐から香港返還までを扱った。それに対し、二〇〇三年「課程」は古代を含めた中国史全体を必修とした。これは党史から愛国への重点の転換によるものであろうか。そこで人民教育出版社『歴史必修』（二〇〇四年一月）では古代より現代までを扱い、テーマ別に第一冊は政治史、第二冊は経済、第三冊は文化を配当する。また選修の内容も大きく変わり、第一冊は「歴史上の重大な改革の回顧」、第二冊は「近代社会の民主思想と実践」、第三冊は「二十世紀の戦争と平和」、第四冊は「中国や外国の歴史人物の評論」、第五冊は「歴史の神秘を探る」、第六冊は「世界文化遺産集成」となった。ここでは自国と世界を総合しており、例えば第一冊でソロン・商鞅・北魏孝文帝・王安石・宗教改革・ムハンマドアリー・ロシア農奴解放・明治維新・戊戌変法を、第四冊で始皇帝・唐太宗・康熙帝・孔子・プラトン・アリストテレス・クロムウェル・ワシントン・ナポレオン・孫文・ガンディー・ケマルアタテュルク・マルクス・エンゲルス・レーニン・毛沢東・鄧小平・李時珍・詹天佑（鉄道の父）・李四光（地質学者）・ニュートン・アインシュタインを取り上げる。

しかも教科書は人民教育出版社の専売ではない。高級中学歴史教科書で比較的に流通量の多いものだけでも人民出版社版と嶽麓書社版が存在する。専門的かつ先進的な内容の加筆、学習意欲向上を促す改訂を考えれば、競争原理の導入も当然であろう。こうして教科書は「一綱多本」（大綱一種と教科書多種）となった。この間に蘇智良主編『高級中学課本歴史』（上海教育出版社、二〇〇三年八月）が議論を呼ぶと、[24]各社はみな穏当な表現へと改訂を行っている。しかし当局はなお「審定」のみで直接に起稿しない。ここで再思すべきなのが試験制度である。

前節では高考「文科綜合」試験について紹介した。この試験科目は一九九九年七月ごろに一部の地方で試行し、[25]二〇〇一年には全国的な実施へと発展したものである。[26]ただし、高校の教育科目に「文科綜合」は存在せず、学生はあくまで政治・地理・歴史の各教科の学習を通し多様な教科書により「文科綜合」に対応する知識を獲得していく事となる。前節でも触れた「考試大綱」はおよそ「課程標準」と連動するもので、選択記述問題を示す「選考四」には先に紹介した人民教育出版社『歴史選修』第四冊「中国や外国の歴史人物の評論」とほぼ同じ人名を示す。

ただし、実際の高考では少なくとも過去五年のあいだ選修一・三・四が主に出題され、二〇一五年のみ選修二が加わるものの、選修五・六からの出題は無い。なお出題は例えば二〇一九年の選修一が秦の二十等爵と三国魏の五等爵、選修四が劉源張（中国質量管理の父）、二〇一八年の選修一が宮崎市定『中国史』を引用しての漢武帝の建元の意義、選修四がワシントンの中立政策とルーズベルトの善隣外交、二〇一七年の選修一が改革開放以降の賃金制度、選修四が呉王寿夢の子の季札とその外交活動、二〇一六年の選修一が六朝貴族制度と唐太宗の『貞観氏族志』編纂、選修四が唐の高仙芝の出世と功罪、二〇一五年の選修一が開元通宝と唐の幣制改革、選修四が長春真人丘処機のチンギスハーンとの会見の意義を問うている。これらはみな選修教科書に特集されたものではないため、受験生は学習の更なる深化を求められる。逆に出題されない選修五・六への学習意欲は減退するであろう。教科書が「一綱多本」であるのと異なり、高考は「一綱一本」であるからこそ受験生への最終的な学習範囲指定を行いうるのである。しかも二〇一七年の考試大綱では新たに「試験では唯物史観の指導のもと科学的思考と学科の方法を応用し問題を発見・分析・解決する能力を重視する」という文言が加わった。実際、近年になって生産関係や上部構造、社会構造論や存在と認識といった出題が増加している。(27)

四．おわりに

以上、大学入学試験と教科書について確認してきた。ただし、教育行政はさらに変容している。改革開放以来、全国教育工作会議が一九八五年五月、一九九四年六月、一九九九年六月、二〇一〇年七月、二〇一九年一月と開催されてきた。(28)最新の会議では課程教材への習近平新時代特色社会主義思想の有機的な融入が提起され、青年への愛国・励志・求真・力行教育が確認されている。それと相前後する二〇一六年十月に中央は「大中小学教材建設に関する意見」を発出し、「イデオロギー性のやや強い教材や国家主権や安全保障、民族や宗教といった内容の教材は、国家による統一編纂、統一審査、統一採用を実行」するとした。(29)習近平も同年十二月には「教材体系の建設、教材の教授内容や教導価値は国家意思の体現であり国家の権利である」と強調する。(30)そこで国務院副総理を主任とする国家教材委員会が成立、また二〇一九年十二月には同様の文言を持つ教材管理辦法が発布され、(31)思想政治・歴史・語文（国語）に関して教科書を一種のみとする「一綱一本」体制への回帰が決定した。実際に製作された教科書はこれら諸決定を踏まえたものであるという。(32)その教科書の基本原則とは、教育部教材局（国家教材委員会辦公室を兼ねる）の開いた記者会見によれば次のようである。(33)

【記者】〔二〇一九年九月から各地で陸続導入予定の高等中学の思想政治・語文・歴史〕三教科の教材を統一編纂する基本原則とはどのようなものでしょうか。

【責任者】まず第一に、正確な方向を堅持するということです。習近平が〔二〇一八年九月十日の全国教育大会で〕提言した教材製作の「一個堅持五個体現」を遵守し、課程標準に依拠し、新時代中国特色社会主義思想を充分に体現し、社会主義革新価値観を全面融入し、中華の優秀な伝統文化や革命文化そして社会主義先進文化を高揚して、学生に一個の中国精神そして満々たる中国愛を持たせ、徳・智・体・美・労が全面発展した社会主義の建設者および後継者を作ります。……

なお更なる管理強化のため、二〇一九年十一月には「新時代愛国主義教育実施綱要」が[34]、また二〇二〇年一月には「全国大中小学教材建設規劃」[35]そして「教材管理辦法」が発出された[36]。すでに習近平は「教育とは国の大計であり、また党の大計である」と述べる[37]。『中国教育報』の投稿に見える「新型コロナウイルス感染症という大きな試練のなか、愛国主義精神はまたも〝高得点の試験答案〟を作成することができた」との所感は[38]、その成就しつつある新体制の成果を表すのかもしれない。

注

（1）李瑜「科学時評　該給〝状元游街〟亮紅灯了」（『中国科学報』二〇一五年七月三十日第一面）。ただ張伯晋「高考状元騎馬游街為何令人反感」（『検察日報』二〇一五年七月二十七日第四面）はこのような封建的儀礼に疑義を呈している。

（2）一九五二年四月三十日付教育部「関於一九五二年暑期全国高等学校招生計劃及其実施問題的指示」（楊学為編『高考文献』上冊、高等教育出版社、二〇〇三年七月）。統一試験の動向は大塚豊『中国大学入試研究――変貌する国家の人材選抜』（東信堂、二〇〇七年六月）第一章に詳しい。

（3）晋浩天「千万考生今日奔赴高考考場」（『光明日報』二〇二〇年七月七日第一面）。

（4）一九四九年製作の教育部教育年鑑編纂委員会『第二次中国教育年鑑』（『近代中国史料叢刊』第三編第十一輯、文海出版社、一九八六年六月に採録）第五編「高等教育」第一章「概述」第四節「二十九年度」の「統一招生目的」による。

（5）顧炎武は自著『日知録』巻一六「十八房」で「八股盛而六經微、十八房興而廿一史廢」（ここで言う十八房とは会試の試験場で、転じて合格答案集『房稿』を指す）と、また同巻一六「擬題」で「故愚以為、八股之害等於焚書、而敗壞人材有甚於咸陽之郊所坑者但四百六十餘人也」と述べる。

（6）三浦秀一「王門欧陽徳の学問とその会試程文」（『哲学資源としての中国思想――吉田公平教授退休記念論集』研文出版、二〇一三年三月）、同「明朝の提学官王宗沐の思想活動と王門の高弟たち」（『日本中国学会報』第六六集、二〇一四年十月。それぞれ『科挙と性理学――明代思想史新探』研文出版、二〇一六年二月、第六章と第七章として収録）。

（7）教育部教育考試院「知史愛国 読史明智――二〇二〇年高考歴史全国巻試題評析」（『中国考試』二〇二〇年第八期）。

（8）小川佳万・小野寺香・石井佳奈子「中国の大学入試における募集人員の地域配分に関する省別比較」（『広島大学大学院教育学研究科紀要』第三部「教育人間科学関連領域」第六十八号、二〇一九年十二月）などを参照。

（9）二〇二〇年度の事例でも、沈蒙和「六八三高分考生為何会〝落榜〟――浙江高考録取進程過半、這位学生的選択、你賛同嗎?」（『銭江晩報』二〇二〇年八月二八日第十二面）のように浙江省最高得点の学生であっても北京大学希望学部で不合格点となった。こうした「不平等」について、たとえば耿焰「走出違憲審査的困惑――対三名考生状告教育部一案的思考」（『中国律師』二〇〇一年第十二期）、沈鴻敏「高等教育昇学機会地区間不平等的現状及其成因分析」（『清華大学教育研究』二〇〇七年第三期）、盧非非「高考録取中的区域公平問題探析」（『学園――学者的精神家園』二〇一一年第四期）、楊江華「我国高等教育入学機会的区域差異及其変遷」（『高等教育研究』二〇一四年第十二期）、厳冬「高等教育中平等受教育権的大衆認識与反思」（『西南政法大学学報』二〇一八年第四期）、唐海龍「従入学機会看高等教育公平――高校招生政策的視角」（『南寧師範大学学報（哲学社会科学版）』二〇一九年第六期）など実に多くの論文が研究対象としている。また受験生にとっても死活問題であるため、受験案内として全国各省市招生辦『高考録取分数線分析』（西蔵人民出版社、二〇一六年十二月）といった書籍も登場している。

（10）李明「高考閲巻――我参加過的另一場〝高考〟」（上海解放日報系『上観新聞』二〇二〇年七月九日、https://www.jfdaily.com/news/detail?id=267793）、また杜瑋「浙江高考満分作文和閲巻組長的角色」（『中国新聞週刊』二〇二〇年第三十三期、総九六三期、二〇二〇年九月七日）。

(11) 方怡君「北京高考語文作文已経出現満分試巻」(『新京報』二〇一九年六月十五日第七面)。

(12)『五年高考三年模擬 高考文綜』(教育科学出版社・首都師範大学出版社、二〇二〇年七月)。

(13) 劉振英・劉思揚・尹鴻祝・楊振武「江沢民在全国教育工作会議上発表重要講話強調 国運興衰係於教育 教育振興全民有責」(『人民日報』一九九九年六月十六日第一面)。なお江沢民はここで「学生と群衆の愛国主義・集体主義・社会主義思想を不断に増強する事こそが素質教育の核心」と強調する。

(14) 二〇一七年一月一三日付、教育部部長陳宝生「辦好中国特色社会主義教育 以優異成績迎接党的十九大勝利召開 ―― 二〇一七年全国教育工作会議工作報告」(『人民教育』二〇一七年第Z一期)。

(15) 秦健「重慶考生要注意啥 名師来支招」(『重慶晨報』二〇一九年十二月二十八日第三面)、また河北日報系「河北新聞網」二〇一九年十一月十二日付「河北省教育考試院官方発布 ―― 二〇二〇年普通高考大綱参考二〇一九年且不再修訂」(http://hebei.hebnews.cn/2019-11/12/content_7522712.htm)。

(16) 教育部考試中心『二〇一九年普通高等学校招生全国統一考試大綱的説明（文科）』(高等教育出版社、二〇一八年十一月)。なお科目ごとに教育部考試中心『高考試題分析（文科綜合分冊）二〇二〇年版』(高等教育出版社、二〇二〇年一月）のような書籍が刊行され題例や趣旨を説明している。

(17)「党在組織戦線和思想戦線上的迫切任務（一九八三年十月十二日）」(『鄧小平文選』第三巻、人民出版社、一九九三年十一月)、また「為景山学校題詞（一九八三年十月一日）」(同上)。なおその要素はすでに鄧小平「在全国教育工作会議上的講話（一九七八年四月二十二日）」(『鄧小平文選』第二巻、人民出版社、一九八三年七月）にあらわれている。

(18) 当時にあって中央書記処書記を勤めていた胡啓立による回想（「『中共中央関於教育体制改革的決定』出台前後」『炎黄春秋』二〇〇八年第十二期）。なお一九八五年五月二七日通過「中共中央関於教育体制改革的決定」には「必須極大地提高全党対教育工作的認識、面向現代化・面向世界・面向未来」と、さきの鄧小平の言葉が踏まえられている。

(19)「国家教委関於頒発『全国中小学教材審定委員会工作章程』的通知」(『課程・教材・教法』一九八八年第一期)、国家教育委員会『中華人民共和国現行教育法規彙編（一九四九‐一九八九）』(人民教育出版社、一九九一年四月)。また「中小学教材編写審定管理暫行辦法」(『教育部政報』二〇〇一年第Z二期)、二〇一九年十二月十六日付「教育部関於印発『中小学教材管理辦法』『職業院校教材管理辦法』和『普通高等学校教材管理辦法』的通知（教材〔二〇一九〕三号）」(教育部公式サイト、http://www.gov.cn/zhengce/zhengceku/2020-01/07/content_5467235.htm)。

(20) たとえば二〇二〇年七月二日付「北京市教育委員会関於印発二〇二〇年秋季北京市中小学教学用書目録的通知」附件「二〇二〇年秋季

北京市普通高中課程改革実験教材目録」(http://jw.beijing.gov.cn/xxgk/zxxgk/202007/t20200702_1937435.html) や二〇二〇年七月二十四日付蘇州市教育局基礎教育処「二〇二〇年蘇州市高中数学教学用書選用結果公示」(http://jyj.suzhou.gov.cn/szjyj/gsgg/202007/63e49abe34874e0295ec94c31ef90e31.shtml)。

(21) 「新聞出版総署・教育部関於印発『中小学教輔材料管理辦法』的通知」(『教育部政報』二〇〇一年第Z二期)、新聞出版広電総局・教育部・発展改革委関於印発『中小学教輔材料管理辦法』的通知」(『中華人民共和国国務院公報』二〇一六年第二期)。なお江蘇省では一教科につき「一教一輔」(教科書一種と補助教材一種)による学習を求めている(談潔「我省新高一秋季将用新教材」『南京日報』二〇二〇年八月五日第八面)。

(22) 「中小学教学大綱為何改成課程標準?」(『中国教育報』二〇〇一年十月二十四日第四面)。

(23) 教育部『全日制普通高級中学歴史教学大綱』(人民教育出版社、二〇〇二年四月)、教育部『普通高中歴史課程標準(実験)』(人民教育出版社、二〇〇三年三月)、教育部『普通高中歴史課程標準(二〇一七年版)』(人民教育出版社、二〇一八年一月)。なお、それぞれの変化について朱漢国「浅議普通高中歴史課程体系的新変化」(『歴史教学』二〇〇三年第十期)、同「普通高中歴史課程標準的修訂及主要変化」(『歴史教学(中学版)』二〇一八年第二期)がある。

(24) 王雪萍「グローバリゼーションと中国の歴史教育の変容――内政と外交の狭間に揺れる教育改革」(加茂具樹編著『中国の対外行動の源泉』慶應義塾大学出版会、二〇一七年三月、第九章)。

(25) 一九九九年二月一三日付教育部「関於進一歩深化普通高等学校招生考試制度改革的意見」(教学〔一九九九〕三号)(『教育部政報』一九九九年第三期)、「教育部辦公庁関於印発『落実全教会精神、深化高考改革座談会紀要』的通知」(『中華人民共和国教育部公報』一九九九年第Z二期)、一九九九年八月二日付教育部辦公庁「関於広東省二〇〇〇年高考試行〝綜合科目考試〟的通知」(教考試〔一九九九〕一号)など。

(26) 二〇〇一年一月十五日付「教育部関於做好二〇〇一年普通高等学校招生工作的通知」(『教育部政報』二〇〇一年第四期)。

(27) 姚暁嵐「高考歴史試題対唯物史観素養的考査及教学対策」(『教学月刊(中学版)』二〇二〇年第四期)。

(28) 二〇一九年一月一八日付、教育部部長陳宝生「落実 落実 再落実――在二〇一九年全国教育工作会議上的講話」(『人民教育』二〇一九年第Z一期)。

(29) 陳亮「内容・機制・課程標準――如何編好学校思政課教材?」(光明日報系『中華読書報』二〇一九年十二月十八日第六面)、李麗萍「統編教材後続服務如何跟進?」(『中国出版伝媒商報』二〇一七年九月一日第一面)。

(30) 国家教材委員会委員の王湛「落実国家事権的重大戦略挙措」(『中国教育報』二〇一七年七月十四日第七面)。

(31) 陳鵬「国家首次出台教材建設整体規劃、剣指教材管理〝細〟〝鬆〟〝弱〟〝缺位〟――大中小全学段教材〝凡編必審〟〝凡選必審〟」(『光明日報』二〇二〇年一月九日第九面)。

(32) 褚清源「普通高中三科統編教材突破了什麼」(教育部系『中国教師報』二〇一九年九月四日第一面)、「編好三科教材 培育時代新人――教育部教材局負責人就普通高中三科教材統編工作答記者問」(教育部公式サイト、二〇一九年八月二七日、http://www.moe.gov.cn/jyb_xwfb/s271/201908/t20190827_395984.html)。また王家源・林煥新「全面落実教材建設国家事権――訪国家教材委員会辦公室和教育部教材局負責人」(『中国教育報』二〇二〇年一月八日第一面)、「建立健全教材管理制度 提昇教材建設科学化規範化水平――教育部教材局負責人就教材管理辦法答記者問」(教育部公式サイト、二〇二〇年一月七日、http://www.moe.gov.cn/jyb_xwfb/s271/202001/t20200107_414565.html)。

(33) 「編好三科教材 培育時代新人――教育部教材局負責人就普通高中三科教材統編工作答記者問」(教育部公式サイト、二〇一九年八月二十七日、http://www.moe.gov.cn/jyb_xwfb/s271/201908/t20190827_395984.html)。なお改革は続いており、職業学校に関する教科書の編纂についても同様の趣旨を述べている(「教育部教材局負責人就中等職業学校三科教材統編工作答記者問」(教育部公式サイト、二〇二三年九月七日、http://www.moe.gov.cn/jyb_xwfb/s271/202309/t20230907_1078731.html)。

(34) 「培養愛国之情 砥砺強国之志 実践報国之行――中共中央国務院印発『新時代愛国主義教育実施綱要』」(『中国教育報』二〇一九年十一月十三日第一面)。

(35) 林煥新・王家源「我国首次系統規劃教材建設――到二〇二二年教材管理体制基本健全・体系基本完備・質量顕著提昇」(『中国教育報』二〇二〇年一月八日第一面)、また「全面落実教材建設国家事権 系統描絵大中小学教材建設藍図――国家教材委員会辦公室負責人就『全国大中小学教材建設規劃(二〇一九-二〇二二年)』答記者問」(教育部公式サイト、二〇二〇年一月七日、http://www.moe.gov.cn/jyb_xwfb/s271/202001/t20200107_414566.html)。

(36) 「建立健全教材管理制度 提昇教材建設科学化規範化水平――教育部教材局負責人就教材管理辦法答記者問」(教育部公式サイト、二〇二〇年一月七日、http://www.moe.gov.cn/jyb_xwfb/s271/202001/t20200107_414565.html)。

(37) 新華社電「習近平在全国教育大会上強調――堅持中国特色社会主義教育発展道路 培養徳智体美労全面発展的社会主義建設者和接班人」(教育部系『中国教師報』二〇一八年九月十二日第一面)。

(38) 李争婕「辯証把握新時代愛国主義教育新内涵」(『中国教育報』二〇二〇年八月二十四日第三面)。

第六章　統一へ向かう大学入学試験制度と教育行政の変容

一．はじめに

二〇二一年度の高考（普通高等学校招生全国統一考試、日本の旧センター試験にあたる）では二〇年度より七万人増加した一〇七八万人が受験した。[1]そして続く二二年度には一一九三万人が、二三年度には一二九一万人が参加した。[2]彼らの多くが目指すのは重点大学であり、[3]たとえば北京大学には二三年度に四四八三名が入学している。[4]なお日本では二三年度の大学共通テストには四十九万人強が出願し、[5]また東京大学には二三年度に三一五五名が入学している。[6]受験制度や大学定員など日本と中国の差異は大きく一概に比較はできまいが、国家の人口規模からみて受験者の比率は高く、厳しい競争であることが予測できる。またここからは中国における受験者の急激な増加が見てとれるが、これは単純な受験者対象者すなわち高等学校学生総数の増加のみに帰せられるものではない。[7]たとえば「復読」と呼ばれる高等学校三年次編入による浪人制度があり、複数年度受験が近年の受験者総数の上昇に寄与しているという。[8]すでに復読の存在は以前から認識されており、[9]二〇一六年にはドキュメンタリー「高十」（高校十年生）で社会問題として広く訴えられている。[10]また、二〇一九年以降の新型コロナウイルス感染症の感染拡大による国際交流杜絶が惹起した留学希望者減少もその原因に数えられる。[11] とはいえ典型的表現ながら、やはり急増の背景には社会の成熟にかかる高学歴志向が存在しよう。[12] 近年、こうした需要にこたえて数多くの大学が「供給」され、「私たちにはこれほどの多くの大学生が必要か」といった提言すらも見られるようになった。[13] 今後の少子高齢化傾向からみて高考受験者数は長期低落傾向に推移すると思われるが、[14] 少なくとも現状の顕著な増加により試験制度ひいては教育行政全般への関心が集まっている。そこで本章では前章に続いて試験制度の変遷、二〇二一年度以降の高考文系分野出題そして教学をとりまく状況について論じていく。

二．二一年度以降の試験制度の推移

そもそも試験は公正かつ公平であらねばならない。そのため、過去から強力な「考試舞弊」（試験不正）への対策が行われてきた。近年ではデジタル技術の進展に伴い、二一年度には北京市で顔認証システムを導入し、[15] また教育部は二三年度に試験会場での無線通信遮蔽装置の充実を求め、[16] たとえば四川省はそれに応えて試験会場での「5G信号全屏蔽」（5G通信の全面的遮蔽）を指示している。[17] 公平という点でも改革は行われており、二〇一三年十一月に開かれた「三中全会」の方針を受け、[18] 中央委員会二〇一四年九月には国務院が「指導思想」に基づく試験制度改革提案を発表、文理の区別の撤廃や外国語の複数回実施を定めた。[19] 以降の試行を「新高考」と称し、二五年度ごろを目標に受験科目から難易度調整にいたる多種多様な改革が行われつつある。[20]

なお、前章で簡単に紹介したように、教育課程では一九八五年から分権の傾向が、近年では集権の傾向が見て取れる。そしてその変容過程は高考にも共通し、一九八五年から高考の「分省自主命題」（作題や採点の地方独自施行）が始まっている。[21] その後、二〇〇三年に四川省南充市南部県で試験問題漏洩事件が発生、「分省自主命題」の傾向は加速した。[22] この事件および判決を概略すれば以下の通りとなる。[23] ある高校生が南部県教育局に侵入し二〇〇三年度の高考試験問題を略取した。犯行時間は六月五日未明であり、当該年度高考初日の六月七日から二日前にあたる。[24] 発覚後は重大事件として直ちに胡錦濤や政法委員会書記の羅幹、公安部部長の周永康が指示を発して事件の全容解明や処断を目指した。結果、その時間に当直であった南部県教育局招生辦公室の副主任科員の劉誠忠と南部県老鴉小学校教務主任の王彬は「玩忽職守」（職務怠慢）により懲役三年執行猶予四年、また招生辦公室主任の王成林と副主任の安旭も管理責任を問われ、やはり「玩忽職守」により懲役二年執行猶予三年とする判決が下る。事件を受け、不正対応の法令も整備された。[25] なお高考の試験問題は国家機密のなかでも最高級の「絶密」に指定されており、[26] 犯人には「竊取国家機密」として懲役七年の実刑判決が下った。ここで注目すべきは、高考試験問題が国家機密にあたること、漏洩に対して中央高層が動いたこと、そして漏洩官員が重く罰せられたことである。もし全国統一から離脱すれば、漏洩による被害範囲は地方に限定される。また、付随して、地方官員の立場からみれば試験問題が全国性から地方性へと下降すれば万一の事件発生でも処断に軽減が期待できよう。おりしも「分省自主命題」傾向があったればこそ、二〇〇四年度以降には地方各省教育局の主導による「統一」からの離脱が進んだのである。

とはいえ、教育課程と同様、高考においても二〇一四年の制度改革提案を機に、試験の全国統一が進んでいる。「分省自主命題」とは畢竟分権傾向であり、「考試大綱」があるとはいえ、[27] 中央の作題意図は完全には地方へ貫徹されまい。また受験生からみれば、地方各省で難易の異なる同一目的試験が存在することとなり、公平に悖るものと映る。しかも実際に試験問題を作成する地方各省の教育局にとれば、先に述べたような流出漏洩時の被害軽減は実現するものの、その代償として作題への過重な負担そして責任が発生することになる。[28] 中央そして地方の思惑は合致し、高考試験問題は一九八五年以来の「分省自主命題」から統一へと回帰することになった。[29]

たとえば二〇二〇年度時点で独自に作成していた北京・天津・上海・江蘇・浙江は、二〇二一年度において江蘇省が、二〇二三年度において浙江省が統一試験に回帰したほか、[30] 教育部考試中心作成の統一試験も五種から四種へと減少した。二〇二三年度時点では北京市と天津市そして上海市をのぞく地方各省すべてが何らかの形で統一試験（新課程標準一巻および二巻、全国甲巻、全国乙巻）を採用している。このうち全国甲巻、全国乙巻を採用した各省は全面的に統一試験を利用している。ただし新課程標準一巻および二巻には文科綜合（思想政治・歴史・地理）や理科綜合（物理・化学・生物）の試験問題が含まれるものの、たとえば新課程標準一巻を採用した各省のうち江蘇省、河北省、福建省、湖北省、湖南省、広東省は「三・一・二」方式とし、「三」すなわち「語文」（中国語）、数学、英語について統一試験を採用、それに対して残る「一・二」のうち「一」すなわち物理と歴史から一種、また「二」すなわち思想政治と地理、化学と生物から二種を選択する個別試験については「分省自主命題」としており、[31] なお統一試験への完全回帰には至っていない。

三．二一年度・二二年度の試験問題

さて、前章では二〇年度の高考文系科目のうち地理・政治・歴史が合流した文科綜合を紹介した。その内容は二一年度も大きく変わらず、たとえば二〇二一年六月八日午前実施の全国乙巻「文科綜合」は二〇年度と同様の三十五の「選択題」（四択問題）および十二の「非選択題」（記述式）で構成された。[32] そして選択題のうち第一問から第十一問が地理、第十二問から第二十三問が政治、第二十四問から三十五問が歴史に配当され、合計で一四〇点を獲得できる。試みに第二十八問を挙げよう。

（皮錫瑞『師伏堂日記』によれば）一八九八年（九月五日すなわち光緒二十四年七月二十日）、とある書商（皮錫瑞へ弟子の礼をとる江西の書商晏志清）が科挙の八股文形式での出題の廃止により大きな損害を被ったことを嘆いた。ただ、なお「経学の書籍はまだ買い手があり」、その損失は以前見積もったほどではなく、かえって新学（西洋の学問）の書籍に対する投資が損失に直面する。これは当時【　】ことを反映していると言えよう。

A．儒学の地位が転覆していた　　B．列強の侵略がさらに激しくなった
C．政局の変化が迅速であった　　D．西洋の学問が民心に浸透していた

この解答はCであり、光緒帝の戊戌変法（光緒二十四年四月二十三日、グレゴリウス暦一八九八年六月十一日に開始）および西太后による政変（同八月初六日、九月二十一日に発動）にかかる政局の変化を読み取る問題で、正解すれば四点を獲得する。以下設問要旨を列挙すれば、第二十四問は西周の封建制、第二十五問は後漢の江南開発、第二十六問は北宋代の社会流動の加速、第二十七問は明清における勧善懲悪の道徳書の流行、第二十八問は清末の政治変動（前述）、第二十九問は第一次国共内戦下の一九三四年一月二十七日毛沢東群衆戦略発言、第三十問は土地改革（一九四六年～一九五三年）による家族の経済地位の変化、第三十一問は一九五七年時点での内地と沿海部の工業発展格差について、自国史を問う内容である。また第三十二問は一八世紀におけるイギリスの特許会社、第三十三問はフランス革命期における家父長権封印状の廃止、第三十四問はプランクやケルヴィン卿の発言にみる十九世紀末の科学環境、第三十五問はアメリカ中央情報局による現代芸術家ポロックら「熱い抽象」(Hot Abstraction）への援助について[33]、世界史を問う内容である。

また、これ以降もやはり二〇年度と同じ構成となる合計一六〇点の記述式問題であり、第三十六問から第四十二問が

「必考題」（必答問題）、第四十三問から第四十七問が「選考題」（選答問題）となる。第三十六問は上海市の珈琲店出店状況、第三十七問は圩田開発、第三十八問は自動車製造業ＢＹＤのサプライチェーン開放策、第三十九問は反外国制裁法成立、第四十問は党成立百周年、第四十一問は東西の歴史書編纂、第四十二問は一九二一年から一九四九年の党の概要を問う。試みに「政治」知識によるべき第四十問を挙げよう。

材料を読み、問題の要求を完成しなさい。

【材料】党の第七期中央委員会第二次全体会議の席上（一九四九年三月五日から十三日にかけて河北省平山県の西柏坡で開催）、毛主席は全党に「二種の絶対必要」（虚心謙虚と艱苦奮闘）を訴えた。そして一九四九年三月二十三日に党中央が西柏坡から北京へ前進するおり、毛主席は「今日は入京の日だ。入京し試験を受けよう。我々は決して李自成（明末起義軍の首領で、一六四四年に明朝の北京を攻略し入京したものの程なく西走した）にはならない。我々はみな試験に良い成績を得ることを望むのだ」と述べた。そしていま、（二〇〇八年一月十二日と二〇一三年七月十一日に西柏坡を訪問し二〇二一年二月七日には特別に賀状も送付した）総書記は「今日に至り「二種の絶対必要」教育はいまだ成就に遥か遠い。「試験を受けよう」の任務の継続もやはり成就に遥か遠い。我々代々党人はみな不断に人民そして政治成績の試験を受け、人民と歴史に満足な答案を提出し続けるのだ」とおっしゃった。時代は試験者であり、我々は解答者であり、人民は採点者である。我々党が永遠に「試験を受けよう」による覚醒を保ち、始終に「二種の絶対必要」を強調堅持し、人民を導いて激励前進継続奮闘し、歴史的な試験に優秀な答案を提出すれば、中華民族は站起来・富起来・強起来という偉大な飛躍を迎えるだろう。[34] 二〇二一年は党の成立百周年にあたる。不断な「試験を受けよう」の背後には、始終に変わらない党の「中国人民のために幸福を講じ、中華民族のために復興を講じる」初心と使命があるのだ。

（一）材料を読み、（マルクス主義哲学唯物史観の基本問題である）社会存在と社会意識の辯証関係原理を用いて、党がなぜ永遠に「試験を受けよう」による覚醒を保つ必要があるのか説明しなさい。（十二点）

（二）「二種の絶対必要」は新時代の党人が激励前進する精神的動力であるが、文化の人に与える影響に関する知識を用いて説明しなさい。（十点）

（三）人生とは一本の不断の「試験を受けよう」の過程といえる。青年が人生という試験でどのように合格の答案を提出するものか、二種の観点を記しなさい。（四点）

そして続く選答問題では「地理二問と歴史三問から科目ごとに一問を選び解答」と説明した後、地理より「選修三・旅行地理」（雲南省元陽県のハニ族棚田と伝統維持・貧困撲滅）および「選修六・環境保護」（青蔵鉄道建設と環境への影響）が、また歴史より「選修一・歴史上の重大な改革の回顧」（西太后主導の光緒新政と洋務運動）、「選修三・二十世紀の戦争と平和」（ベトナム戦争の枯葉剤使用の原因と結果）、「選修四・中国や外国の歴史人物の評論」（時代で相違する五代馮道の評価）が問われている。

また、二〇二二年六月八日午前実施の全国乙巻「文科綜合」もまた三十五の「選択題」（四択問題）および十二の「非選択題」（記述式）で構成された[35]。そして選択題のうち第一問から第十一問が地理、第十二問から第二十三問が政治、第二十四問から三十五問が歴史に配当され、合計で一四〇点を獲得できる。以下設問要旨を列挙すれば、第二十四問は殷周の青銅器鋳造、第二十五問は唐代の書法、第二十六問は北宋での府州の通判設置、第二十七問は作庭にみる江南の発展、第二十八問は変法時期の康有為批判、第二十九問は思想解放としての五四運動、第三十問は瓦窰堡会議と統一戦線、第三十一問は改革開放による農村変化について、自国史を問う内容である。また第三十二問は古代アテネの官僚選任、第三十三問はパスキエと「フランス意識」、第三十四問は十九世紀ドイツデュイスブルクと航運業（デュイスブルクは本書第八章で論じる一帯一路鉄道路線の行先でもある）、第三十五問は二月革命直後のカーメネフとスターリンの臨時政府条件つき支持について、世界史を問う内容である。

そして、これ以降も過去と同様に合計一六〇点の記述式問題であり、第三十六問から第四十二問が「必考題」（必答問題）、第四十三問から第四十七問が「選考題」（選答問題）となる。第三十六問はイスラエルの海水淡水化事業、第三十七問は氷床融解と海水面上昇、第三十八問は生産者指数と消費者指数の鋏状価格差発生と中小企業、第三十九問は環太平洋パートナーシップ協定加入申請や海南島全体の自由貿易港構想にみる対外開放と国際関係、第四十問は浙江杭州富春第七小学の「開心農場」「新労働教育」を例とする徳智体美教育、第四十一問は一九五〇・六〇年代の日本と中国の外資導入や技術移転、第四十二問は後漢の良吏から歴史的背景を問う。

そして続く選答問題では、地理より「選修三・旅行地理」（展望台の旅行者への展望強制性）および「選修六・環境保護」（内蒙古フルンボイル草原道路と周辺への窒化物蓄積）が、また歴史より「選修一・歴史上の重大な改革の回顧」（戦国商鞅の軍事改革）、「選修三・二十世紀の戦争と平和」（スエズ国有化と第二次中東戦争そして英仏以撤退）、「選修四・中国や外国の歴史人物の評論」（一九四八年十一月三十日「関於新解放城市中組織各級代表会的指示」などにみる中国の民主と党の立場）が問われている。

四．二〇二三年度の試験問題

そして二〇二三年六月八日午前実施の全国乙巻「文科綜合」もまた三十五の「選択題」（四択問題）および十二の「非選択題」（記述式）で構成された(36)。そして選択題のうち第一問から第十一問が地理、第十二問から第二十三問が政治、第二十四問から三十五問が歴史に配当され、合計で一四〇点を獲得できる。試みに第三十一問を挙げよう。

一九八一年、北京京劇団は改革を実行し、職員の給与を七割とし国家は大部分の福利厚生を負担しないこととした。そして劇団は興行経費を自力で解決することとし、興行収入の剰余のうち公共積立として三割、戯劇院に一割を残し、そのほかは「按労分配」（労働内容に応じた配分）の原則により配当した。試行したところ職員の収入は顕著に増加したのである。この出来事は【　　】ことを反映している。

A．民間資本が文化建設の投資主体となる

B．国有の文化事業部門が総体的制度改変により企業となる

C．新たな配分制度が職員の積極性刺激策として有利に働く

D．社会主義市場経済体制の改革目標が確立した

この解答はCであり、改革開放における社会体制や人々の意識の変化を読み取る問題として[37]、正解すれば四点を獲得する。以下設問要旨を列挙すれば、第二十四問は戦国時代の農業生産技術発展、第二十五問は唐代中後期の江南の平穏安定、第二十六問は刊刻と社会文化、第二十七問は明初の地方統治、第二十八問は十九世紀中葉の電信技術と中国茶葉の価格変動、第二十九問は党成立前夜の陳独秀演説と無産階級の進出、第三十問は五十年代中葉の国産人形劇やアニメの登場、および第三十一問（前述）について、自国史を問う内容である。また第三十二問は古代アテネのペイシストラトス僭主政、第三十三問は十七世紀イギリス民兵法と国王大権、第三十四問は戦間期アメリカの「ファシスト組織」発生と経済や社会の不安、第三十五問は一九六〇年代の国際貿易について、世界史を問う内容である。

また、これ以降も過去と同様に合計一六〇点の記述式問題であり、第三十六問から第四十二問が「必考題」（必答問題）、第四十三問から第四十七問が「選考題」（選答問題）となる。第三十六問はブラジルのパラナ州都クリチバで展開

されたマスタープランと公共交通網、第三十七問はアメリカのハワイ州で観測される二酸化炭素量変化、第三十八問は近年の技術発展と失業率増加言説、第三十九問は「思想政治」必修二「政治生活」に依拠した地域立法と環境問題解決、第四十問は習近平の「（我々は考古学と歴史の研究を強化し）博物館の中に収蔵されている文物や大地に陳列されている遺産そして古籍の中に記録される文字をみな活性化させ、社会全体の歴史文化の滋養を豊富にせねばならない」(38)という講話を踏まえたうえでの「思想政治」必修三「文化生活」に依拠した「優秀伝統文化」の活性化や青年による貢献、第四十一問は第二次世界大戦の終戦をうけた日本の投降に関する共産党と国民党そしてアメリカの対応、第四十二問は梁啓超『新民説』の指定する春秋から清末の「民徳」の上昇と下降について歴史的背景を問う。試みに「歴史」知識によるべき第四十二問を挙げよう。

　材料を読み、問題の要求を完成しなさい。（十二点）

【材料】二十世紀初頭、梁啓超は（雑誌『新民叢報』を創刊して連載となる）「新民説」を発表した。そこでは我が国が世界民族の林に屹立するためには「民徳」の培養によるべきであると考えている。そして民徳を私徳と公徳とに分類し、（第五節「論公徳」において）「人々がその身のみを良くする行動は私徳であり、人々が所属の集団を良くする行動は公徳である」と言う。彼は春秋時代からの「民徳」について優劣を第一から第六までの六等級に分け、後漢におい

中國歷代民德升降表 附

第一級
第二級
第三級
第四級
第五級
第六級

春秋
東漢
戰國
西漢末
三國
五胡及南北朝
唐
五代
宋
元
明末
清中葉
今日

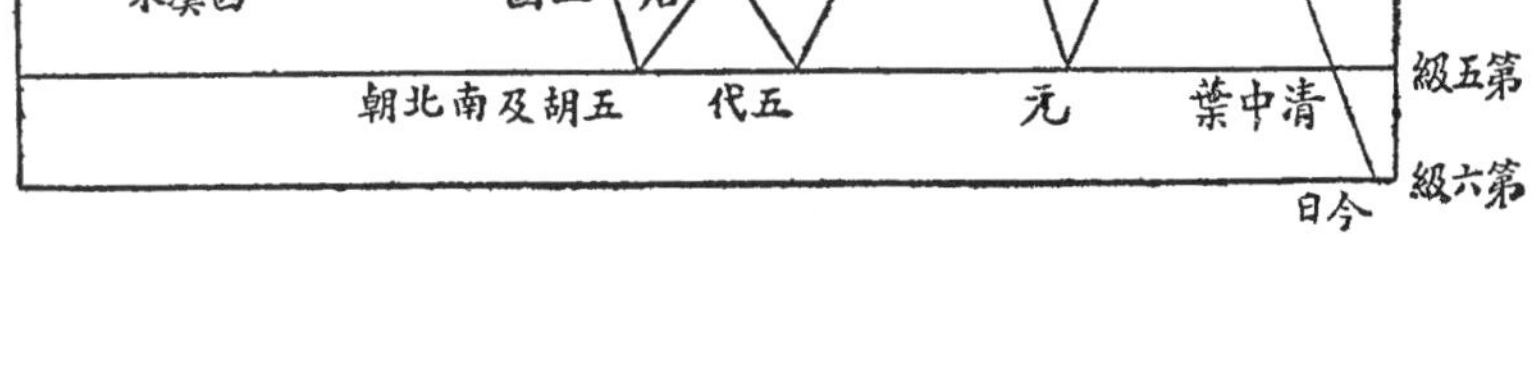

て儒学が最盛となり士人が気節を崇尚し民徳が極めて優勢となったという。そして附図のように（第十八節「論私徳」において）「中国歴代民徳升降表」を作成した。[39]　――梁啓超『飲冰室合集』（専集第三冊「専集之四」『新民説』）からの抜粋

（設問）中国古代史の全体あるいは部分あるいは王朝を選び、上記の材料の観点について自身の考えを提起し、また論述を加えなさい（自身の考えは具体的かつ明確にし、史実と論理を結合させ、論拠が十分、主張が明瞭であることを求む）。

なおここで指摘される「我が国が世界民族の林に屹立」部分は梁啓超『新民説』からの正確な抜粋ではない。[40]すでに北洋政府時期には「世界之林」といった文言がみえるが、[41]一九三五年には毛沢東が「屹立於世界民族之林」と表現するにいたった。[42]そして習近平も同様の文言へ二〇一四年に言及したのち、第十九回党大会報告でも言及し、[43]「中華民族」と密接な関係を持つ字句へと変化している。受験生も当然にその意義を踏まえ記述式の本問へ解答を行うことが予測される。これは謂わば「文科綜合」ならではの思想政治と歴史の科目横断的な作問といえよう。

そして続く選答問題では、地理より「選修三・旅行地理」（観光地のデジタル化と旅行体験の変化）および「選修六・環境保護」（黄河に関する習近平講話を題材として「人与自然和諧共生」を考察）[44]が、また歴史より「選修一・歴史上の重大な改革の回顧」（戊戌変法の時期の対外関係諸相）、「選修三・二十世紀の戦争と平和」（第一次世界大戦における航空兵力の運用変化）、「選修四・中国や外国の歴史人物の評論」（歴史と芸術の融合としての『桃花扇』と、その作者孔尚任の官海浮沈）が問われている。

以上、二〇二一年度・二二年度・二三年度の問題を概観してきた。試みに前章からの定点観測として特徴を列挙しよう。第一に、二〇二〇年度にみられた新型コロナウイルス感染症（COVID-19）の問題は姿を消している。二〇二二年十二

月まで長らく「清零」（ゼロコロナ）政策を採った中国にとり、二一年度や二二年度については敏感な問題であっても緊急の課題ではなくなったということであろうか。また第二に、二〇年度につづき日中戦争に関する問題が出題されていない。ただ、二一年度第三十五問の芸術による反共工作や第四十六問のベトナム戦争の枯葉剤使用、二三年度第三十四問の戦間期アメリカにおける「ファシスト組織」誕生といったアメリカの〝汚点〟が出題されており[45]、米中緊張の一端を見て取れる。そして第三に、歴史科の問題に政治科の要素が強くなっていることである。実際、試験問題を収録する『五年高考三年模擬』に付属する「答案深度解析」「命題意図」では二一年度の第二十九問について「唯物史観、時空観念、家国情懐（家族や故郷そして国家への情緒）といった歴史科の素養を体現」、また第三十問について「歴史解釈、史料実証、唯物史観という学科の素養を体現」などと述べる。これは現場の意見でも同様で、河南省の高校教員は二三年度の高考文科綜合の歴史部分を次のように振り返る[46]。

二〇二三年度の全国乙巻の歴史の問題は去年と作題意図や評価内容に大きな差異はなく、試験の形式や難度も大きな変化はなかった。試験問題は全体として穏和かつ質朴で、高考の形式や内容の改革を平穏に推進するうえで良好な基礎を打ち立てたといえよう。さて、試験問題は全体として三つの特徴を示している。第一に、唯物史観に立脚し、歴史への自信をしっかりと定めること。……第二に、家国情懐（家族や故郷そして国家への情緒）を密植し、使命の担当遂行を顕彰すること。……第三に、基礎的な知識を重視し（公徳や私徳などの）基本的な認識の強調すること。……

なお、ここで言う「家国情懐」とは、習近平が「中華民族伝統家庭美徳」と称揚する家や故郷が、「中国人歴来講求精忠報国」そして「中華民族偉大復興中国夢的新長征」へとつながる「高尚」なものと触れているように、愛国と密接に関係する定型句である[47]。加えて述べれば、二〇年度の〝コロナ問題〟に続き二一年度も党成立百周年のような教科書範囲外の時事問題が出題されており、二一年度第四十問の西柏坡会議と「二種の絶対必要」、あるいは二二年度第四十二問の「屹立於世界民族之林」のように隠微に毛習関係そして「中華民族」「中国夢」を意識した作題が行われている。なお全体的な基調として毛沢東あるいは習近平が特筆されており、残る歴代は遠景に霞むのみである。試験はいわば教学の終着点である。学生は出題されるからこそ勉学に励み、反復によって記憶を更新する。(48)教学内容と試験問題は表裏一体の存在なのである。

五．おわりに――作問と採点のかなたに

以上、コロナ禍以後の高考歴史問題について瞥見してきた。なおここで試験の運営体制について付言しよう。たとえば黒龍江省は長らく教育部の「統一命題」を採用してきた地域であり、二三年度についても教育部の新課程標準第二巻を採用している。その黒龍江省では「二十四時間インターネット監視」「機密室および守衛室では業務にあたる人員が三班に分かれ全省の一百一十三室を監視し高考試験問題の安全を確保している」という。(49)すなわち試験問題は中央の作成であるが、受験は現地で行われるため、運営は地方の負担となる。また、統一試験であるのならば採点は中央の一括管理と臆断してしまうが、実際にはこの採点もまた地方の裁量に委ねられている。たとえば黒龍江省のハルビン師範大学付属中学につとめ「ハルビン市優秀教員」として顕彰される劉志全は「多年にわたる試験監督や入試事務そして高考の採点経験を有す」といい、黒龍江省で行われてきた「統一命題」の採点を歴年担当してきたと思しい。(50)ほか、安徽省では安徽大学、安徽師範大学、安徽農業大学、安徽建築大学そして安徽省教育招生考試院の敷地内で採点を実施しており、「全省から二千七百二十八名の大学や高校の現役教員が採点に参加しており、うち高校現役

教員が六十五％を占める」という。[51] また青海省では以下のように実施された。[52]

> 中級以上の職称の高校教師（およそ初級が助教、中級が講師、副高級が副教授、正高級が教授にあたる）が主となり、語文・数学・外国語・理科綜合・文科綜合・少数民族語の六種の学科の採点班、規律検査監督班、調停班、技術班、警備班、事務班といった六種の業務班を作成した……そして我が省のネット採点業務の順調な実施のために、青海省高等学校招生委員会では採点指導グループを設置し、また採点学校を設立して書記および校長をグループリーダーとする採点指導グループを設置し、青海省高等学校招生委員会辦公室と採点学校が採点業務について十分な準備を行い、四百名あまりの合理的な組織で、経験抱負で業務に精通する老年壮年若年の採点教員の一群を作り上げ、秩序ある高品質な採点業務を担保した。

採点業務の遂行方法は各地様々であり、予算規模や人的資源そして地方高官の意向によって注力の程度も変化するものであろう。なお江西省では副省長——地方各省ではおよそ副省長の一人が省高中等学校招生考試委員会主任となる——の孫洪山が採点を視察し関係者を慰問している。[53] 孫洪山はそこで「高考の採点業務は高考の業務全般の最も重要な部分であり、関係部署および採点業務担当者は切実に政治的な立場を高め、高度な責任意識でしっかりと採点業務を仕上げる」と訓示し、具体的な方策として「採点答案の機密安全を確保」「採点業務の公平・公正・謹厳・標準遵守・高品質の確保」により受験生と保護者の安心を勝ち得る必要性を訴えている。彼は教育行政の分野で上昇してきたわけではなく、[54] 将来の官途にも教育分野は大きな関係性を持つまい。それでも試験運営に失敗は許されず、試験不正の看過は民政に不安をもたらし自身やその周辺の人事査定にも影響するだろう。

さて、高考では総合得点の半分を記述式に割り振る。選択式であれば採点は容易であるが、記述式——後述のようにそこには多分に「主観題」が含まれる——の場合、採点は実に困難である。たとえば、以前に採点を担当した人物が往時の様子を次のように振り返っている。[55]

最も印象深い思い出は、一度目に読んだ時には相当にゾンザイだと感じた答案です。ただ、着想と表現がとても素晴らしい文章で、もし仔細に読まなければ出題内容から十万里も離れている（馬鹿答案）と当然に思うものでした。ある高校の先生だった閲巻老師（採点者）は四十点あまりしか与えなかったのですが、わたしは強いて徹頭徹尾に熟読したわけです。そうすると見れば見るほど味がある。耳目一新の感があり、再三に斟酌して、五十六点――満点は六十点でした。少しの減点は字が汚く原稿が充分には綺麗でなかったからです――を与えました。そして私のお願いにより、その閲巻老師もわたしの何点かの意見をお聞き届けになり、改めて答案を確認し、彼のつけた点数にさらに十点を加えることに同意したのです。

呉敬梓『儒林外史』に、おなじく記述式問題の採点に関する笑話が見える。[56] 広東学政となった周進が広州で学校試の答案採点に挑んだところ、五十四歳になる多浪受験生の范進の答案に遭遇する。一度みて捨て置いたものの、時間が早く未だ他の提出者が現れなかったため、范進の答案を二度三度と読み返すうち「このような文章は自分でさえ一回二回と見た程度では分からなかったが、この三回目でやっと天地の名文であると理解できた。まことと文字一字がそのまま真珠一個の価値といえよう。世のデタラメな試験官が（この范進のような人物を落第させてきたと思うと）どれほどの俊才を鬱屈させてきたものか」と嘆息し、急いで筆をとり答案の上に三個の円を描き、第一位と書き込んだという。今次も「出題内容から十万里も離れている」ような四十点ほどの答案が熟読の結果五十六点へと書き換えられたわけだが、まさに記述式答案の採点の困難性をあらわしていよう。

しかも、そこには作為すらも存在し得る。以下は浙江省で発生した作文問題「樹上での生活」をめぐる事件である。[57]

陳建新は二十年来浙江高考の作文閲巻組組長を担当し、また高考作文の実践書籍を編集し、各地の高校で講座を

> 行ってきた。これは「審判なのに選手にもなる」と疑われてもしかたがない。……「樹上での生活」は、最初の標点の際には閲巻老師は三十九点しか与えなかった。その後に二度目の評点では五十六点が与えられ、最終的には閲巻組で審覈（審査究考）され六十点満点が与えられたのである。李楠は今回の浙江省高考で作文閲巻小組の閲巻老師となったが、すでに何度も閲巻に参加してきた。彼女が我々『中国新聞週間』に述べるには、高考の作文閲巻組の人員はおよそ各地の教研員（教員の指導員）や高校教員、浙江大学の教員で組織されており、前の二者（教研員と高校の教員）が直接採点の主力を構成して閲巻小組となっている。そして審覈組は浙江大学の教員が大綱を執り、評点の点数差が大きい答案の再審査を担当する。作文一篇ごとに三回の評点が必要で、三回の評点で一定の数値を超えると審覈組が仲裁をする。なお審覈組が評点の細則制定を担当し、また満点答案の評点をする。

浙江省は長らく「分省自主命題」地方であり、この「語文」課目の作文問題も浙江省で制作された。ここに登場する陳建新は浙江大学人文学院中文系の副教授で、現代文学を研究しつつ作文に関する書籍も刊行している[58]。しかし少なくとも事後の解答漏洩などを追及され、「国家教育考試違規処理辦法」により高考担当の資格を剥奪された[59]。そしてその処罰文では「採点作業は高考による学生募集の重要な部分であり」「各種の違反行為に関しては、ひとたび究明したら必ず規則に準じて厳格に処罰し、試験による学生募集の公平公正を確保する」と付言するのである。

なお、「統一命題」の採用により、地方各省は作問に関する負担を軽減し得た。とはいえそれは中央の関係部署への負担増加を意味する。作問業務に従事するのは陳建新のような教員であるが[60]、彼らは当然ながら中央の関係部署による指示を受ける。その教育部教育考試院で書記の孫海波は作問方針について次のように述べる[61]。

> 「国のために人材を選抜する」ことが高考の根本的な機能である。高考の試験問題では「(『中国高考評価体系』第三節「四層——高考考査内容」に登場するように、社会主義や民族精神に基づく人格形成という）核心的価値が先

導し、学科の素養が誘導し、（素養を表現する）主要能力を重心に、（能力を達成する）必須知識を基盤とする」という総合的試験モデルを探求し、試験問題の応用性、探求性、開放性を不断に増強し、人材選抜標準や方式方法を不断に整備し、大学の学生募集や人材育成の改革に従事する。

おそらくこの「総合的試験」が故のものであろう、試験問題なかでも記述式部分は解答に苦慮する難問が多い。前節で確認した二〇二一年度の第四十問では「青年が人生という試験でどのように合格の答案を提出するものか、二種の観点を記しなさい」とするし、またあるいは二〇二二年度の第四十問では「宿舎管理員や清掃員、守衛の尊い労働によってキャンパスの安寧と美化が保たれています。そのなかのお一人へお送りする感謝状一通を書きなさい」と問う。しかも「選修」問題を中心に教科書に掲載のない所謂「範囲外」問題も散見する。こうした高考全体の傾向について、匿名の国語教師は、講義内容と試験問題の明確な関係性の構築、問題内容の見直しによる成績の山型正規分布から台形分布への変更を訴えている。[62]このうち後者は「主観題」すなわち明確な満点答案を想定し難い一部の記述式問題を削減し選択問題へ回帰することを求めている。少なくともこの国語教師によれば、記述式では一部の例外的答案をのぞき採点時に成績が中央に膠着してしまい、受験者個々の水準判定が困難となるという。

しかも、その困難な作問には昨今さらに政治要素の検討が求められる。二〇二三年度には全国乙巻の「語文」（総計百五十点）内の「作文」で次のような出題がなされた。

材料を読み、要求に基づき作文しなさい。（六十点）

【材料】他人の灯火を吹き消せば、自己にさらに輝きを加えることなどできるはずもありません。また他人の道行をさえぎれば、やはり自己がさらに遠くまで行くことができるはずもありません。[63]（だからともに機会を享有し、ともに未来を創造し、一緒に人類社会近代化の大きなケーキを作り、近代化の成果をさらに多くさらに公平に各国の人々に及ぼすことへ堅く努力し、他国の近代化を攻撃抑圧することで自身の発展という特権を維持しようとすることへ堅く反対しましょう）。

古典によれば「一輪だけ花が開いたとしてもそれは春ならず、百輪の花がみな咲いてこそ庭中に満ちる春景色」といいます。[64] もし世界に一種類しか花がなかったとしたら、しかもその花が美しかったとしても、やはりそれは実に単調でしょう。[65]（中華文明であれ、世界の他の文明であれ、みな人類文明が創造した成果なのです。わたしは以前フランスのルーブル宮殿を参観したことがあります。中国の故宮博物院も参観したことがあります。そこには千万件の芸術作品が収蔵されていて、人々の注目を集めるのはまさに展開されている多様な文明の成果なのです。文明の交流や相互学習とは、ただ一種の文明のみの称揚や別な一種の文明の毀損を前提としたものであってはいけません。）

（設問）上記の二種の材料は習近平総書記の講話を典拠としたもので、普遍的な道理を躍動的な言葉で表現しています。これに基づき、一篇の文章を作成し、あなたの認識と思考を表現しなさい。（観点を正確に選び、着想を確定し、文体を明確にし、自身で表題をつけることを求む。なお他からの借用や剽窃をせず、また個人の情報を漏洩しないこと。八百字を下回らないこと）

これが「思想政治」課目ならぬ「語文」課目であること、しかも「習近平総書記の講話を典拠」と特筆していることにより話題となった。[66] なお同年の新課程標準第二巻「語文」冒頭「現代文閲読」では、「中央領導人」と匿名表記される習近平講話「談談調査研究」[67]（六百三十文字強）が費孝通「亦談社会調査」（一千三百文字強）とともに引用され、三種の選択式問題、二種の記述式問題が設定されている。そしてその出題意図について、教育部教育考試院（考試中心から改名）は次のように述べている。[68]

試験問題は（二〇二二年十月開催の）第二十回党大会の精神を全面的に貫き、習近平新時代中国特色社会主義思想を指針として堅持し、道徳性の涵養と人材の育成という基本課題を実行する……（全国乙巻について）この二つの材料は国際関係や文明の相互学習に特化したものではあるものの、掲示された道理には普遍性がある。材料一は国家関係に援用できるほか、人間関係にも援用し得る。また材料二は一輪の花と百輪の花が部分と全体の辯証関係を示している。この二つの材料の列挙により、対話関係を構成しているのである。なお試験問題は青少年が中国の偉大さを胸に抱き、正確な世界観や価値観を確立するよう導いている。受験生は広大な解答欄に多様な観点で解答できよう。また新課程標準第二巻の「現代文閲読」第一問の材料一は習近平総書記による二〇一一年十一月十六日の中央党校秋学期第二回入学式での講話「談談話調査研究」である。文中では調査研究について（毛沢東思想の根幹となる）[69]群衆路線と実事求是の原則を堅持し、広大なる青少年にその中から智慧を吸収し、人々の創造的な実践から自身の確たる洞察を獲得するよう啓発するものである。

そもそも高考作問の方針が「第二十回党大会の精神を学習宣伝し、道徳性の涵養と人材の育成という基本課題を実行する」ことに置かれており、[70]「高考の作問では全面的に習近平新時代中国特色社会主義思想を溶け込ませ、習近平総書記の重要な講話を試験内容に入念に組み込み、学生を（習近平が触れる）[71]『原著を読み、原文を学び、原理を悟る』よう に導き、学生に習近平新時代中国特色社会主義思想の世界観と方法論およびその中の立場や観点や方法を把握させ、成長や成功ための思想と理論の基礎を突き固めていく」ことを目指したとする。

受験者数が増加するなか、総合的試験内容を求められ、しかも「統一命題」採用地方は増加している。担当部署である教育部の権威そして責任は弥が上にも重い。いよいよ思想政治を重視する政府意向のもと、全ての受験生そして関係者が首肯するような、公正かつ公平な試験を達成する。永遠の理想を求めなお継続する「新高考」改革の行く末を注視せざるを得ない。

おりしも、二〇二三年十月には愛国主義教育法が通過し、二〇二四年一月一日に施行されることとなった。[72]その先触れとして、すでに前章第四節で触れたように高等中学の思想政治、語文、歴史の教科書が検定から国定へと回帰している。前章で確認したとおり、二〇〇四年版では必修部分として第一冊が政治史、第二冊が経済、第三冊が文化に割り当てられ、また選修として第一冊「歴史上の重大な改革の回顧」、第二冊「近代社会の民主思想と実践」、第三冊「二十世紀の戦争と平和」、第四冊「中国や外国の歴史人物の評論」、第五冊「歴史の神秘を探る」、第六冊「世界文化遺産集成」が定められていた。なお人民教育出版社版では必修第一冊の全一百三十六頁のうち「反植民地の戦い」が三十四頁であり、そのうち抗日期に四頁が割かれていた。おなじく選修「歴史上の重大な改革の回顧」では全一百四十二頁のうち明治維新について十八頁を割いて論じている。それが二〇一九年では必修「中外歴史綱要」上下冊、および選択性選修「国家制度与社会治理」「経済与社会生活」「文化交流与伝播」の構成となった。[73]このうち中国史を扱う必修上冊（全一百九十六頁）では、第一単元が中華文明の起源から秦漢統一多民族封建国家の誕生（二十六頁）、第二単元が魏晋南北朝の民族交流と隋唐多民族封建国家の発展（二十四頁）、第三単元が遼宋夏金多民族政権の並立とモンゴルの統一（十九頁）、第四単元が明清による中国の版図定着（十九頁）、第五単元が晩清の内憂外患と対応策（十頁）、第六単元が辛亥革命と中華民国（十二頁）、第七単元が共産党の成立と新民主主義革命（十三頁）、第八単元が抗日戦争（十六頁）と国共内戦（八頁）、第九単元が中国成立と社会主義革命（十六頁）、第十単元が改革開放と社会主義現代化建設（十四頁）、第十一単元が中国特色社会主義新時代（十二頁）という構成である。[74]

変化は教科書だけに留まらない。一九八五年に始まった教育改革には、前述の教科書検定や「分省自治命題」のほか、大学の「校長負責制」が挙げられる。一九七九年、復旦大学の校長であった蘇歩青らは大学の裁量権拡大を提案した(75)。時を同じくして鄧小平も「党委領導下」ながら各単位の長による「負責制」を訴えている(76)。実際、一九八四年二月に鄧小平は改革の進行する上海交通大学を視察し「満意」「関心」「賛成」を伝えたのであった(77)。そして同年六月には教育部と労働人事部が各大学の執行部を招き「高等学校管理改革討論会」を開催し(78)、翌一九八五年五月には「大学の運営自主権の拡大」を含む「教育体制改革」決定を通知している(79)。こうして実験校は北京師範大学など十五校から一九八九年初頭には百校ほどに拡大したのだが(80)、同年七月には拡大も停止し、一九九二年には「学校党的思想和組織建設」の強化と「学校思想政治工作的領導体制」の整備が下命された(81)。以降、学長（あるいは党委書記）は「空投」（学内昇進ではなく他所からの転入、第四章に登場した企業人の「空降」と同意である）へ、その任期も五年ほどへと変化した。こうした現状を前に中国政法大学の何兵は「（教授）閉門家中坐、校長天上来」と嘆じたという(82)。もとより鄧小平は「党委領導下」の「校長負責制」を掲げていたが、二〇一三年になると党委員会（政治指導を担当）と校長辦公室（学長室、学内行政を担当）の融合も進んだ。中国科学院党委員会書記の譚鉄牛は、この融合が「学校の党委員会の慎重な決定であり、また学校の統治管理の体制と能力の近代化にとり重要な措置である」と指摘している(83)。一部にはこの方針が全国高校師徳師風建設専家委員会の発案にかかると指摘する声もあるが(84)、すでに大学では行政部門での人員削減が進んでおり、バックオフィス部門はもとより研究分野にも浸透する外部委託や有期雇用の増加と連動した行政再編の一環とも思われる(85)。しかも集権と軌を一にして分権も進む。二〇一五年ごろから行政全般で「簡政放権」（行政の簡素化と権限委譲）、「放管結合」（権限委譲と管理の両立）、「優化服務」（サービスの向上）が訴えられると(86)、大学においても一定程度の人事権の委譲が行われた(87)。山東大学党委書記の郭新立は「教員の思想政治涵養と（大学の研究能力向上を目指す二〇一五年十二月発布の）「双一流」建設とをともに企画実施し、教員への思想政治および師徳師風の強化に向けて幅広く指導」するために「『山東大学の新任教員の思想政治資質向上および師徳師風の総合的査定業務方法（修訂版）』および『山東大学教員の師徳背任行為への処理方法』といった規則を制定実施した」といい[88]、南開大学などでも人事査定において従来の研究業績偏重から「師徳」（教員の道徳的資質）加算へと舵を切るほか[89]、学生から選抜される準教員「高校輔導員」（College Counselor、第七章で論じる網格管理員と同様に学生の就職難軽減の要素もあろう）の査定にも同様の傾向があるという[90]。そしてこの動向は大学ならず中学校や高等学校にまで及びつつあるのである[91]。

また、習近平は二〇一七年十月の党大会で自らの名を冠する思想を打ちだした。以降、その内容を主に研究する研究機関が澎湃と設立されている[92]。小学校以降の各課程では思想の『学生読本』が導入されることとなり、二〇一八年から試行、二〇二一年からは全国実施となった[93]。おりしも教育部が「双減」（宿題の削減、学習塾の削減）を打ちだしており[94]、国内外で大きな変化と受け止められた。ただし、『読本』講読は完全な科目の新設ではなく、従来に存在した「品徳」あらため「道徳と法治」（二〇一六年九月開始）の授業で実施される。なお二〇一七年時点の報告では、この「道徳と法治」科目の教育が学生の生活経験や社会的現実から遊離しており、学生の学習積極性は必ずしも高からず、また小学校教員のうち四十代以上の一部は中等師範学校の出身であり、新入の若年教員も小学校教育課程の卒業であって、決してこの教科の教育に熟練しているわけではないという[95]。二〇二〇年十二月十八日に発布された実施方案においても[96]、思想の学習貫徹が目標と定められているものの、「道徳と法治」は小学校や中学校での「総課時」のうち六から八％を占めるのみといい、「品徳」が七から九％であった過去と大きく相違するものではない[97]。本教科における現在の状況もまた変化の途次に在り、未だ終着点に到達したとは言えまい。なお、往事にも「品徳」科目では「三個代表」などが学習内容として挙げられていた[98]。過去の「品徳」と現在の「道徳と法治」とは内容の深度に大きな差異があるものの、その伏線はすでに存在していたと言ってよいだろう。これは教科書検定、統一試験、学長権限それぞれの改革が新機軸ではなく復古調であることとも通底する。一見唐突に発生した事態に見えても実際には応分に過去を引き継ぐものであり、それが正当性の根拠ともなっていることは否定できまい。

また、前代の部局を発展活用する例もある。一九四九年十一月に成立していた教育部視導司は、一時の休止を経て一九七八年二月に普教司巡視室、そして一九八六年十月に督導司、一九九四年二月に教育督導団、二〇一二年八月に督導委員会へと名を更えながら教育を監督してきた。その督導委員会に対し二〇二〇年二月に問責の権能を付与することとし、二〇二一年七月に「教育督導問責辦法」を作成、九月一日をもって実施させることとした[99]。しかも、そこで折しも発令されていた各学校の「双減」（宿題の削減、学習塾の削減）実現を監督させたのである[100]。おりしもロシアでは愛国主義教育の強化のため学校へ「Navigatory Detstva」を導入しており[101]、不思議な相似を見せている。

ただし、全ての要素がみな継承されるわけではない。すでに第三章で論じたとおり、江沢民は一九九九年に十六字訓示「集体領導、民主集中、個別醞釀、会議決定」（集団指導体制、民主集中制、少ない人数での共有深化（謂わば「根回し」）、会議での決定）[102]を提唱していた。次代の胡錦濤は後継者時代から当然にその十六字を踏まえ、指導者となっても度々に言及している[103]。しかし現在は明確にこそ否定されないものの、特段に論点となることもない。思えば習近平は就任直前に歴史学習の重要性を幹部へ訴えかけていた[104]。そして現在、政権は機構整備や人事査定、経済対策や安全保障、教育や懲罰そして情報通信技術といった多くの分野で治績を挙げ、すでに過去の「九龍治水」の状態は影を潜めて中央への集権が確立したようにも見える。それだからこそ、これからの大事は上意下達で決定されることであろう。ただし、その変化もまた取捨選択を経た過去の種子の育成という形をとって登場する可能性が高い。今後も面前にあらわれる新情報の珍奇性を充分に接受しながらも、なお長期的な視野に立つ面的な理解そして小さな機兆から将来の象徴的な変化を見通していくべきであろう。

注

(1) 劉博超・唐芊爾「一〇七八万考生迎来二〇二一年高考」(『光明日報』二〇二一年六月七日第九面)、「強調確保高考安全順利挙行 切実維護高考公平公正——孫春蘭在検査高考準備工作時」(『光明日報』二〇二一年六月三日第四面)。

(2) 周世祥「一一九三万考生迎来二〇二二年高考」(『光明日報』二〇二二年六月七日第一面)、周世祥「全国一二九一万考生迎来二〇二三年高考」(『光明日報』二〇二三年六月七日第八面)。

(3) たとえば一九五四年十月五日付高等教育部「関於重点高等学校和専家工作範囲的決議」および一九五九年五月十七日付党中央「関於在高等学校中指定一批重点学校的決定」、一九六〇年十月二十二日付党中央「関於増加全国重点高校的決定」による国家重点大学、一九九五年十一月十八日付国家計劃委員会・国家教育委員会・財政部「関於印発「〝二一一工程〟総体建設規劃」的通知」による二十一世紀の一百箇所たる二一一プロジェクト、九八年五月の発表という時期から名付けられた九八五工程（教育部編『科教興国動員令——学習江澤民同志在慶祝北京大学建校一百周年大会上的講話』北京大学出版社、一九九八年七月)、二〇一五年十二月に発布された双一流（国務院「関於印発『統籌推進世界一流大学和一流学科建設総体方案』的通知」『国務院公報』二〇一五年第三十二期、二〇一五年十一月二十日）などが存在するなお双一流は時限再考であり、二〇二二年に第二輪が発表されている（「加快建設全国統一大市場提高政府監管効能深入推進世界一流大学和一流学科建設——習近平主持召開中央全面深化改革委員会第二十三次会議強調」『人民日報』二〇二一年十二月十八日第一面)、教育部・財政部・国家発展改革委員会「関於深入推進世界一流大学和一流学科建設的若干意見」『教育部公報』二〇二二年第六期)。重点大学に関する論文は数多いが、たとえば張亜群「高水平大学建設的政策分析——以〝九八五〟・〝二一一〟工程与〝二〇一一計劃〟為視点」(『中国地質大学学報（社会科学版)』二〇一五年第五期)。

(4) 何蕊・姜雨辰「北大迎来四四八三名本科新生」(『北京日報』二〇二三年八月二十一日第五面)。

(5) 山本知佳「共通テスト、三十二年ぶり五十万人割れ 私大組が敬遠」(『朝日新聞』十二月六日朝刊第二十七面)、なお実数値は四九万一九一四名であり、近二十年では二〇一八年度の五八万二六七一名を頂点として毎年漸減しているという。

(6) 東京大学本部広報課『東京大学の概要二〇二三』資料編（東京大学、二〇二三年九月）第二節「入学・在籍・卒業後の状況等」第二項「学部学生・大学院学生の入学状況」。

(7) 彼らの入学年から遡ってみれば、「二〇二〇年全国教育事業発展統計公報」(中華人民共和国年鑑社『中華人民共和国年鑑二〇二一（総第四十一期)』新華出版社、二〇二一年十二月、「教育」第五節「高中階段教育」では「招生一五二一・一〇万人」であり、「二〇一九年全国教育事業発展統計公報」(中華人民共和国年鑑社『中華人民共和国年鑑二〇二〇（総第四十期)』新華出版社、二〇二〇年十二月、

「教育」）第五節「高中階段教育」では「招生一四三九・八六万人」であり、「二〇一八年全国教育事業発展統計公報」（中華人民共和国年鑑社『中華人民共和国年鑑二〇一九（総第三十九期）』新華出版社、二〇一九年十二月、「教育」）第五節「高中階段教育」では「招生一三四九・七六万人」であり、「二〇一七年全国教育事業発展統計公報」（中華人民共和国年鑑社『中華人民共和国年鑑二〇一八（総第三十八期）』新華出版社、二〇一八年十二月、「教育」）第五節「高中階段教育」では「招生一三八二・四九万人」とする。高校入学者はやや微増しているものの、大学受験者数の急増を説明するものではない。

(8) 王峰「擋不住的高分復読——百万奨励、争搶生源、如何破局?」（『二一世紀経済報道』二〇二三年七月十一日第二面）、葉錦濤「復読与高等教育獲得不平等」（『社会学研究』二〇二二年第二期）。

(9) 李莉「復読一年需要一・八万 復読班漲価難擋復読熱潮」（『北京晩報』二〇〇八年六月三十日）。また諸葛亜寒・李晨赫「〝新〟高考復読生——対好大学的追求越来越強、自主性越来越強、自己把握前途的慾望越来越強」（『中国青年報』二〇一五年八月十七日第九面）。後者によれば「復読」は九〇年代に高潮をみせ、一五年時点ではやや沈静化したという。ただその背後には農村部の子弟による「向上流動的機会」（社会階層上昇へのチャンス）の専門学校から大学への変化を指摘している。

(10) なお「高十」は何漢立が監督し二〇一六年十一月十八日に広西電視台で放送され、その後に国家新聞出版広電総局によって「二〇一六年第四批推薦優秀国産紀録片」に選定されている。その十年生とは広西防城港市出身の唐尚珺であり、二〇二三年十五度目の高考を踏まえ次年度の受験を表明したという（江城「唐尚珺仍然値得一個〝金榜題名〟的祝福」『新京報』二〇二三年七月二十四日第二面）。

(11) 王輝耀・苗緑・鄭金連『中国留学発展報告（二〇二二）』（社会科学文献出版社、二〇二二年九月）。

(12) 高学歴志向については実に多くの記述が存在するものの、たとえば智本社「高考還能改変命運嗎?」（北京多氪信息科技有限公司の運営にかかる36Kr、二〇二三年六月七日、https://36kr.com/p/2291629123802883）。

(13) 陳志文「我們需要這麼多大学生嗎」（『中国青年報』二〇一五年八月十七日第九面）。

(14) 趙勇「中国人口自然変動対高考報名人数的影響」（北京市社会科学院『城市問題』二〇一三年第三期）。ただし趙は二〇〇八年以降十五年にわたる長期低落を予想している。

(15) 『新京報』二〇二一年六月七日第四面「今年北京高考生首次〝刷臉〟進考場北京——四五〇〇〇餘名考生参加高考、全市設九〇個考点・一五六六個考場、如遇高温、考点提前開啓空調」。

(16) 「教育部関於做好二〇二三年普通高校招生工作的通知」（『中華人民共和国教育部公報』二〇二三年第三期、二〇二三年三月十五日）。

(17) 江芸涵「高校専項計劃志願設置有調整——『四川省二〇二三年普通高校招生実施規定』出爐」（『四川日報』二〇二三年五月十八日第十一面）、また実施記録として江芸涵「四川省2023年普通高考順利開考」（『四川日報』二〇二三年六月八日第一面）。

(18) 二〇一三年十一月十二日付「中国共産党第十八届中央委員会第三次全体会議公報」(中華人民共和国年鑑社『中華人民共和国年鑑 二〇一四(総第三十四期)』新華出版社、二〇一四年十二月、「政党」「中国共産党」)。第十二章「推進社会事業改革創新」第四十二節。なお同章第四十六節では「二人子政策」策定に触れる。

(19)「国務院関於深化考試招生制度改革的実施意見」(『人民日報』二〇一四年九月五日第六面)。

(20) たとえば樊未晨「新高考改革的変与不変――七年分三批次在十四省份落地」(『中国青年報』二〇二一年八月九日第五面)、高衆「新高考帯来哪些新変化――高考綜合改革七週年回眸」(『中国教育報』二〇二一年九月十四日第一面)、王新鳳「増加学生選択 促進文理融通――二〇年高考科目改革的回顧与分析」(『中国教育報』二〇二一年十二月十七日第五面)、劉岩・李暁東・張哲浩・高平・王建宏・張文攀・周洪雙・李潔・王瀟「〝三＋一＋二〟模式 多省区発布〝新高考〟改革方案」(『光明日報』二〇二一年六月二十八日第八面)、樊未晨「十年改革 高考邁入新時代」(『中国青年報』二〇二二年七月四日第五面)など。

(21) 一九八五年の上海市での統一卒業試験が端緒となり、高考の分権が進んだ。当事者の記録として「本市普通高校招生考試制度作重大改革――市教育局副局長凌同光答本報記者問」(上海『青年報』一九八六年九月十二日)や何順華「上海高考単独命題改革的推出」(『口述上海――改革創新(一九七八―一九九二)』上海教育出版社、二〇一四年五月)あるいは胡啓立「『中央関於教育体制改革的決定』出台前後」(『炎黄春秋』二〇〇八年第十二期「本刊特稿」)また教育部「関於進一歩深化普通高等学校招生考試制度改革的意見」(『教育学報』一九九九年第四期)を参照。随筆的紹介に留まるが、于濤「一六省市高考自主命題 考什麼怎樣考」(『中国教育報』二〇〇六年十一月八日)、劉海峰「高考改革的回顧与展望」(『教育研究』二〇〇七年第十一期)、同「高考命題従分到統的歴史邏輯」(『中国教育報』二〇一五年三月十二日第二面)、周群英・謀丹「基於公平視角的高考四〇年政策変遷研究」(『華南理工大学学報(社会科学版)』二〇一八年第六期)、杜瑞軍「我国高校自主招生政策演変的多重邏輯」(『教育学報』二〇二一年第一期)も存在。

(22) 劉海峰・谷振宇「小事件引発大改革――高考分省命題的由来与走向」(『河北師範大学学報(教育科学版)』二〇一一年第五期)。

(23) 呂卓「偵破全国首例高考試巻被盗案的幾点反思」(『四川警官高等専科学校学報』二〇〇三年第六期)、楊斌・鄭欧陽升「全国首例高考試巻被盗案偵破紀実」(『啄木鳥』二〇〇三年第十二期)。

(24) なお二〇〇二年度までは七月七日・八日・九日の三日間であったものが、この二〇〇三年度から六月七日・八日・九日へと変更されていた(「教育部関於従二〇〇三年起調整全国普通高等学校招生統一考試時間的通知」『教育部政報』二〇〇一年第十二期)。

(25) 試験制度の急速な拡大を受け、すでに一九九二年には不正対策の法令が発布されている(「高等学校招生全国統一考試管理処罰暫行規定(一九九二年二月二日国家教育委員会発布)」『中国教育年鑑 一九九三』人民教育出版社、一九九四年八月、「文献選編」「高等教育部分」)。その法令が「徵求意見稿」を経て二〇〇四年五月十日付「国家教育考試違規処理辦法」(『中華人民共和国教育部公報』二〇〇四年第Z二期、二〇〇四年八月二十八日）へと結実することとなった。なお新たな試験不正への対応のため二〇一一年十二月二十三日付、二〇一二年四月一日施行として「教育部関於修改『国家教育考試違規処理辦法』的決定」（『中華人民共和国国務院公報』二〇一二年第十八期、二〇一二年六月三十日）として改正された。

(26) 都芃「掲秘高考試巻的非凡〝旅程〟」（『科技日報』二〇二三年六月七日第五面）。なお二〇一〇年四月二十九日主席令、同年十月一日施行にかかる「中華人民共和国保守国家秘密法」第十条によれば国家機密は「絶密」「機密」「秘密」の三級に分かたれる。都芃によれば、試験問題の印刷は「甲級国家秘密載体印製資質」を持つ事業所に限定されるという。

(27) なお二〇一九年には作題の細目を定める「考試大綱」の上位に更に「高考評価体系」が定められている。また「体系」に「説明」も付された。それぞれ教育部考試中心『中国高考評価体系』（人民教育出版社、二〇一九年十一月）、教育部考試中心『中国高考評価体系説明』（人民教育出版社、二〇一九年十一月）。

(28) 難度の格差は作題者の個人攻撃へ向かうことがある。たとえば江蘇省の二〇一〇年「自主命題」数学は南京師範大学数学科学学院の葛軍が担当したが、難度の高い問題が江蘇省の受験者五十二万人を「秒殺」したという。李俊彦「江蘇数学高考巻秒殺五十二万考生 命題者被捜索」（広州日報系『信息時報』二〇一〇年六月十一日）、陳鵬「〝考什麼〟始終是高考改革的根本任務」（『光明日報』二〇二〇年七月二十七日第八面、特集「高考命題、指揮棒指向哪裡」）を参照。

(29) 分省か統一か、実に多くの記事や研究が発表されてきたが、代表的なものとして古曄「高考命題——分省還是統一？」（『光明日報』二〇一一年十一月二十八日第十六面）、劉海峰「高考命題従分到統的歴史邏輯」（『中国教育報』二〇一五年三月十二日第二面。『高考制度変革与実践研究——高考制度変革綜論』浙江教育出版社、二〇一八年九月、第一章「高考制度新政」に収録）、鄭天虹・王瑩・仇逸「高考〝一張巻〟回帰是否正当時——従全国統一命題、到分省命題、再重回統一命題」（『中国教育報』二〇一五年七月三日第三面）、張首登・郭叢斌「高考命題、全国統一還是分省自主？——従県・市高中学生精英大学入学機会差異的視角」（『華東師範大学学報（教育科学版）』二〇二一年第六期）が挙げられる。

(30) 浙江省も二〇〇四年度からの十九年にわたる「自主命題」を終え、二〇二三年から統一試験へ移行するという。二〇二〇年六月十八日付「浙江省人民政府関於進一歩做好高考綜合改革試点工作的通知」（『浙江省人民政府公報』二〇二〇年第十四期、二〇二〇年七月三十日）、蒋亦豊「浙江——二〇二三年起高考語数外使用全国巻」（『中国教育報』二〇二〇年六月二十三日第一面）、また兪佩忠「二〇二三年起高考語数外使用全国巻——我省高考政策六項内容作出重大調整」（『嘉興日報』二〇二〇年六月二十三日第五面）。

(31) 劉岩・李暁東・張哲浩・高平・王建宏・張文攀・周洪雙・李潔・王瀟「〝三＋一＋二〟模式 多省区発布〝新高考〟改革方案」（『光明日報』二〇二一年六月二十八日第八面）。

（32）『五年高考三年模擬 高考文綜』（教育科学出版社・首都師範大学出版社、二〇二一年六月）、また『五年高考三年模擬 高考文綜』（教育科学出版社・首都師範大学出版社、二〇二三年五月）。

（33）Eva COCKCROFT, "Abstract Expressionism, Weapon of the Cold War", In *Art and Modern Culture: An Anthology of Critical Texts*, edited by Francis FRANSCINA and Jonathan HARRIS, Phaidon, 1992.

（34）この表現は二〇一七年十月十七日の習近平の言葉を踏まえたもので、それぞれ毛沢東により国家が立ちあがり、鄧小平により豊かになり、そして現在において強くなることを示している。『人民日報』二〇一七年十月十九日第二面「「決勝全面建成小康社会 奪取新時代中国特色社会主義偉大勝利――習近平同志代表第十八届中央委員会向大会作的報告摘登」、なお同名の書籍版が人民出版社より二〇一七年十月に出版された。

（35）『五年高考三年模擬 高考文綜』（教育科学出版社・首都師範大学出版社、二〇二一年六月）。

（36）同前『五年高考三年模擬 高考文綜』。

（37）国家文化部部長の朱穆之、北京市委員会第一書記の段君の支持のもと、農村の経験にもとづき「承包責任制」を実施、一九八一年四月一日より北京京劇院の第一団の団長であった趙燕侠が所謂請負者となり、国家負担の福利厚生（栄養補助や興行時夕食、託児、交通補助、暖房費など）を取りやめ、鑛業の費用（運輸、旅費、住居、広告など）も自力解決とし、結果として十六か月の試験期間では興行時に平均五十元の配分となり、国家負担の十万元あまりを節約できたという。顛末については「北京京劇院一団一隊試行体制改革説明劇団不吃大鍋飯優越性多対国家・集体・個人三有利、対藝術交流和人才培養有利」（『人民日報』一九八三年一月二十九日第一面）、鍾暁婷「各地劇団体制制改革情況簡介」（『中国戯劇』一九八三年第三期）、曹普「二十世紀七十年代末以来的中国文化体制改革」（『当代中国史研究』二〇〇七年第五期）、鄭欣淼・宋元元「中国文化体制改革四十年――成就・経験与啓示」（鄒東濤主編『中国改革開放四十周年（1978～2018）』社会科学文献出版社、二〇一九年一月）など。

（38）このうち「活性化」までの文言はユネスコ本部での講話（「習近平在聯合国教科文組織総部発表演講」『人民日報』二〇一四年三月二十八日第三面）と共通するが、全体としては習近平「建設中国特色中国風格中国気派的考古学 更好認識源遠流長博大精深的中華文明」（『求是』二〇二〇年第二十三期。なおこの講話は「二〇二〇年九月二十八日在十九届中央政治局第二十三次集体学習時的講話」であるという）を踏まえたものである。

（39）なお本章では附図を高考試験問題ではなく『飲冰室合集』専集第三冊「専集之四」『新民説』から抜き出した。

（40）梁啓超による「世界民族之林」と類似する表現には、『飲冰室合集』文集第七冊「文集之二十」「社会主義論序（光緒三十三年）」に登場する「但使我国家既進歩而得馳騁於世界競争之林、則夫今日世界各国之大問題、自無一不相随以移植於我国、又勢所必至也」が挙げられる。

(41)「旅京蘇同郷忠告王内閣（為蘇公債案）」（『申報』一九二二年十月七日第七面「国内要聞」）には「近世国家、凡可以立於世界之林者、其政府無不建築於民意之基礎上」なる表現がみえる。なおこの文言は「旅京江蘇同郷會代表張汝霖等」が大総統黎元洪時期の臨時国務総理王寵恵に宛てた信書に登場する。この張汝霖とは「江蘇如皋県人」という京師高等検察庁検察官（中華民国七年第四期『職員録』第二冊「京師審判検察各庁及監獄看守所」）で、当時「署京師高等審判廳庭長」（『政府公報』民国十一年（一九二二年）六月三日第二二四五号、一九二二年六月二日大總統令「代理部務司法次長羅文幹呈請任命」）であった人物であろう。

(42)毛沢東「論反対日本帝国主義的策略（一九三五年十二月二十七日）」（『毛沢東選集』第一巻、人民出版社、一九五一年十月）第四節「国際援助」には「我們中華民族有同自己的敵人血戰到底的気概、有在自力更生的基礎上光復旧物的決心、有自立於世界民族之林的能力」との文言がみえる。なおこれは二〇二二年度高考文科綜合に出題された瓦窰堡会議（十二月十七日）の十日後にあたる。

(43)「習近平在文藝工作座談会上的講話（二〇一四年十月十五日）」（『人民日報』二〇一五年十月十五日第二面）の「第一個問題、実現中華民族偉大復興需要中華文化繁栄興盛」にみえる「没有先進文化的積極引領、没有人民精神世界的極大豊富、没有民族精神力量的不断増強、一個国家、一個民族不可能屹立於世界民族之林」、そして「決勝全面建成小康社会　奪取新時代中国特色社会主義偉大勝利――在中国共産党第十九次全国代表大会上的報告（二〇一七年十月十八日）」（『人民日報』二〇一七年十月二十八日第一面）の第四節「決勝全面建成小康社会、開啓全面建設社会主義現代化国家新征程」にみえる第二段階としての二〇三五年から二十一世紀中葉までの目標「我国人民将享有更加幸福安康的生活、中華民族将以更加昂揚的姿態屹立於世界民族之林」である。

(44)なお前注博物館設問と異なりこちらの黄河設問には講話の日時と場所が銘記されている。講話の全文は習近平「在黄河流域生態保護和高質量発展座談会上的講話（二〇一九年九月十八日）」（『求是』二〇一九年第二十期）に掲載されており、試験問題はその第三節「黄河流域生態保護和高質量発展的主要目標任務」の一部を引用している。

(45)教育部教育考試院「堅持立徳樹人本色　堅定内容改革方向――二〇二三年高考文科綜合全国巻試題評析」（『中国考試』二〇二三年第七期）では新課程標準や全国甲巻、全国乙巻といった高考の作題意図を振り返るが、この問題について「二十世紀三十年代アメリカのファシスト組織活動が猖獗していた史実」と厳しい表現を採用している。

(46)祝伝鵬「名師点評河南高考歴史　省実験中学趙剣鋒――堅定歴史自信　彰顕学科担当」（河南日報系ウェブメディア大河網、二〇二三年六月十日、https://4g.dahe.cn/news/20230610125264）。なお現場の評価としては孫玲玲「寛広融通　穏中求進――二〇二三年高考歴史全国巻試題評析」（『人民教育』二〇二三年第Z三期、二〇二三年八月）も存在。

(47)習近平「在会見第一届全国文明家庭代表時的講話（二〇一六年十二月十二日）」（『人民日報』二〇一六年十二月十六日第二面）。

(48) 新聞記者には身分更新の試験が課せられているが、二〇一九年度からは習近平社会主義思想などが含まれるようになった（新華社電「加強記者隊伍建設 提高従業人員素養——国家新聞出版署新聞記者証覈発辦公室相関負責人就二〇一九年新聞採編人員崗位培訓考試工作相関問題答記者問」新華社『新華毎日電訊』二〇一九年十月十六日第三面）。なお香港でも一部に本土と協調する教育を望む声があがり（『北京青年報』二〇二一年三月十日第四面「以〝共同家園〟理念在港開展国民教育」）、たとえば二〇〇九年九月に導入された異見尊重を育む高校必修共識科が二〇二一年九月に本土との関係を伝える高校必修公民与社会発展科に変更されている（姜嘉軒「（教育局局長）楊潤雄、減政治内耗利推国民教育」『文匯報』二〇二一年九月一日第二十五面、また黎慧怡「公民科開課了 学生、学到真知識」『大公報』二〇二一年九月三日第一面、社説「正本清源第一課 教育展現新気象」同第二面）。

(49) 沈麗娟「我省一六．九万人高考 六月二十四日出成績——記者探秘高考分数是如何出爐的」（黒龍江日報系『生活報』二〇一八年六月六日第三面）。

(50) 劉志全「領悟試題意図規範答題思維邏輯」（黒龍江日報系『生活報』二〇二一年五月十七日第四面「高考答題提分技巧」「歴史」）。なお本文はやはり高考歴史の問題解説であるが、「時空観念、唯物史観、史料実証、歴史解釈、家国情懐というこの五大核心素養」が作問の根本にあると指摘している。

(51) 于彩麗「安徽高考閲巻工作正有序進行——六月二十日進入統分合成階段」（安徽日報系『市場星報』二〇二一年六月十六日第四面）。

(52) 王宥力「我省二十餘名各界代表走進高考〝閲巻評巻開放日〟」（『青海日報』二〇二三年六月十六日第四面）。

(53) 李芳「確保高考評巻工作高質量完成」（『江西日報』二〇二三年六月十三日第二面）。なお視察先は南昌大学前湖校区および江西農業大学の評巻点であった。江西では前年度も副省長が視察を行っている（李芳「確保高質量完成高考評巻工作」『江西日報』二〇二二年六月十七日第二面）。なお二二年度の江西省の文科綜合は一九万一八七六件であったといい、高考全体として「評巻任務較往年更艱巨」という。

(54) 丁国華「孫洪山当選山西高院院長」（『人民法院報』二〇一九年一月三十一日第一面）によれば、一九九〇年八月に中国政法大学法律系法学専業を卒業し、以降は長く黒龍江省で司法方面を歴任し、省高級人民法院の副書記から二〇一八年十一月に山西省高級人民法院書記へと転出している。なお江西省への赴任は二〇二三年一月であった（『江西日報』二〇二三年一月九日第二面「江西省第十三届人民代表大会常務委員会公告第一六一号」）。

(55) 李明「高考閲巻——我参加過的另一場〝高考〟」（解放日報系「上観新聞」二〇二〇年七月九日、https://www.jfdaily.com/news/detail?id=267793）。

(56) 呉敬梓『儒林外史』第三回「周学道校士抜真才 胡屠戸行兇鬧捷報」。詳細は須藤洋一『儒林外史論——権力の肖像、または十八世紀中国

のパロディ』（汲古書院、一九九九年八月）を参照のこと。

(57) 杜瑋「浙江高考満分作文和閲巻組長的角色」（『中国新聞週刊』二〇二〇年第三十三期、総九六三期、二〇二〇年九月七日）。

(58) 研究としては陳建新『其他作家的主体意識和重建的鏡像―論当代伝統形態歴史小説創作』（中国社会科学出版社、二〇一八年七月）、呉秀明・陳建新『中国現当代文学作品与史料選』（浙江大学出版社、二〇一二年六月）など。また作文に関する書籍として陳建新『黄岡作文――小学生限字作文三百字』（中国紡績出版社、二〇〇二年六月）、同『写作概論――浙江省高等教育重点建設教材』（浙江大学出版社、二〇〇四年九月）、同『高考作文実践実訓』（浙江教育出版社、二〇一九年十二月）、同『大学写作』（浙江大学出版社、二〇二〇年七月）、また陳建新・張玲燕『写作技法十二講――新一輪課程改革高中選修課教材』（浙江教育出版社など、二〇〇三年六月）。

(59) 界面中国報道「浙江高考〝満分作文〟事件調査結果――陳建新擅自泄露答巻、被停止相関工作」（解放日報系「界面新聞」二〇二〇年八月十三日、https://www.jiemian.com/article/4820700.html）、また兪菀・顧小立「高考作文評価如何兼顧個性与公平」（『雲南教育』二〇二〇年第九期）。なお刑罰は教育部「関於修改『国家教育考試違規処理辦法』的決定」（『中華人民共和国国務院公報』二〇一二年第十八期、二〇一二年六月三十日）に照らし第十三条「考試工作人員応当認真履行工作職責……」について第九項「擅自洩露評巻・統分等応予保密的情況的」に該当するとして処罰された。

(60) 都芃「掲秘高考試巻的非凡〝旅程〟」（『科技日報』二〇二三年六月七日第五面）。

(61) 張欣・程旭「考試評価有了新範式――十年来、招考制度改革著力促進学生健康発展・科学選抜各類人才和教育公平公正」（『中国教育報』二〇二二年九月十六日第一面）。

(62) 「一線語文匠」（現役の国語教師）と称する微信公衆号（ウィチャット公式アカウント）が「二〇二四年一月十一日戦慄執筆」した内容の捜狐による転載に基づく（「一位普通語文教師写給教育部考試中心的公開信、提出三点訴求」捜狐、二〇二四年一月十一日。https://www.sohu.com/a/751239605_121124291）。

(63) なおこの講話は「携手同行現代化之路――在中国共産党与世界政党高層対話会上的主旨講話」（『人民日報』二〇二三年三月十五日第二面）による。本文中に続く括弧内は講話の後文である。

(64) 「習得」（天下篇）――習近平引用的古典名句」（『人民日報』二〇一四年五月二十九日第五面）には少なくとも明代万暦年間には成立したという名句集『古今賢文』からの引用として紹介されており、ウェブ上では往々にして本書の「合作篇」なる篇名のもとに繋げられる。ただし『増広賢文』（吉林文史出版社、一九九九年三月）にこの句は見出せなかった。

(65) なおこの講話はパリのユネスコ本部での講演「習近平在聯合国教科文組織総部的演講（全文）」（『人民日報』二〇一四年三月二十八日第三面）による。本文中に続く括弧内は講話の後文である。

(66) 田島如生「中国、大学入試に「習思想」若年層に浸透拡大狙いか 問題文に「普遍的な道理」と明記」(『日本経済新聞』二〇二三年六月九日朝刊第十一面）など。

(67) 習近平「談談調査研究」（中央党校機関紙『学習時報』二〇一一年十一月二十一日第一面。中央組織部『党建研究』二〇一一年第十二期に転載）。

(68) 教育部教育考試院「強化思維考査 注重語文実践 落実立徳樹人根本任務――二〇二三年高考語文全国巻試題評析」(『中国考試』二〇二三年第七期)。

(69) その淵源は毛沢東以前の諸説におよぶが、一九八一年六月二十七日の党第十一届中央委員会第六次全体会議による「関於建国以来党的若干歴史問題的決議」の第七節「毛沢東同志的歴史地位和毛沢東思想」第三十項では「毛沢東思想的活的霊魂」として「它們有三個基本方面、即実事求是、群衆路線、独立自主」と総括する。

(70) 教育部教育考試院「深化高考内容改革 服務教育強国建設――二〇二三年全国高考試題評析」(『中国教育報』二〇二三年六月十三日第十面)。

(71) 「在常学常新中加強理論修養 在知行合一中主動担当作為――習近平在中央党校（国家行政学院）中青年幹部培訓班開班式上発表重要講話強調」(『人民日報』二〇一九年三月二日第一面)。

(72) 「中華人民共和国愛国主義教育法（二〇二三年十月二十四日第十四届全国人民代表大会常務委員会第六次会議通過）」(『人民日報』二〇二三年十月二十五日第五面)。なお草案の審議として白陽・王子銘・馮家順「愛国主義教育法草案首次提請審議、這些看点値得関注」(『新華毎日電訊』二〇二三年六月二十七日第四面)、記者会見として金歆「就『中華人民共和国愛国主義教育法』答記者問」(『人民日報』二〇二三年十月二十六日第二面)、「全国人大常委会法工委負責人就『中華人民共和国愛国主義教育法』答記者問」(『新華毎日電訊』二〇二三年十月二十六日第五面）を参照のこと。

(73) それぞれ教育部組織編写『普通高中教科書 歴史必修 中外歴史綱要（上）』(人民教育出版社、二〇一九年八月)、『中外歴史綱要（下）』(二〇一九年十二月)、教育部組織編写『普通高中教科書 歴史選択性必修（一）国家制度与社会治理』(人民教育出版社、二〇二〇年七月)、『(二) 経済与社会生活』(二〇二〇年七月)、『(三) 文化交流与伝播』(二〇二〇年七月)。

(74) なお選択性必修の第一冊では第四単元「民族関係与国家関係」第十一課「中国古代的民族関係与対外交流」に中国の国家一級文物「大元帝師統領諸国僧尼中興釈教之印」とともに「漢委奴国王」金印や井真成墓誌が紹介されている。また第三冊では第一単元「淵源はるかなる中華文明」第二課「中華文明の世界的意義」にソウルの景福宮とともに法隆寺金堂および五重塔が登場する。そして第二単元「豊富で多様な世界の文化」第五課「南アジアと東アジアそしてアメリカの文化」では万葉集や源氏物語が登場し、宇治橋西詰にある紫式部石像の写真が紹介され、「日本の古代の文化は中華文化の影響を深く受け、中華文化の吸収という基礎の上で日本本土の文化が発展した」と解説する。ただし総体的に日本の記述は少なく、二〇〇四年度版に比べると日本は遠景に退いている。なにより特徴的なのは「多民族」の度重なる強調であろう。

(75) 「上海四位大学負責人呼籲——給高等学校一点自主権」（『人民日報』一九七九年十二月六日第三面）では、復旦大学校長の蘇歩青、同済大学校長の李国豪、交通大学党委書記の鄧旭初、上海師範大学校長の劉佛年が〝自主権〟獲得による大学教育改革を訴える。たとえば蘇歩青は「這様、説不定辦得更有特色、更有効果。但是、由於学校没有自主権、現在行不通」という。なお鄧旭初は「我們是怎様進行学校管理改革的」（『人民日報』一九八三年三月二十六日第三面）も問うている。それぞれ蘇は東北帝国大学、李はダルムシュタット工科大学、劉はパリ大学への留学経験を持つ。

(76) 「目前的形勢和任務（一九八〇年一月十六日）」（『鄧小平文選』第二巻、人民出版社、一九八三年七月）第三部分、また「党和国家領導制度的改革（一九八〇年八月十八日）」（同上）第五節。

(77) 于傑編『特区巡遊——鄧小平視察深圳珠海厦門経済特区』（吉林出版集団、二〇一一年三月）第四部「上海之行」「視察上海交通大学」。また上海交通大学党委辦公室編『上海交通大学管理改革初探』（上海交通大学出版社、一九八三年十二月）、鄧旭初『憶上海交大重振雄風』（東方出版社、一九九五年十月）、王春来『部属高校校内管理体制改革材料選編』（教育科学出版社、一九九二年十月）。

(78) 盛懿・孫萍・欧七斤編『三個世紀的跨越——従南洋公学到上海交通大学』（上海交通大学出版社、二〇〇六年三月）第七章「改革開放勃発生機」第二節「高校管理改革的探索」、および第八章「創建世界一流大学」第一節「把握世紀之交的機遇」。

(79) 「中共中央関于教育体制改革的決定（一九八五年五月二十七日）」（『中華人民共和国国務院公報』一九八五年第十五期、一九八五年六月十日）第四節「改革高等学校的招生計劃和畢業生分配制度、拡大高等学校辦学自主権」には、大学が「教学計劃和教学大綱」などについて一定程度の自主権を持つこととし、「対不同的高等学校、国家還可以根拠情況、賦予其他的権利。与此同時、国家及其教育管理部門要加強対高等教育的宏観指導和管理」とする。いわば、中央は大局指導のみ実施し、各大学は具体的な細事の権限を得たものといえよう。楊瑞敏「為教育体制改革指明方向——「中共中央関于教育体制改革的決定」制訂紀実」（『瞭望週刊』一九八五年第二十三期、一九八五年八月十日、「中南海紀事」。『光明日報』一九八五年六月八日第四面）。

(80) 楊東平「大学校長——一個値得関注的群体」（李清川『中国知名大学校長訪談録』中国文聯出版社、二〇〇五年一月。楊東平『楊東平教育随筆——教育需要一場革命』上海人民出版社、二〇〇七年五月、第二部「大学之道」）、馬国川「楊東平——中国的教育改革被延誤的太久了」（『経済観察報』二〇〇九年三月九日）、楊東平「中国教育制度和教育政策的変遷」（香港中文大学中国研究服務中心、http://www.usc.cuhk.edu.hk/PaperCollection/Details.aspx?id=4118、https://perma.cc/H4PC-8W82）。「党在高校的領導地位不能動揺——高等学校党的建設工作会議強調――工作、李鉄映在開幕式上作重要報告、江沢民李鵬宋平等強調全社会都要関心学校」（『大衆日報』一九九〇年四月十三日第一面）。

(81) 金鉄寛・唐関雄・李玉非『中華人民共和国教育大事記』第三巻（山東教育出版社、一九九五年一月）一九〇六頁。「全国教育事業十年規劃和〝八五〟計劃要点」（『中国教育年鑑（一九九三）』人民教育出版社、一九九四年八月）では「九十年代教育工作要加強学校党的思想和組織建設、理順和完善学校思想政治工作的領導体制」とし、また「高等学校原則上実行党委領導下的校（院）長負責制」を推進するという。

(82) 劉道玉「我們都有相見恨晩之感――記我与朱清時校長的談話」（『珞珈野火集』四川人民出版社、二〇一六年四月、第五部「人生五味齋」）、馬国川「求解〝銭学森之問〟」（『財経』二〇一五年第十七期、二〇一五年六月二十二日。朱永新『見證十年人心就是力量』山西教育出版社、二〇一八年三月）、張鳴「挙重若軽――教授選大学校長行得通嗎」（『中国青年報』二〇〇九年三月十日第二面。馮雪梅・曹林・張彦武『今日頭条』中国青年出版社、二〇一二年五月、第六輯「〝精英〟的両張面孔」）。なお劉道玉によればアメリカでは大学の学長任期が十二年一ヶ月であるのに比べ中国では五年一ヶ月であるという。

(83) 王建華「堅持和完善高校党委領導下的校長負責制的三重邏輯」（『中国教育報』二〇二三年九月二十五日第五面）。

(84) その発端は教育部副部長の翁鉄慧にあるという（焦新「教育部党組啓動建立直属高校党建工作聯絡機制」『中国教育報』二〇一九年四月三十日）。師風委員会についてはGu Ting. "China's ruling party takes direct control of country's universities."Radio Free Asia. 2024 January 18th. (https://www.rfa.org/english/news/china/china-universities-01182024160231.html)　なお翁鉄慧は復旦大学世界経済系の学生から一九八八年七月に「留校」して教員採用され、二〇〇三年に上海市教育工作党委副書記へ転出、以降上昇し二〇一三年二月には副市長となり之江新軍の一員とされる応勇市長に仕え、二〇一九年一月に教育部副部長へ就任した（孟夏「人事観察――郭芳履新生態環境部副部長、国家部委還有哪些女領導？」、解放日報系『上観新聞』二〇二三年七月二日）。

(85) 朱珠「現代大学治理体系視域下高校行政機構改革創新路径探究――以南京N大学為例」（『高等農業教育』二〇二三年第四期）、劉愛生・熊麗楊「高校雇傭〝零工化〟問題」（『中国科学報』二〇二四年一月十日第三面）、公羽「減機構・減幹部――高校〝痩身〟教師〝減負〟」（『新京報』二〇二三年十月三十一日第二面「社論」）。

(86) 「李克強　簡政放権　放管結合　優化服務　深化行政体制改革　切実転変政府職能――在全国推進簡政放権放管結合職能転変工作電視電話会議上的講話（二〇一五年五月十二日）」（『人民日報』二〇一五年五月十五日第二面）。

(87) 張爍「高校教師職称評審権将直接下放至高校――尚不具備独立評審能力的可聯合評審・委託評審」（『人民日報』二〇一七年十一月十四日第十二面）、「高校教師職称評審権下放高校」（『新課程研究』二〇一七年第十一期「信息速遞」）。実際、すでに以前より大規模校むけの人

事マニュアルも販売されていた（楊濱『最新全国高等学校教師資質考核認定与選抜聘任管理評估評価標準実施手冊』全四冊、中国教育出版社、二〇〇六年四月）。ただしそれは小規模校において苦痛を伴うものでもあり、玉渓師範学院文学院党委書記の莫暁輝は「これまでずっと政府主導でしたが、突然に自主権が私たちに与えられてしまいました。私たちは依存を断ち切らなければなりません。これには実に大きな適応の過程が必要でしょう」と述べている（張蓋倫「下放高校職称自主評審権喜憂参半」『科技日報』二〇一七年十二月七日）。

(88) 郭新立「培育新時代鑄魂育人〝大先生〟的山大探索」（『中国高等教育』二〇二三年第十三・十四期、二〇二三年七月）。

(89) 楊颯「高校輔導員評職称、更重育人実効——取消論文・項目等硬性要求」（『光明日報』二〇二四年二月二十日第十四面）、中国人民大学として靳諾「加強高校教師価値観塑造——著力培養〝経師〟和〝人師〟的統一者」（『中国高等教育』二〇二三年第二十二期、二〇二三年十一月）、蘭州石化職業技術大学として王宇飛・夏徳強「以〝五感〟構建多維度教師評価体系」（『中国教育報』二〇二三年八月二十九日第七面）など。

(90) 葉雨婷「我国已建成世界規模最大的高等教育体系」（『中国青年報』二〇二〇年十二月四日第四面）では「全国高校思政課専兼職教師首次突破十万人」といい、林煥新・高衆「三年磨一課 育人譜新篇——思政課建設発生全局性根本性転変、取得歴史性成就」（『中国教育報』二〇二二年三月十八日第一面）では「全国の大学で専任・兼任の輔導員は二十四万人を突破した」とする。その職掌は二〇〇六年七月二十三日付教育部「普通高等学校輔導員隊伍建設規定」（『中国教育年鑑二〇〇七』人民教育出版社、二〇〇七年十二月、「文献選編」）、二〇一七年八月三十一日付教育部「普通高等学校輔導員隊伍建設規定」（『国務院公報』二〇一七年第三十四期、二〇一七年十二月十日）、二〇二〇年四月二十二日付「教育部等八部門関於加快構建高校思想政治工作体系的意見」（『教育部公報』二〇二〇年第四期）に定められている。ほか包麗麗「高校輔導員如何将大学生党建工作与思想政治教育工作相融合的探討」（『教育研究』二〇一九年十一月）、史立偉「完善〝選育管用〟全鏈条輔導員培養模式——北京科技大学輔導員隊伍高質量発展的実践路径」（『中国教育報』二〇二四年三月五日第九面）。著名な例として、長期の勤務を経て教員に就任した西南政法大学の簡敏、燕山大学の王銀思、臨沂大学の胡秀俊などを挙げられる。

(91) 李奕・蕭韻竹編『中小学校党組織領導的校長負責制——北京実践』（北京出版社、二〇二二年三月）、李奕「積極推動党組織領導与校長負責両箇優勢深度融合——中小学校党組織領導的校長負責制〝北京経験〟」（『中国教育学刊』二〇二二年第七期）、丁進荘「中小学校党組織領導的校長負責制的歴史沿革・時代内涵和実施路径」（『中小学校長』二〇二二年第五期）唐磊「中小学校党組織領導的校長負責制実施策略——以四川省彭州市敖平中学為例」（『華夏教師』二〇二三年第十四期）など。

(92) 『光明日報』二〇一七年十二月十五日第一面「一〇家新時代中国特色社会主義思想研究中心（院）成立」、また二〇二一年六月二十七日

第一面「第二批七家新時代中国特色社会主義思想研究中心成立」。なお外交部も続く（同二〇二〇年七月二十一日第三面「習近平外交思想研究中心成立儀式在北京挙行」）。ただし完全なる新設ではなく関係部局の一角に設立されるようで、たとえば上海市の中心（センター）公式ページでは住所を上海市徐匯区虹漕南路二〇〇号としているが、この住所は上海市委党校と同一であり、また党校にはセンター秘書処が存在、センター主任は市委宣伝部長の周慧琳ながら常務副主任は党校副校長が勤めている。

(93) 葉春蓮「以『中国夢・我的夢』昇華学生的思想品質」（『新課程（小学）』二〇一九年第八期「管理篇」「徳育天地」）、高衆「『新時代中国特色社会主義思想学生読本』今年秋季学期起在全国中小学統一使用」（『中国教育報』二〇二一年七月九日第一面）。

(94) 『中国教育報』二〇二一年七月二十五日第一面「中央辦公庁国務院辦公庁印発――関於進一歩減軽義務教育階段学生作業負担和校外培訓負担的意見」。なお家庭教育に関しても十月二十三日には「家庭教育促進法」が成立した（『中国教育法』二〇二一年十月三十一日第四面「家庭教育立法喚醒全社会的教育責任」）。以降、劉鳳彪「家庭教育這堂課誰都不能置身事外」（『中国教育報』二〇二一年九月二十四日第二面）、孫雲暁「有強大的父母才能有強大的後代」（同二〇二一年十一月七日第四面）、華偉「家庭教育促進法有三大看点」（同二〇二一年十一月二十八日第四面）など、法案には類々と賛成する分析意見が表明されている。

(95) 路娟「找准中小学法治教育創新点」（『光明日報』二〇一七年十月十日第十三面）。

(96) 「中央宣伝部　教育部関于印発『新時代学校思想政治理論課改革創新実施方案』的通知（教材〔二〇二〇〕六号）」（『教育部公報』二〇二一年第一・二期）。

(97) 「教育部関於印発『義務教育課程設置実験方案』的通知（教基〔二〇〇一〕二十八号）『教育部政報』二〇〇二年第一・二期）。なお道徳科目については馮建軍「与時俱進、夯実立徳樹人根基――新中国成立以来小学徳育課程回顧与展望」（『中国教育報』二〇一九年九月十八日第九面「課程週間」）などを参照。なお今季において美術は九％以上である（葉雨婷「美育教育短板如何補斉」『中国青年報』二〇二一年五月十三日第一面）。

(98) 「九年義務教育小学思想品徳課和初中思想政治課課程標準（試行）」（『学科教育』一九九七年第六期）、同「補」（『思想政治課教学』一九九七年第九期）、「教育部関於印発『九年義務教育小学思想品徳課和初中思想政治課課程標準（修訂）』的通知（教基〔二〇〇一〕二十五号）」（『教育部政報』二〇〇一年第十二期）、「教育部関于印発『教育部精神文明建設領導小組二〇〇二年工作安排』的通知（教社政函〔二〇〇二〕七号）」（『教育部政報』二〇〇二年第五期）など。

(99) 程錦慧「我国教育督導制度的建設与発展」（『基礎教育課程』二〇一九年第十九期）、また教育督導委員会辦公室主任の田祖蔭「新中国教育督導的五個精彩瞬間」（『中国教育報』二〇二〇年二月二十一日第四面）、「深化体制機制改革　力促教育督導〝長牙歯〟――国務院教育督導委員会辦公室負責人就『関於深化新時代教育督導体制機制改革的意見』答記者問」（『人民教育』二〇二〇年第五期）。

(100)「中央辦公庁 国務院辦公庁印発『関於深化新時代教育督導体制機制改革的意見』」(『教育部公報』二〇二〇年Z一期)、林煥新「対各地落実〝双減〟情況将建立半月通報制度――国務院教育督導辦印発通知」(『中国教育報』二〇二一年八月十二日第一面)、楊潔「我国首份教育督導問責辦法正式実施」(『中国青年報』二〇二一年九月二日第二面)、欧媚・高衆「督導〝長牙歯〟問責〝打板子〟――『教育督導問責辦法』九月一日起施行」(『中国教育報』二〇二一年九月二日第一面)、史望穎「浙江寧波〝双減〟列為教育督導〝一号工程〟」(『中国教育報』二〇二一年九月二十二日第三面)。

(101) タス通信オンライン版、二〇二一年八月二十五日「Путин поддержал идею распространить проект "Навигаторы детства" навсю России」(https://tass.ru/obschestvo/12217943)。ムルマンスク州教育科学局も「Навигаторы детства 2.0」(https://minobr.gov-murman.ru/activities/navdet-2-0/) として「В 2021 году для укрепления государственной политики всфере гражданско - патриотического воспитания детей и молодёжи был разработан проект «Навигаторы детства».」(二〇二一年に児童や若者の公民・愛国心教育の分野における国家政策強化のため「児童指導者」プロジェクトが始動した) という。「Областнойцентр развития дополнительного образования и патриотического воспитания детей и молодёжи」(子供と若者の追加教育および愛国教育開発の地域センター) 公式サイトによれば、(https://mosobl-centerdo.ru/menu/deyatelnost/navigatoryi-detstva/) 彼らは二〇二二年六月二十六日付ロシア連邦大統領命令第一一一七号により、二〇二二年開催のコンペで選ばれ七一〇の学校で勤務しているという。さて本書では終章や事物索引を削除し、さらに本文部分において敏感な内容に渉らぬよう叙述に慎重を期したつもりである。また図書分類コードを〇〇二二とすることも検討した。なお、当初は序章の末尾に「なお各章は基本的に掲載段階での原型をとどめ、そのうえで終章において新たな知見の指摘に努めた」の語を置いていた。しかし構成の変更にともない、第一章および本章に長大な結語を附し、本来終章で展開する予定であった内容の一部を加えた。そしてその結果として、企画段階にくらべ大幅に読み難い構成となり、しかも各章を集約総括するべき終章を欠く内容となった。この〝改装〟も清末を論じた第一章と通底する筆者の狭隘かつ過剰な問題意識の産物に過ぎない。ここに目立たぬ場所ながら本書を手に取りご高覧いただいた皆様へ記して陳謝する次第である。

(102) 江沢民「在紀念成立七十八周年座談会上的講話(一九九九年六月二十八日)」(『求是』一九九九年第十四期)。その淵源は鄧小平「組成一個実行改革的有希望的領導集体」(『鄧小平文選』第三巻、人民出版社、一九九三年一月)に遡るだろう。詳細は本書第三章を参照。

(103)「加強民主集中制建設、発揮領導班子整体功能(一九九八年十一月三十日)」(『胡錦濤文選』第一巻、人民出版社、二〇一六年九月)。総書記時代にも二〇〇二年十一月十四日改正「党規約」第二章「党的組織制度」第十条第五項(その後、二〇一二年十一月十四日と二〇一七年十月二十四日の改正でも同条同項で存続)、二〇〇四年四月十五日成立の『軍隊委員会工作条例(試行)』(第三章「議事和決策」第十三条、二〇一一年二月九日の改訂でも第十四条として存続)、「関於加強和改進新形勢下党的建設若干重大問題的決定(二〇〇九年

九月十八日党第十七届中央委員会第四次全体会議通過）」（『人民日報』二〇〇九年九月二十八日第一面）として度々に「十六字」に触れる。なお習近平も地方官時代に十六字を推奨していた（「斉奏一曲悦耳動聴的交響楽（二〇〇三年十一月三日）」『幹在実処 走在前列』、中央党校出版社、二〇〇六年十二月、第八章第四節）。とはいえ現在も全く消え去ったわけではなく、中央党校校長の劉雲山や内蒙古書記の石泰峰のように十六字に触れるものもおり（「厳粛党内政治生活 浄化党内政治生態」『人民日報』二〇一六年十一月七日第三面、また「健全提高党的執政能力和領導水平制度」『人民日報』二〇一九年十二月三日第九面）、また党規約の祖述として触れることもある（中央宣伝部「党的歴史使命与行動価値」『人民日報』二〇二一年八月二十七日第一面）。

(104) 「領導幹部要読点歴史——在中央党校二〇一一年秋季学期開学典礼上的講話」（中央党校機関紙『学習時報』二〇一一年九月五日）、なお小中学生にも党史の修養を求めている（林煥新「引導中小学生従小学党史永遠跟党走——教育部部署開展系列教育活動」『中国教育報』二〇二一年四月一日第一面、また戈文鳳「如何将党史教育融入小学語文教学」『中国教育報』二〇二一年四月九日第五面）。

第七章　高齢者福祉と社区そして網格

一．高齢化社会の概観

二〇二一年五月一一日、中国国家統計局は十年に一度実施する「普査」（国勢調査）の結果を発表した。ここからは国内人口が一四億一一七七万八七二四人と過去最高を記録した単純事実の背後に年齢構成の顕著な変化も見て取ることができる。二〇二〇年時点の平均年齢は三八・八歳、六十歳を含むそれ以上の人口は二億六四〇一万八七六六人で全体の一八・七〇％を占め、「労働適齢人口」（十五歳から六十四歳）が高齢者を支える比率「老年撫養比」は二一・四％であった。(1)なお前回の二〇一〇年国勢調査では六十歳以上人口は全体の一三・三二％、「老年撫養比」は一九・〇二％、(2)また二〇〇〇年国勢調査では六十歳以上人口は全体の一〇・四六％、「老年撫養比」は一〇・一％であったから、(3)中国の高齢化は劇的に進行しているといえ、現状分析から福祉行政方針に至るまで研究者は多大な関心を寄せてきた。(4)なお高齢化は現在が極点とはならず、今後も進行する可能性が高い。国連が二〇二二年七月一一日に発表した世界人口予測では、二〇二二年の中国の平均年齢は三十八・五歳、それが二〇五〇年には五十・七歳、二〇七九年には頂点の五十七・五歳、二一〇〇年には五十六・八歳となる。(5)

もちろん、こうした高齢化が予想外であったわけではない。すでに二〇〇〇年国勢調査の時点で「育齢婦女総和生育率」（合計特殊出生率）は一・二二、二〇一〇年では一・一八一、二〇二〇年では一・三であった[6]。同時期の日本はそれぞれ一・三六、一・三九、一・三三[7]、またアメリカはそれぞれ二・〇五、一・九三、一・六六であり[8]、中国の近二十年の高齢化は両国に比しても早い。この高齢化の主要な原因は当然ながら一九七九年に始まる「一孩政策」（一人子政策）に求められようが[9]、この「一孩政策」が二〇一五年に「人口の高齢化に対応する行動を積極的に展開する」ために「両孩政策」（二人子政策）へ、また二〇二一年に「人口の高齢化の程度がさらに深まっている」ために「三孩政策」（三人子政策）へと変更されても[10]、なお高齢化を大きく挽回するまでには至っていない。こうした高齢化は社会にどのような影響を与えようか。医師で研究者の施小明は二〇二〇年以降の趨勢として、第一に老年人口の増加速度、第二に八〇歳以上人口の数量、第三に「老年撫養比」の上昇、第四に家庭規模の縮小および「空巣家庭」の増加、第五に未来の高齢化加速を挙げている[11]。若年者が減少し高齢者が増加すれば自ずと「老年撫養比」は上昇せざるを得ない。このうち「老年撫養比」に関わる国民の老後資金について、すでに二〇一三年の時点で下記のような記事を見ることができる[12]。

一九八五年の「只生一個好、政府来養老」（子は一人が良い、政府が老後を養おう）から一九九五年の「只生一個好、政府帮養老」（子は一人が良い、政府が老後を助けよう）、そして二〇〇五年の「養老不能靠政府」（老後は政府を頼るべからず）、さらに「推遲退休好、自己来養老」（退職の延長が良い、自分で老後を養おう）……近日、ネット上で新聞の切抜が流布し、ネット民たちは口々に老後は自らを頼るほかないと嘆息している。ここで指摘せざるを得ないのが、この風刺の文字が一般民衆の老後への不安を反映しているということである。年金は期限通り満額給付されるのか。経費不足を理由に国家は退職年齢を強制的に延長するのではないか。政府は年金を放棄し自身の住居による「以房養老」（reverse mortgage）をすることになるのではないか。

記事の指摘する新聞切抜写真は嵌込合成を疑わせるものではあるが、確かに往時には「独生子女父母好、政府奨励能養老」（一人子の男女なれば父母も良し、政府の奨励なれば老後を養えよう）といった標語も見られた。[13] 政府負担から家庭負担へという標語の変化は、急速な高齢化の進展に対応する財政の苦衷を表していよう。ここには国民皆年金を採らない中国の制度が背景にある。二〇〇九年時点では「基本養老保険」加入者は三億二千万人に過ぎず、[14] 以降の努力により、二〇一二年に七億九千万人、二〇二二年に十億四千万人を達成したものの、[15] なお少なからざる人数が取り残されているうえ、その支給額も現在の物価水準での生活環境を完全に満たすものではない。[16]

また、施小明も指摘するように、高齢者の生活形態に少なからず「空巣家庭」が存在する。空巣家庭とは子が〝巣〟を離れて高齢者のみで構成される家庭を指す。その空巣に住む高齢者は二〇一六年試算で二〇二〇年度一億人を越えるといい、地域社会における喫緊の課題となっている。[17] こうした空巣の高齢者は時に居宅から失踪し、[18] あるいは居宅で孤独死を迎えることもある。[19] 伝統的観念も未だに健在であり、「以房養老」はもとより福祉施設への入居を忌避する傾向も高い。[20] 往々にして独居する高齢者たちは、資金面のほか精神面そして肉体面でも困境にあるのである。ここで注目されるのが「社区」である。次節に詳解する社区は一九三三年ごろに社会学における community の訳語として登場した。[21] そして現在は福祉政策において個人と福祉施設をつなぐ存在としても注目されているのである。

二．中国の社区・網格と福祉政策

福祉政策の標語として〝九〇七三〟なる言葉がある。これは担当配分の目標としてそれぞれ在宅九十％、社区七％、福祉施設三％を設定したものである。その淵源は不明ながら、すでに二〇〇七年には上海市で政策目標として掲げられ[22]、二〇〇八年には各地の機関紙にも登場するようになる。[23]しかも、この数値目標に先立つ二〇〇七年五月十四日、民政部は社区での活動目標「〃十一五〃社区服務体系発展規劃」を発表し、第一章から社区の高齢者福祉政策への関与に言及している。

なお、ここで言う社区とは単純なコミュニティではなく、制度の淵源が建国前夜に遡る公的な存在である。[24]中国の地方行政区分は、おおまかに省級行政区（たとえば福建省など省・自治区・直轄市の三十三地域）、地級行政区（福建省であれば福州市や厦門市など九地域）、県級行政区（厦門市であれば思明区や集美区など六地域）、郷級行政区（思明区であれば鼓浪嶼や鷺江などの街道辧事処設置域が十地域）が存在する。そして社区はこの郷級行政区をさらに細密にした区分となる（鼓浪嶼街道辧事処であれば龍頭社区と内厝社区）。[25]そして改革開放が始動し、主に農村部に展開した基層組織の人民公社[26]が村民委員会[27]へと変化すると、都市部の社区も重要性を増していく。[28]中央はたびたび高齢者福祉政策における社区の役割を強調し、[29]地方各省もまたその方針を検討し管下へ伝え、[30]時には細目を拡充し規定する。[31]なお、福建省では社区のなかで「志願」活動を促進し、また健康な前期高齢者の困窮後期孤独といった高齢者への介助を組織するという。[32]それも当然のことで、予算が限られる中で専門的な人員の雇用拡充は困難であり、やむなく「暖心工程」のようなボランティア活動に頼らざるを得まい。[33]とはいえ無給の善意は持続性が難題であり、例えば天津での社区による高齢者福祉について、その担当者は「居家養老服務站工作人員・志願者」（在宅養老サービスステーションの勤務者およびボランティア）が中心ながら人材の流動性が高く、また大多数が短期の研修のみの担当であるため専門性も低いという。[34]

おりしも二〇〇四年十月十一日に北京市東城区で社区をさらに細分化して管理する「網格」（Grid）が試みられ、全区二十五平方キロメートルの六十四万人に対して従来の十街道辧事処と一三七社区に加えて一六五二網格が設定された。[35] そののち制度採用地域は全国に拡大し、たとえば福建省厦門市思明区鼓浪嶼街道では、所属する龍頭と内厝の二社区にそれぞれ三網格を、また各網格に二小組（グループ）を、各小組に三網格単元（一単元あたり二百戸を担当）を設置したという。[36] すなわち各社区に三網格六小組十八単元が配されたことになる。そして総網格長は社区の党委員会書記が兼任し、三網格それぞれに網格長が、六小組それぞれに六網格組長が就任した。なお各網格には網格長や網格管理員のほか、地方公務員のうち社区民警、司法調解員、消防員、城管、環衛の合計七名がそれぞれの管轄をこえて横断登録され、[37] さらに在地の専門家、社区督察員、ボランティアを吸引統合した。ただそれでも新設の網格員は極度の薄給で勤務の士気に影響するほどであったという。しかし、その状況はコロナ禍において一変した。彼らは関係者と逐戸訪問や街路巡査を行い蔓延阻止に尽力し、[38] その意味性を大きく塗り替えた。そして清零（ゼロコロナ）政策が一定の効果を挙げると、彼らは個別管理を助けるデジタル〝智慧養老（スマートふくし）〟とともに福祉政策を含む多くの現場へ赴いたのであった。[39]

たとえば深圳市宝安区の万豊社区は国家衛生健康委員会より「全国示範性老年友好型社区」として認定されたが、そこでは網格、社康中心（センター）（社区健康服務（サービス）中心）、社区党委が連動するプラットフォームを建設し、社区ごとに六網格を設定して社康中心の医師および社区の看護師そして志願服務者（ボランティアスタッフ）を「責任団体」として情報提供や個別訪問を担うという。[40] 網格にはボランティアのほか専門職員も配されるわけだが、当然ながら責任をもって担当地域へ奉仕することになる。山西省朔州地級市の懐仁県級市ではこのような職員が健康コード登録の喚起に始まる各種業務を担当している。

六小路社区は懐仁市の中心部にあり、東は仁愛南路、西は仁人南路、南は懐善西街、北は懐安東街を境界とし、総面積は二・六平方キロで、各種の小区は十二種、居民は二千七百一十七戸七千六百四十七人である。「おかあさん、『晋快検』（山西省の健康コード）には登録なさいましたか。もし登録したいのに出来ないのであれば、わたしがお教えしますよ」朔州市懐仁市雲中街道六小路社区では、もう網格で九年にわたり勤務している丁春霞が、自分の担当する蘋果園小区と康楽西街地区の高齢者の事情を完全に把握し、彼らの問題解決を全力で支援している。……社区では網格による管理を実施しており、社区に十網格を設置し、網格員三十名を配し、網格のヒトコトモノについて業務や管理を進めている。社区には綜合文化活動中心（センター）、居民議事室、党員活動室、矛盾調整室などがある。このうち中心（センター）では琴棋室、書画室、多目的舞台を設け、社区の高齢者の文化や体育の方面の活動に対応している。[41]

しかもこの網格はさらに細分化され、「微網格」(Micro Grid) までが登場する。浙江省台州地級市の温嶺県級市では全市に一千八百一十六の網格を設置し、さらにそこに五千六百七十四の微網格を配し、村（あるいは社区）・網格・微網格（あるいは楼道・楼棟）による管理体制を設置したという。しかもそこには網格党組織として一千三百五十五ヶ所、微網格党組織として三千六百六十二ヶ所が設置された。そして網格ごとに網格長一名と専職網格員、兼職網格員、網格指導員の計三名、そして党員や志願者そして関係部局の構成員を含めた「網格団隊」を配当する。また網格団隊にはその地区の全ての予備党員や入党積極分子を吸収し管理業務に参加させるといい、現状で二万一八九五名の網格員が市民と連繫したのであった。[42]温嶺市の人口は一百四十一万七千人であるから、網格あたり七百八十人、微網格あたり二百四十九人となる。なおここでは村民による養老保険加入の問い合わせに対して網格員が浙江省政務アプリ「浙裡辦」での申請を支援したという。温嶺市網格アプリ「嶺格治理」の利用もあり、業務内容はさらに稠密に地域へ浸透している。なお市では「最美網格団隊」三十ヶ所、「最美網格員」一百五十名を表彰し、一千一百二十六名の優秀な網格員を入党せしめ、また二千四十名の網格員を村の「両委」（村党支部委員会と村民委員会）に入選せしめたという。網格での勤務実績が昇進へと結びつく奨励策となっているのである。

三、おわりに

現在の中国では制度の遺漏を豊富な人材で補填し、人々との「最後一米（メートル）」を解消し「無縫隙政府」(Seamless Government）を実現しようとしている。[43] おりしも近年になって社会工作師（ソーシャルワーカー）資格に注目が集まり、[44] 就職難も相俟って若年層も網格員に興味を示すようになった。[45] ここで鼓浪嶼街道辦事処による二〇一七年度の「社区網格員」試験の募集要項を見てみよう。[46] 第二節「招聘条件」では、募集対象者として第一に憲法を擁護すること、第二に品行方正で持ち場の職責を正常に履行できる身体条件があり、社区の業務に熱心であり、責任感が強く、労苦に耐えること、第三に三十五歳以下で性別不問、厦門市に戸籍があること、第四に専攻内容問わず大学あるいは専門学校以上の学歴があること、第五に一定の文章能力や口頭表現能力そして協調能力があり、コンピューターによる日常的な作業に熟練していることを挙げている。また一次は筆記試験であり、「参考文献閲覧不可とし、百点を満点とする。主要な内容は時事政治や社区の業務そして関係する政策や法規、社会学、行政管理、法律面での常識など受験者として必須の基本知識である。筆記試験が終了した後、受験者は思明区人力資源和社会保障局のウェブサイトにログインして筆記試験の結果と順位を確認することができる」とする。なお筆記試験の後には面接があり、その上で身体検査、犯歴調査、結婚関係有無が行われ、さらに街道辦事処により「政治方面、道徳品質、誠実性、能力資質、勤務態度」の判定を経て採用に至り、「試用期間が満了した後、給与や福利厚生については社区工作者の給与や福利厚生に関する規定に基づき執行する。月給はおよそ三千六百五十元である（規定により納付すべき社会保障費を差し引いた金額である）」という待遇を受けることになるのであった。この金額は決して高額とはいえない。[47] とはいえそれでも「大学あるいは専門学校以上の学歴」を持つ若年層の失業率低減に寄与し、また前述のように入党希望時の優遇措置により意欲刺激も行い得る。デジタル化により業務はさらに細密になり、[48]高齢者福祉を含む多くの分野で行政が行き届くようになるだろう。とはいえそれは彼らが体制に一元化されたことを意味しない。地方自治体にとれば新設分野での管理可能な人員の増加は自身の権限の拡大にも繋がる。過去には分節的権威主義体制（Fragmented Authoritarianism）が指摘されたこともあったが、[49]各部署を横断する〝大きな政府〟への志向は、複雑な組織機構が関係性を積層させ分節が固化することにもなりかねない。こうした分節の複合拡大は清朝末期にも現出したが、肥大化した末端は得てして〝尾大不掉〟を呈すものである。高齢化問題の解決策の一つとして数えられる網格管理の進展はどのような社会変化へ結びつくのか。今後なお注視する必要があろう。

注

（1）国家統計局・国務院第七次全国人口普査領導小組辦公室「第七次全国人口普査公報（第五号）――人口年齢構成情況」（国家統計局公式サイト、二〇二一年五月十一日、http://www.stats.gov.cn/tjsj/zxfb/202105/t20210510_1817181.html）による。解説記事として翟振武「新時代高質量発展的人口機遇和挑戦――第七次全国人口普査公報解読」（国務院主辦『経済日報』二〇二一年五月十三日第三面）などが存在。

（2）国務院人口普査辦公室・国家統計局人口和就業統計司編『中国2010年人口普査資料』（中国統計出版社、二〇一二年四月）第三巻「年齢」「各地区人口年齢構成和撫養比」によれば、全国人口の一三億三二八一万〇八六九人に対して六十歳を含むそれ以上の人口は一億七七五九万四四四〇人すなわち全体の一三．三二％であり、「労働適齢人口」（十五歳から六十四歳）が高齢者を支える「老年撫養比」は一九．〇二％であったという。

（3）国務院人口普査辦公室・国家統計局人口和社会科技統計司編『中国二〇〇〇年人口普査資料』（中国統計出版社、二〇〇二年八月）「全国分年齢・性別的人口」によれば、全国人口の一二億四二六一万二二二六人に対して六十歳を含むそれ以上の人口は一億二九九七万七八七〇人すなわち全体の一〇．四六％であり、「労働適齢人口」（十五歳から六十四歳）が高齢者を支える「老年撫養比」は一〇．一％であったという。

（4）巴特尔「老いてゆくアジアと日本の役割」および「中国の高齢化問題と日系介護サービス企業の進出動向」（ともに『経営情報研究』第二十五号、二〇二一年二月）のほか、日本語の研究として袖井孝子・陳立行編著『転換期中国における社会保障と社会福祉』（明石書店、二〇〇八年四月）、辻由希『家族主義福祉レジームの再編とジェンダー政治』（ミネルヴァ書房、二〇一二年三月）、張秀敏・中山徹「社区居民委員会事務所による高齢者在宅サービスに関する研究――中国・長春市を事例として」（『日本家政学会誌』第六十四巻第十二号、二〇一三年十二月）、清水由賀「改正「高齢者権益保障法」と中国の高齢者政策――「頻繁に親元に帰れ」条項に着目して」（早稲田大学大学院社会科学研究科『社学研論集』第二十三号、二〇一四年三月）、靳小「中国における高齢者在宅福祉の現状――家族福祉の視点からみる「頻繁に親元に帰れ」条項」（『常盤台人間文化論叢』第五巻第一号、二〇一九年三月）、唐燕霞「中国都市部における社区在宅養老サービスの現状と課題――北京市を事例として」（『中国21』第五十四号、二〇二一年三月）、また数多い中国語の研究にもたとえば李兵・張愷悌『中国老齢政策研究』（中国社会出版社、二〇〇九年二月）、李昺偉『中国城市老人社区照顧綜合服務模式的探索』（社会科学文献出版社、二〇一一年三月）、唐詠『圧力与応対――以城郷高齢失能老人照顧者福利実践為視覚』（中国社会科学出版社、二〇一四年六月）、張翠『重慶市社会養老服務問題研究――基於公共領域介入公共性問題的視角』（成都西南交大出版社、二〇一六年八月）、梁春曉・易鵬『老齢社会研究報告（二〇一九）――大転折：従年軽社会到老齢社会』（社会科学文献出版社、二〇一九年十月）などが存在する。

（5）二〇二二年七月十一日公表にかかる国際連合（United Nations）経済社会局（Department of Economic and Social Affairs）人口部（Population Division）による「世界人口予測」（World Population Prospects）二〇二二年度版のうち「Middle Variant」に基づく。UNDESA Population Division. *World Population Prospects: The 2022 Revision*. 2022, July 11th.（https://population.un.org/wpp/）。なお、人口部は中国の人口が二〇二二年に最高点を記録した後、二〇五〇年には一三億一六九四万人に、二〇七九年には十億人を割り込み九億八九八一万人に、二一〇〇年には七億七一三〇万人になると予測する。また、同じく二〇二二年の平均年齢が三八．五歳であるところ、二〇五〇年には五〇．七歳、二〇七九年には五七．五歳（最高値）、二一〇〇年には五六．八歳であると予測する。なおそれに対して日本は二〇二二年に一億二四二七万人で四八．七歳、二〇五〇年に一億四一四万人で五三．六歳、二〇七九年に八三六六万人で五四．二歳、二一〇〇年に七三八四万人で五四．四歳という。またアメリカは二〇二二年に三億三七四九万人で三七．九歳、二〇五〇年に三億七五〇八万人で四三．一歳、二〇七九年に三億九〇七三万人で四六．一歳、二一〇〇年に三億九三九九万人で四七．三歳という。

（6）二〇〇〇年および二〇一〇年の国勢調査については前述書籍を参照のこと。また二〇二〇年については「第七次全国人口普査主要数拠結果新聞発布会答記者問」（国家統計局公式サイト、二〇二一年五月十一日、http://www.stats.gov.cn/ztjc/zdtjgz/zgrkpc/dqcrkpc/ggl/202105/t20210519_1817702.html）。なお出生率の解説記事として魏玉坤「総和生育率低至一．三、我国是否跌入〝低生育率陥穽〟？」

（新華社『新華毎日電訊』二〇二二年五月十八日第二面）などが存在。

（7）厚生労働省大臣官房統計情報部人口動態・保健統計課「平成一二年人口動態統計（確定数）の概況」（厚生労働省公式サイト、二〇〇一年十二月十三日）によれば二〇〇〇年の日本の合計特殊出生率は一・三六、同「平成二二年（二〇一〇）人口動態統計（確定数）の概況」（同サイト、二〇一一年十二月一日）では二〇一〇年は一・三九、厚生労働省政策統括官付参事官付人口動態・保健社会統計室「令和二年（二〇二〇）人口動態統計（確定数）の概況」（同サイト、二〇二二年二月二十五日）では二〇二〇年は一・三三である。

（8）疾病予防管理センター（Centers for Disease Control and Prevention）麾下の国立衛生統計センター（National Center for Health Statistics）による二〇〇三年二月六日発表では、二〇〇〇年のアメリカの合計特殊出生率（Total Fertility Rate）は二・〇五六であった（Stephanie J. VENTURA and Brady E. HAMILTON and Paul D. SUTTON, "Revised Birth and Fertility Rates for the United States, 2000 and 2001", *National Vital Statistics Reports*, Volume 51, Number 4, February 6th, 2003.）。また同様に二〇一〇年は一・九三一であった（Brady E. HAMILTON and Joyce A. MARTIN and Stephanie J. VENTURA, "Births: Preliminary Data for 2010", *National Vital Statistics Reports*, Volume 60, Number 2, November 17th, 2011.）。そして二〇二〇年は一・六四一、二〇二一年は一・六六三であった（Brady E. HAMILTON and Joyce A. MARTIN and Michelle J. K. OSTERMAN, "Births: Provisional Data for 2021", *National Vital Statistics System - Vital Statistics Rapid Release Report*, No. 20, May 2022.）。

（9）すでに国務総理華国鋒が一九七八年二月二十六日の政府工作報告で「計劃生育很重要」と触れ（『人民日報』一九七八年三月七日第一面「団結起来、為建設社会主義的現代化強国而奮闘――一九七八年二月二十六日在第五届全国人民代表大会第一次会議上的政府工作報告」）、一九七八年三月五日の第五届全国人民代表大会第一次会議で憲法修正案が通過して第三章「公民的基本権利和義務」の第五十三条に「国家提倡和推行計劃生育」の文言が書き込まれ（一九八二年十二月四日通過の憲法修正案では第一章「総綱」第二十五条の「国家推行計劃生育」および第二章「公民的基本権利和義務」第四十九条「夫妻双方有実行計劃生育的義務」と記載され現在に至る）、一九七九年一月二十六日には北京で「全国計劃生育辧公室主任会議」が開催されて全国的政策課題となり（『人民日報』一九七九年一月二十七日第一面「進一歩控制人口増長速度」）、いわゆる「一孩政策」が開始された。小浜正子『一人っ子政策と中国社会』（京都大学学術出版会、二〇二〇年二月）、またアジア全体の概説として小浜正子・松岡悦子編『アジアの出産と家族計画――「産む・産まない・産めない」身体をめぐる政治』（勉誠出版、二〇一四年三月）を参照。

（10）二〇〇一年十二月二十九日に第九届全国人民代表大会常務委員会第二十五次会議で通過していた「人口与計劃生育法」が基本法となり（『人民日報』二〇〇一年十二月三十日第六面「中華人民共和国人口与計劃生育法」）、その第三章「生育調節」第十八条には「国家穏定現行生育政策、鼓励公民晩婚晩育、提倡一対夫妻生育一個子女」の文言が記載された。ただ二〇一五年十月の五中全会では「促進人

口均衡発展、堅持計劃生育的基本国策、完善人口発展戦略、全面実施一対夫婦可生育両個孩子政策、積極開展応対人口老齢化行動」と決定し（『人民日報』二〇一五年十月三十日第一面「中共十八届五中全会在京挙行——中央政治局主持会議 中央委員会総書記作重要講話」）、二〇一五年十二月二十七日には第十八条が「国家提倡一対夫妻生育両個子女」と修正された（『人民日報』二〇一五年十二月二十八日第四面「全国人大常委会関於修改『中華人民共和国人口与計劃生育法』的決定——二〇一五年十二月二十七日第十二届全国人民代表大会常務委員会第十八次会議通過」）。また二〇二〇年五月三十一日の中央政治局会議は「我国人口総量庞大、近年来人口老齢化程度加深。進一歩優化生育政策、実施一対夫妻可以生育三個子女政策及配套支持措施」と決定し（『人民日報』二〇二一年六月一日第一面「中共中央政治局召開会議——会議聴取〝十四五〟時期積極応対人口老齢化重大政策挙措彙報 審議『関於優化生育政策促進人口長期均衡発展的決定』中共中央総書記主持会議」）、二〇二一年八月二十日には同じく第十八条が「国家提倡適齢婚育・優生優育。一対夫妻可以生育三個子女」と修正された（『人民日報』二〇二一年八月二十一日第四面「全国人民代表大会常務委員会関於修改『中華人民共和国人口与計劃生育法』的決定——二〇二一年八月二十日第十三届全国人民代表大会常務委員会第三十次会議通過」）。

（11）施小明「新形勢下我国老年人口面臨的主要公共衛生挑戦」（『中華医学雑誌』第一〇一巻第四十四期、二〇二一年十一月）。なお著者の施小明は中国疾病預防控制中心（Chinese Center for Disease Control and Prevention）の環境与健康相関産品安全所（National Institute of Environmental Health）で所長を勤める。

（12）陳偲・夏妍「養老金〝空賬〟誰来填」（人民日報系『国際金融報』二〇一三年十一月二十六日）。

（13）二〇〇六年五月十九日に湖北省宜昌市の農村で撮影された写真（騰訊図片精選系列「計劃生育宣伝標語変遷」、騰訊新聞、二〇一三年十一月二十一日、https://news.qq.com/a/20131121/013552.htm）。写真に「鴉計生協」の字を見て取れるが、宜昌市夷陵区鴉鵲嶺鎮を指すのかもしれない。なお「只生一個好、政府来養老」の標語は他にも馮小静「広州失独家庭調査——夫婦住寺廟聴佛経内心才安寧」（『羊城晩報』二〇一二年八月十六日）にも登場している。

（14）淩文豪『統籌城郷社会養老保障体系建設問題研究——基於河南省八十七個県（市・区）的調研』（中国社会科学出版社、二〇一七年八月）なかでも第二章「統籌城郷社会養老保障体系発展現状」を参照のこと。

（15）「中共中央宣伝部就党的十八大以来就業和社会保障工作進展与成效挙行発布布会」（国務院新聞辦公室および国家互聯網信息辦公室が指導し中国外文出版発行事業局が管理する中国互聯網新聞中心「中国網」公式サイト、二〇二二年八月二十五日、http://www.china.com.cn/zhibo/content_78384925.htm）では、人力資源社会保障部の李忠副部長が「基本養老・失業・工傷三項社会保険参保人数分別従二〇一二年的七．九億人・一．五億人・一．九億人、増加到二〇二二年六月的一〇．四億人・二．三億人・二．九億人、十年間僅養老保険就増加了二．五億人」と述べている。なお新聞発表としては班娟娟「社保基金年度収支規模超十三万億元」（新華社系『経済参考報』二〇二二年八月二十六日第二面）などに確認できる。

(16)代麗麗「本市発布二〇二二年社保待遇標準調整方案――企退人員当月及補発養老金今日発放到位」（『北京日報』二〇二二年七月十五日第五面）によれば、省級特別市である北京市では、いわば日本の厚生年金にあたる「企業職工基本養老保険」は毎月六二五〇元を水準とし、また国民年金にあたる「城郷居民基本養老保険」は毎月八八七元を水準とするという。なお国家統計局編『中国統計年鑑二〇二一』（中国統計出版社、二〇二一年九月）四‐九「城鎮非私営単位就業人員平均工資和指数」によれば北京市の国公有部門で平均年収一七万八一七八元、また四‐一三「按行業分城鎮私営単位就業人員平均工資」によれば北京市の民間部門で平均年収九万六〇三元であったという。

(17)二〇一六年十月二十六日開催の首届京津冀養老論壇で全国老齢工作委員会（主任は副総理級）辦公室（主任は大臣級）の政策研究部の李志宏副主任が「空巣和独居老年人則持続遞増到二〇二〇年的一・一八億」と試算している（『京華時報』二〇一六年十月二十七日第四面「中国失能老年人四年後将達四二〇〇万」）。なおこの数値は同時期の総合調査に基づくものであろう、鍾長征「三部門発布第四次中国城郷老年人生活状況抽様調査成果」（『中国社会工作』二〇一六年第二十九期）に触れられるような全国老齢工作委員会辦公室編『第四次中国城郷老年人生活状況抽様調査総数拠集』（華齢出版社、二〇一八年十二月）が存在する。以降は悉皆調査を実行してないようで、例えば李暁婷「『空巣』不『空心』――超一億空巣老人如何老有頤養・老有所楽」（『新華毎日電訊』二〇二一年十月十五日第十二面）においても二〇一六年時点の予測を援用している。

(18)民政部管下の中民社会救助研究院が二〇一六年十月九日に公表した『中国老年人走失状況白皮書』によれば、全国で毎年五十万人ほど、毎日では一三七〇人の高齢者が「失踪」しているという（劉可「全国平均毎天走失一三七〇位老人」『北京日報』二〇一六年十月十日）。

(19)詹青「買到〝凶宅〟可以退、買了〝衰宅〟能退不?: 難!」（広東省委員会主管『羊城晩報』系客戸端「羊城派」二〇一九年四月十六日、https://ycpai.ycwb.com/ycppad/content/2019-04/16/content_375580.html）では「房子没任何問題、不過此前住過一個老人、空巣独居、死亡十多天才被発現。後来還被登上報紙新聞、因為這個原因、房子需要降価15%出售。」といい、孤独死の瑕疵物件として価格の低下があったという。題名に登場する「凶宅」とは不自然死発生居宅を指すものであり、この記事では本件について「其実都不能算是真正意義上的〝凶宅〟、最多只能算是心理不適、但也会影響房屋価値。」として、「凶宅」には当たらないながら、やはり減額を必するという。なお中国は封建迷信の打破を推進しているものの、二〇一〇年十月二十日公開の政府情報「不慎誤買凶宅 可訴房主詐欺」（索引号：001008001026149/2010-62936、http://www.hangzhou.gov.cn/art/2010/10/20/art_1256343_5864470.html）では「按照民俗和生活常識、発生過命案的所謂〝凶宅〟確実是人們不願意購買的、這並不是封建迷信、而是朴素観念和善良風俗、対此法律応当尊重並給予保護」として忌避意識を是認している。

(20) 鍾経文「従〝老有所養〟到〝老有善養〟的平安之路」(中国日報系「中文網」、二〇二二年三月四日、https://caijing.chinadaily.com.cn/a/202203/04/WS6221c8f6a3107be497a09290.html) は後述〝九〇七三〟について「不願離家、是多数老年群体的養老選択」と表現する。「鄭秉文：〝以房養老〟的最大衝突在於伝統文化」(中国社会科学院世界社会保障研究中心社会保障実験室『快訊』二〇一四年第二十六期、総第七十五期、二〇一四年七月十四日。また尤元文編『老齢問題与養老工作資料選編』第三輯、中国経済出版社、二〇一五年八月、第二章「宏観指導」第十九号文献)、また「鄭秉文：今年可能人口負増長　現在是建立養老金」(中国社会科学院世界社会保障研究中心社会保障実験室『快訊』二〇二二年第十八期、総第五〇九期、二〇二二年四月二十八日)。

(21) 田村和彦「中国における「地域」をめぐる考察――「社区」の見出された文脈を中心に」(『福岡大学研究部論集（F：推奨研究編）』第二号、二〇一五年三月、田村和彦・山根直生「中国における「地域」概念検討」第二部)によれば、訳語の定着はRobert Ezra PARK(派克)、燕京大学社会学会訳『派克社会学論文集』(燕京大学社会学会、一九三三年十二月)に始まるという。韓明謨『中国社会学史』(天津人民出版社、一九八七年十二月。星明訳、行路社、二〇〇五年三月)、閻明『中国社会学史――一門学科与一個時代』(清華大学出版社、二〇一〇年九月)、星明『中国社会学史の研究』(一粒書房、二〇二一年一月)を参照。

(22) 大城養老編委会『大城養老――上海的実践様本』(上海人民出版社、二〇一七年八月)によれば、二〇〇七年一月二十四日に上海市人民政府が「上海市民政事業発展十一五規劃」を印刷発布し〝九〇七三〟を目標としたという。なお上海の福祉政策の整理として本冊付録二「上海養老服務発展大事記録(一九七九-二〇一七年)」が有用である。また二〇〇九年三月十二日「上海市老齢事業発展十一五規劃」には第四章「〝十一五〟期間老齢事業発展的主要任務」第二節「養老服務事業」の第一項「堅持家庭自我照料和社会化照料相結合、充分発揮家庭贍養・扶養功能」に「使九〇%左右老年人的生活照料問題在家庭得到較好解決」といい、また第二項「著力推進養老機構建設、完善養老床位合理布局」に「全市養老機構床位達六十週歳及以上戸籍老年人口的三%以上」という。そして二〇一二年八月一日「上海市老齢事業発展十二五規劃」では第一章「発展現状和面臨的形勢」第一節「発展現状」の第三項表題に「〝九〇七三〟養老服務格局基本形成」と銘記され、続く二〇一六年九月三十日「上海市老齢事業発展十三五規劃」でも〝九〇七三〟に触れるが、すでにその目標を大幅に達成したためか、二〇二一年六月三日「上海市老齢事業発展十四五規劃」に言及はない。

(23) たとえば張絵薇・朱軍備「〝九〇七三〟養老格局恵及三.七万老人」(浙江省寧波市委員会機関紙『寧波日報』二〇〇八年六月二十九日第一面)、楊宝迪「構建〝九〇七三〟養老服務新格局」(吉林省長春市委員会機関紙『長春日報』二〇〇九年八月十一日第一面)、張駿「〝九〇七三〟格局――堅持還是調整?」(上海市委員会機関紙『解放日報』二〇一〇年六月二十四日第二面)など。なお二〇二一年四月八日には国家衛生健康委員会の老齢健康司の王海東司長が現状について〝九〇七三〟と表現している。張熙「国家衛健委：我国養老呈〝九〇七三〟格局　約九十%老年人居家養老」(中国中央電視台系「央視網新聞頻道」二〇二一年四月八日、http://m.news.cctv.

com/2021/04/08/ARTIwcwUroEXDM4NPKGnmOuu210408.shtml)、「国家衛生健康委員会二〇二一年四月八日例行新聞発布会――介紹医養結合工作進展成効有関状況文字実録」(国家衛生健康委員会公式サイト、二〇二一年四月八日、http://www.nhc.gov.cn/xwzb/webcontroller.do?titleSeq=11374)。

(24) 毛丹編『中国城市街道与居民委員会档案史料選編』(全十冊、浙江大学出版社、二〇一九年十月)。なお一九四九年三月のものとして、第一冊には葉剣英「北平市人民政府関於廃除偽保甲制度建立街郷政府初歩草案」が含まれる。ほか一九五四年十二月三十一日の第一届全国人民代表大会常務委員会第四次会議では「城市街道辦事処組織条例」および「城市居民委員会組織条例」が通過、職場の「単位」との間に役割の消長があり、その後の二〇一八年十二月二十九日には第十三届全国人民代表大会常務委員会第七次会議で「都市居民委員会組織法」が通過し現在の体制が整備された。一九五四年段階では十五戸から四十戸までを組織する居民小組が最大十七組で居民委員会を構成するという。

(25) なお鼓浪嶼街道辦事処はそれまで独立した区で、二〇〇三年四月二十六日に思明区へと編入され、社区も延平・旗山が龍頭社区に、福祥・鶏山が内厝社区に統合され(『中華人民共和国政区大典』福建省巻、中国社会出版社、二〇一六年八月)、現在は二社区で構成されている。

(26) 農村では河南省遂平県嵖岈山鎮でスプートニク打ち上げを記念する衛星人民公社が一九五八年四月二十日に成立(賈艶敏『大躍進時期郷村政治的典型――河南嵖岈山衛星人民公社研究』知識産権出版社、二〇〇六年七月。また馬国顕・徐則挺『東方第一社――嵖岈山人民公社紀実』中国国際広播出版社、二〇〇一年)、農村や都市に人民公社そして生産大隊および生産隊が設置されていった。とはいえ利点には弊害もあり、一九八〇年九月には四川省温江地広漢県向陽人民公社が初めて「人民公社」の看板を撤廃すると(周玉琴「這里、率先摘下〝人民公社〟牌子」『四川日報』二〇二一年五月三十一日第六面)、各地の公社も続いた。ただし河北省石家荘市晋州市の周家荘では近年なお人民公社が存続している(劉国運『周家荘――中国農村奇蹟』河北人民出版社、二〇一六年十一月、馮艶博・胡琳琳・李庚昕・郭書良・于浩文「郷村集体経済運行機制和実現形式新探索――基於周家荘的調研分析」広西発展和改革委員会『市場論壇』二〇一九年第八期)。

(27) 当初は自発的な自治組織として始まり、賭博抑制や盗難科料の設定を行っていたという(徐勇「最早的村委会誕生追記――探訪村民自治的発源地広西宜州合寨村」『炎黄春秋』二〇〇〇年第九期、また唐燕霞「村民自治と農村政治――広西壮族自治区宜州市屏南郷合寨村の事例を中心に」『北東アジア研究』第十三号、二〇〇七年三月)。その後は中央政府から追認され、一九八二年十二月四日の第五届全国人民代表大会第五次会議で通過した通称「八二憲法」の第三章「国家機構」第五節「地方各級人民代表大会和地方各級人民政府」第一一一条に村民委員会の規定が盛り込まれ、一九八七年十一月二十四日の第六届全国人民代表大会常務委員会第二十三次会議で「村民委員会組織法（試行）」が、また一九九八年十一月四日の第九届全国人民代表大会常務委員会第五次会議で同「組織法」が通過している。

(28) これら基層組織については数多くの研究がものされてきた。唐燕霞「都市基層社会の住民自治についての一考察――山東省の社区居民委員会の事例を中心に」（『北東アジア研究』第十六号、二〇〇八年十二月）、同「中国の社区自治における居民委員会の役割に関する試論」（『総合政策論叢』第二十三号、二〇一二年三月）、趙氷「長春市における高齢者向け社区サービスに関する研究」（『総合政策論叢』第二十五号（二〇一三年二月）、長田洋司「行政主導型コミュニティとしての「社区建設」の位置づけとその実態――北京市の事例から」（鈴木隆・田中周編『転換期中国の政治と社会集団』国際書院、二〇一三年十月、第五章）、張秀敏・中山徹「社区居民委員会事務所による高齢者在宅サービスに関する研究――中国・長春市を事例として」（『日本家政学会誌』第六十四巻第十二号、二〇一三年十二月）、李暁東「「つながり」の形成と「政治」の役割――コミュニティ建設に見る「社区居民委員会」の取り組み」（『中国二一』第四十号、二〇一四年三月）、朱安新・小嶋華津子「都市コミュニティの建設――「社区」とコミュニティ」（小嶋華津子・島田美和編著『中国の公共性と国家権力――その歴史と現在』慶應義塾大学出版会、二〇一七年三月）、近年に限っても松本未希子「中国における「基層群衆性自治組織」の法的性質――「行政主体」論による公私の二分化？」（『神戸法学雑誌』第六十九巻第二号、二〇一九年九月）、同「中国における法人概念と村民委員会の自治」（『社会体制と法』第十八号、二〇二〇年六月）、橋本誠浩「現代中国における社区居民委員会の従属性と非従属性――地方行政の断片化と共産党のネットワーク」（『アジア研究』第六十六巻第三号、二〇二〇年七月）、同「中国の都市末端における政府・共産党の統治の安定性――間接選挙を通じた社区幹部の人事異動メカニズム」（『中国研究月報』第七十五巻第十二号、二〇二一年十二月）。また中国語書籍として黎熙元・黄暁星編『現代社区概論』（中山大学出版社、二〇一七年三月）、文餘源『城郷一体化進程中的中国農村社区建設研究』（中国人民大学出版社、二〇二一年二月）、孫小逸『城市社区治理――上海的経験』（上海人民出版社、二〇一七年十二月）、林閩鋼・梁誉「論中国社会服務的転型発展」（黒龍江省行政学院『行政論壇』二〇一八年第一期）など。

(29) 二〇〇五年十二月二十六日付全国老齢工作委員会辦公室「関於加強老年人優待工作的意見（全国老齢辦発〔二〇〇五〕四十六号）」、二〇一三年十二月三十日付同室「関於進一歩加強老年人優待工作的意見」から二〇二二年六月十三日付「国家衛生健康委 全国老齢辦関於深入開展二〇二二年〝智慧助老〟行動的通知（国衛老齢函〔二〇二二〕九十四号）」まで実に多くの方針が発出されている。また、二〇一七年六月六日付「国務院辦公庁関於制定和実施老年人照顧服務項目的意見（国辦発〔二〇一七〕五十二号）」（全国老齢工作委員会辦公室・中国老齢協会編『中国老年人優待法規政策選編（二〇一九）』華齢出版社、二〇一九年十一月、以下『優待法規』と呼称、四頁）第二章「重点任務」の第二節では「発展居家養老服務、……鼓励和支持城郷社区社会組織和相関機構為失能老年人提供臨時或短期托養照顧服務」とし、第四節では「推進老年宜居社区・老年友好城市建設」という。

(30) 二〇一四年十月十七日付「河北省老年人優待辦法（河北省人民政府令〔二〇一四〕第七号）」（『優待法規』三十頁）では第六条で「機関・団体・企業・事業単位和村（居）民委員会応当承担向老年人提供優待服務的社会責任」として行政村の村民委員会あるいは社区の居民委員会に言及している。なお河北省石家荘市管下の辛集市では二〇一五年一月三十日付「辛集市人民政府印発辛集市関於落実『河北省老年人優待辦法』実施細則的通知」（『優待法規』五三〇頁）として省の方針を祖述している。また二〇一五年八月二十四日付「甘粛省老齢工作委員会辦公室等三十二個部門関於進一歩完善老年人優待工作的意見（省老齢辦発〔二〇一五〕三十一号）」（『優待法規』七十七頁）第二章「優待項目和範囲」第一節「政務服務優待」第六項では「加快推進社区居家養老服務……積極推進城市社区日間照料中心・農村互助老人幸福院（日間照料中心）建設……開展就近便捷的老年互助服務」という。二〇一一年一月二十一日付「江蘇省老年人権益保障条例」（『優待法規』一一八頁）第二十五条では「只生育一個子女的老年人按照有関法律・法規和県級以上地方人民政府的規定享受計劃生育奨励優恵政策」、第二十六条では「老年人主張合法権益有困難的、其所在的郷鎮人民政府・街道辦事処和村民委員会・居民委員会応当提供幫助」とする。また二〇一八年十月十三日付「内蒙古自治区老年人権益保障条例」（『優待法規』一〇八頁）第三十一条では「蘇木郷鎮人民政府・街道辦事処応当為〝空巣〟・留守老年人建立信息档案、並定期看望・慰問、組織志願者為老年人提供心理疏導和生活幫助、為老年人解決日常生活困難」という。

(31) 貴州省の畢節市では二〇一五年一月二十七日付「畢節市委辦公室・畢節市人民政府辦公室関於老年人優待工作進行責任分解的通知（畢委辦字〔二〇一五〕十一号）」（『優待法規』四六〇頁）に各項目の分担を規定しており、たとえば序号七の項目は「優待類別」が「政務服務優待」であり、「優待範囲和項目」が「建立完善為老服務志願者数拠庫、毎年要在全市範囲内安排両次以上為老年人提供的志願者服務活動、積極鼓励和引導社会志願服務組織優先為老年人提供服務」であり、「牽頭単位」が「団市委」、「配合単位」が「市婦聯・総工会・教育局・畢節軍分区政治部・老齢委辦」という。その管下の赫章県では二〇一五年八月十八日付「赫章県委辦公室・赫章県人民政府辦公室関於老年人優待工作進行責任分解的通知（赫委辦字〔二〇一五〕十八号）」（『優待法規』八四〇頁）と上級の通知を祖述する。

(32) 二〇一四年十月十五日付「福建省関於進一歩加強老年人優待工作的意見（閩老齢辦綜〔二〇一四〕三号）」（『優待法規』四十三頁）第二章「優待対象和項目」第二節「政務服務優待」第六項では「推動農村互助養老、為空巣老人提供助餐服務。有条件的農村可結合〝農村幸福院〟建設、依託郷村老年組織、採取自願申請・相互幫助・志願者服務等方式、由老年人自願搭夥、解決空巣老人等做飯難問題」、また第十項では「社区（村）老年組織応当協助社区居民委員会・村民委員会開展為老年人服務的互助和志願活動、通過鄰里守望・組織低齢健康老年人対高齢・空巣・失能老年人進行幫助」とする。その方針を受けたものであろう、二〇一五年三月十三日付「莆田市老齢工作委員会辦公室等二十一部門関於進一歩加強老年人優待工作的意見（莆市老齢辦〔二〇一五〕六号）」（『優待法規』二五九頁）では省と同様の方針を記載する。

(33) たとえば熊如夢・常紅「幸福九号・養老托管・暖心工程探索養老新模式——我国養老事業呈現創新発展趨勢」（人民日報系「人民網」二〇一五年三月三十一日、http://politics.people.com.cn/n/2015/0331/c1026-26777010.html。また尤元文編『老齢問題与養老工作資料選編』第三輯、中国経済出版社、二〇一五年八月、第五章「論壇展会」第四十八号文献）。その標語は古く陳通秀・周莉莉「開展〝暖心工程〟促企業平穏転制」（中華全国総工会機関紙『工人日報』二〇〇〇年十一月十一日第四面）、曹許・盧軍「山東省軍区〝暖心工程〟五年不間断——把先進性体現在為基層解難題辦実事上」（解放軍報系『中国国防報』二〇〇五年三月十七日）、鄭明橋「武漢〝暖心工程〟譲農民工安心舒心」（国務院主辦『経済日報』二〇〇五年七月十日第一面）のように登場するが、中央より明確に語られることはないようである。なお申釘釘「〝暖心工程・情暖社区〟秀洲啓動暨愛心共建企業授牌儀式挙行」（新華社「新華網」二〇二一年四月二日、http://www.xinhuanet.com/gongyi/2021-04/02/c_1211095831.htm）によれば、中国社会福利基金会は二〇一〇年より「空巣独居老年人」に対して民政部の基層政権建設和社区治理司の指導支持のもと「暖心工程」を実行してきたという。

(34) 潘蓉「〝九〇七三〟養老服務格局的困境及出路——基於天津市養老服務建設現状的調査及研究」（『中国商論』二〇二〇年第四期）。

(35) 陳平「北京東城区城市管理新模式」（『地球信息科学学報』二〇〇六年第八巻第三号）。また WU Qiang（呉強）, Gridding, "Mass Line and Social Management Innovation: A Comparative Study of Gridding Management in China from an Anthropological-Political Perspective". *The China Nonprofit Review*, Volume 7, Issue 1, 2015 May. また運営企図者としての政法委員会やデジタル化について小嶋華津子「コロナ禍で現れた習近平政権の「社区」統治」（川島真・二十一世紀政策研究所編著『習近平政権の国内統治と世界戦略——コロナ禍で立ち現れた中国を見る』勁草書房、二〇二二年十月）。

(36) 毛万磊・呂志奎「厦門綜改区〝社区網格化〟管理的優化——以鼓浪嶼社区為例」（『東南学術』二〇一三年第四期）。

(37) 鄧君「公安局長向百名——蹚出一条路守護一座城」（中央政法委員会機関紙『法治日報』二〇二二年六月二十三日第四面）では南海公安分局の向百名局長の麾下に分局・派出所・社区民警中隊・社区警務室が所属する。また城管とは城市管理和綜合執法局を指し地域の環境保全を担う。たとえば江西省上饒市広豊区には城建管理監察大隊のもと四地区の市容中隊など一一四名の職員が勤務する（「上饒市広豊区城建管理監察大隊基本状況」広豊区人民政府信息公開平台、二〇一六年十二月二十一日、http://www.gfx.gov.cn/qcgj/c118745/201612/19063e01f8284ace8db91c0efc2db851.shtml）。そして環衛とは地方建設局あるいは城管の管下にある環境衛生事務管理機構を指し、清掃収集や公厠管理を行う。河北省廊坊市では一〇六八名の職員が勤務するという（「廊坊市環境衛生事務中心」、廊坊市住房和城郷建設局公式サイト、二〇二一年六月二十九日、http://zjj.lf.gov.cn/wmfw/hwfw/jgxx/202106/20210629/j_2021062916204600041191.html）。

(38) 江蘇省では蔓延防止に「三十多万〝網格員〟」が「責任区」を「堅守」したという（過国忠「江蘇：織密〝防護網〟築牢〝防控牆〟」科学技術部機関紙『科技日報』二〇二〇年二月六日第三面）。なおそれは鼓浪嶼でも同様で、内厝社区の網格員がＰＣＲ検査に尽力している（「思明区強化疫情防控網格化管理——推動居民群衆参与聯防聯控・群防群治」、福建省委員会機関紙『福建日報』系「台海網」二〇二一年九月二十六日、http://www.taihainet.com/news/xmnews/shms/2021-09-26/2557334.html）。また二月十四日に鼓浪嶼で六十の網格疫情防控群が設立され、全二三〇八戸に体温計を直接配布したという（林路然・楚燕「疫情群防群控〝鼓浪嶼模式〟——体温計免費送上門 微信群交流報平安」、『厦門日報』二〇二〇年二月十九日）。この記事に登場する網格関係者の一人で湖北省孝感市出身という楊燕は二〇二〇年二月二十一日に「抗疫工作小記——平凡的一天」（捜狐、https://www.sohu.com/a/374843326_649214）として一日の記録を公開している。

(39) 雑感記事として潘旭涛「智能時代、如何譲老年人生活得更従容?」（『人民日報』二〇二〇年十二月二日第五面）、また運用法として左美雲『智慧養老——服務与運営』（清華大学出版社、二〇二一年五月）。

(40) 胡小娟「打造智慧養老新模式 満足多層次多様化健康養老需求」（深圳市宝安区委員会機関紙『宝安日報』二〇二一年十一月二十五日第六面）。

(41) 高万軍「網格化服務助力社区養老」（山西科技伝媒集団『智慧生活報』二〇二一年十一月三日第七面）。

(42) 趙立宇・侯雅潔「浙江温嶺市——網格智治激活基層治理〝微単元〟」（農業農村部機関紙『農民日報』二〇二一年十一月二十九日第五面）。なお台州市統計局・国家統計局台州調査隊編『台州統計年鑑二〇二一』（中国統計出版社、二〇二一年十一月）第二章「人口和従業人員」第三節「各県市主要年份年末人口数」によれば、温嶺市の二〇二〇年の常住人口数は一四一．七万人である。温嶺市網格アプリについては趙静「〝温格治理〟譲毎一戸人家都享受貼心服務——〝小網格〟撬動〝大民生〟」（『温嶺日報』二〇二一年十二月二日第一面）を参照。

(43) 広東省深圳市光明区では全区の党員の過半となる七千名が網格へと参加したという（劉英・常充利・王奮強「光明区推動党員到社区・片区網格報到 開展〝光明虹〟党員志願先鋒活動」、深圳市委員会機関紙『深圳特区報』二〇二一年六月二十七日第四面）。

(44) 往時の不振について柳霞「中国〝社工〟発展難在哪?」（『光明日報』二〇一四年三月十八日第十面）、現状について「報名人数逐年大幅遞増、今年近九十万人報考——社工考試為何越来越熱?」（『成都日報』二〇二一年六月二十四日第四面）。二〇二一年四月七日付「福州市人民政府辦公庁関於印発社区工作者管理辦法（試行）的通知（榕政辦〔二〇二一〕二十九号）」（福州市人民政府公式サイト、http://www.fuzhou.gov.cn/zwgk/gb/202106/t20210610_4117900.htm）では社区での社会工作者などの雇用について詳細に規定する。

(45) 人力資源和社会保障部の管下の中国職業培訓技術指導中心「関於対擬発布新職業信息進行公示的公告」（同省公式サイト、二〇二〇年五月十一日、http://www.mohrss.gov.cn/SYrlzyhshbzb/zwgk/gggs/tg/202005/t20200511_368176.html）ではブロックチェーン技術者やＰＣＲ検査員のほか社区網格員（三-〇一-〇一-〇六）の定義そして情報コードを定めており、二〇二〇年の段階から網格員が一気に全中国で注目される職業となったことがうかがわれる。二〇二一年一月二十四日付「福州市人民政府辦公庁関於印発福州市城市網格員管理辦法（試行）的通知（榕政辦〔二〇二二〕八号）」（福州市人民政府公式サイト、https://www.fuzhou.gov.cn/zwgk/gb/202203/t20220314_4325298.htm）では網格のデジタル管理、巡査（〝e福州〟アプリ・WeChatグループ・一二三四五ホットラインなどでの状況記録）、綜合執法（実際の執行）の雇用条件について規定する。

(46) 募集要項・雇用条件は「厦門市思明区鼓浪嶼街道辦事処二〇一七招聘社区網格員二人考試簡章」（厦門市思明区人力資源和社会保障局公式サイトに原掲、公務員試験対策講座を運営する華図宏陽教育文化に転載、二〇一七年三月三日、http://www.huatu.com/shehui/20170303_1551091.html）に掲載される。なお合格者について「鼓浪嶼街道辦事処公開招聘社区網格員面試資格覆覈的通知」（厦門考試測評網、二〇二二年二月二十一日、https://www.kscpzx.com/article-53593-103460.html）では実名を記した十五名の再雇用面接を伝える。前者では三十五歳以下の高等専門学校以上の学歴の若者を募集し「月工資約三六五〇元」とする。

(47) なお史強「棄三十万元年薪当社区網格員　給個名字能馬上知道是不是網格居民」（『武漢晩報』二〇二一年八月二十七日）では保険会社の年収三十万元を棄てて網格員となった人物が武漢市漢陽区の網格員五百名強のなかから金牌網格員に選ばれたことを伝える。

(48) ＤＸ（Digital Transformation）の進展も著しい。網格の管理ソフトを開発する図新は人間による網格管理の短所として「数拠壁壘・信息碎片化厳重」「各部門管理方式落後、監督評価体系不完善」「社区安全建設理念薄弱」を挙げる（中科図新（蘇州）科技有限公司「図新雲ＧＩＳ」公式サイト、「社区網格化綜治管理」http://www.tuxingis.com/solution/139.html）。

(49) Kenneth LIEBERTHAL and Michel OKSENBERG, *Policy Making in China: Leaders, Structures, and Processes*, Princeton University Press, 1988. また Kenneth LIEBERTHAL, *Governing China: From Revolution Through Reform*, Norton, 2004. ほか Susan L. SHIRK, *China, Fragile Superpower: How China's Internal Politics Could Derail Its Peaceful Rise*, Oxford University Press, 2008. あるいは Edited by Kjeld Erik BRØDSGAARD, *Chinese Politics as Fragmented Authoritarianism: Earthquakes, Energy and Environment*, Routledge, 2018. なおこのような分節による統治について李文釗「党和国家機構改革的新邏輯——従実験主義治理到設計主義治理」（『教学与研究』、二〇一九年第二期）が存在する。

第八章　辺疆と開発の国際関係
――広西北部湾国際港と西部陸海新通道をめぐって

一．辺疆の諸相

国家は往々にして国境周辺地域への対応に苦慮するものである。コペンハーゲンやキンシャサ、オタワやブエノスアイレスといった例もあるものの、基本的に国境は政治や経済の中心から遠く、軍事防衛や経済発展の観点で適切な政策を必要とする。たとえば北京から二千四百キロメートル離れた広西省（現在の広西チワン族自治区）に三不要なる地域があった。民国期の新聞はこの地を下文のように記す[1]。

我が国には二つの地名があり、我が国の歴史の状況を代弁してくれる。一つは三不要、広東省（廉州府欽州）の西北にある。広西省（南寧府）上思州および安南国（ベトナム）の河口に接している。欽州にも上思州にも属さず、といって河口にも属していない。その所在が僻遠にして険阻であるため官吏は面積狭小を理由に画境を遷延し、みな「甌脱」（境界未画定地域）と見做している。またもう一つは四不管、貴州省（黎平府）古州庁の西北にある。（鎮遠府の）清江庁と台拱庁、（都匀府の）八寨庁と丹江庁と都江庁に接している。山々が連なり、苗族や猺族が雑居し、地方官は統治困難を理由に管理を押し付けあい、みな教化対象外として捨て置いてきた。しかし、我が方が不要と言ったとて結局は彼の方から隙を窺われ、また我が方が管理せずと言ったとて結局は彼の方から関与されるものである。なんと思慮の足りないことであろうか。

語源は定かならざるものの、清朝に在って珍妙なこの地名は三者不要ゆえの謂と見做されている。(2) もう一方の貴州四不管も現在の黔東南苗族侗族自治州にあり、ともに中央からみれば辺疆かつ少数民族居住地域にあたる。とはいえ少なくとも三不要（現在の防城港市防城区峒中鎮）は二〇〇九年にベトナム側の広寧（クアンニン）省平遼（ビンリエウ）県横模（ホアインモー）社との貿易窓口が設置され、(3) その要度を向上させている。ただしそれでも地域全体の経済状態は決して良好とはいえない。二〇二二年度の三十一の省レベル地域内総生産額を比較してみれば、筆頭の広東省が一二兆九一一八億元のところ、広西は二兆六三〇〇億元で第十九位であった。これは二〇一三年度の一兆二四四八億元と比較すれば倍増しているが、その順位は同じ第十九位であった。しかも広西は人口が多く、一人あたり地域内総生産額をみれば、筆頭の北京市が一九万三一三元のところ広西は第二十九位の五万二一六四元に過ぎず、二〇一三年時点の第二十八位（二万六四一六元）よりも下降している。(4)

こうした状況は貧困問題にもあらわれている。習近平は全国脱貧攻堅総結表彰大会で二〇二一年二月二十五日に絶対的貧困の根絶達成を発表し、(5) 七月一日には小康社会の全面的な達成を宣言した。(6) この過程で最後に貧困脱却を遂げたのは二〇二〇年十一月二十三日の貴州省であったが、(7) 広西は直前の十一月二十日にやっと貧困撲滅を宣言している。(8) もちろん政府もただ傍観してきたわけではない。過去には国防の必要上から、「三線建設」の号令のもと内陸部への工場移転が求められた。(9) また鄧小平は社会主義経済の優位性を「全国一盤棋」に見いだしていたが、(10) 一九七九年四月二十五日には全国辺防会議の席上で中央統一戦線工作部長であったウランフが「辺疆や少数民族地域の経済や文化の建設」を訴え、(11) 経済面での援助として「内地の省や省級市を組織し、辺疆や少数民族地域と「対口」（カウンターパート）関係による支援を実行し、北京市は内蒙古を、河北省は貴州省を、江蘇省は広西や新疆を、山東省は青海省を、天津市は甘粛省を、上海市は雲南省や寧夏を、全国は西蔵を支援するような必要がある」と提案し実行に移された。なおこの対口支援（counterpart assistance）は「省際」（inter-provincial）の段階に留まらず、一九八〇年には「対口支援城市」として、たとえば江蘇省の南京市が広西の南寧市を、同じく無錫市が柳州市と北海市を支援するような下級単位での支援も求められた[12]。一九八四年五月三十一日に成立した「民族区域自治法」第六章「上級国家機関的領導和幫助」第六十一条では上級機関が「経済発達地域と民族地域地域」での経済技術協力を組織することを定めてもいる。そして一九八六年十月二十四日より開催された全国民族委員会主任拡大会議では習仲勲の主導で「対口援助」の更なる拡充が図られた[13]。

それでもなお東部沿海地域の経済的躍進に比して西部地域の発展は緩慢であった。そこで一九九九年には「西部大開発」が企図され[14]、第十次五ヶ年計画（二〇〇一年から二〇〇五年）に際して西部大開発に関する「規劃」が制作され、「西部」を重慶市・四川省・貴州省・雲南省・西蔵・陝西省・甘粛省・青海省・寧夏・新疆・内蒙古・広西の十二地区と規定した。なおここでは広西について「南寧・北海・欽州・防城地域や貴州省の貴陽近隣地域、雲南省の昆明近隣地域の発展を加速させ、我が国の華南地域と東南アジア地域の経済的連繫関係を強化し、経済と技術の交流と協力を拡大させる」とうたっている[15]。この広西の開発プロジェクトが近年どのように推移したのか、近隣の東南アジア諸国との国際関係を含め、以下に北部湾国際門戸港および西部陸海新通道を中心に考察していく。

二．北部湾の開発

広西南部には西から防城港、欽州港、北海港、石頭埠港（鉄山港）という大港が存在する。このうち北海港は一九五〇年に[16]、防城港は一八九四年に[17]、欽州港と石頭埠港は一九九四年に[18]、それぞれ対外開港している。ただし、その着目は古く、すでに孫文が一九二〇年の時点で欽州の開発を掲げている。孫文は、「First Class Port（頭等港）」として北方の Gulf of Pechili（北直隷湾の好適所、いまの唐山を想定）、東方の Shanghai（上海）、南方の Canton（広州）の育成、また「Second Class Port（二等港）」として Yingkow（営口）、Haichow（海州）、Foochow（福州）、Yamchow（欽州）の四港の開発を提案、このうち欽州について「およそ欽州以西の地域については、この欽州港から海に出れば、広州港経由にくらべ四百マイルを節約できる。皆が知るように海運は鉄路にくらべて運賃は二十倍も安価で、四百マイルを節約すれば、四川・貴州・雲南および広西の一部で言えば、経済面での受益は少なからざるものとなる」との構想を示している。[19]

とはいえ当時の孫文は統一に程遠い広東軍政府および中華民国正式政府（広州）の指導者に過ぎず、あくまで遠い将来の展望に留まるものであった。その後に対内対外の諸戦争を経て新中国が成立すると、ベトナム問題の進展とともに広西各港の重要度も高まる。[20] 米軍撤兵後ながら防城港には一九七五年三月二十二日に広西で初となる一万トン級の「深水泊位」（大水深バース）が完成、[21] つづいて北海港にも一九八六年七月一日に一万トン級の埠頭が完成した。[22] そして欽州港にも一九九四年一月十六日に一万トン級が完成、式典では孫文の孫の孫穂芳が講話を行っている。[23] また、前述の西部大開発の第二次五ヶ年にあたる「十一五」規劃では、「環北部湾（広西）経済区については、南寧・北海・欽州・防城港といった都市に立脚し、周辺の広東省や海南省といった地区と連携し、臨海型産業を重点的に発展させる」と、[24] 開発の重点対象として特記されるにいたった。

こうして各港は施設の増強を得て、「呑吐量」（貨物取扱量、Cargo Throughput）を着実に上昇させていく。『中国統計年鑑』には、[25] 省級市である天津、上海のほか、遼寧省の大連と営口、河北省の秦皇島、山東省の煙台と威海と青島および日照、江蘇省の連雲港、浙江省の寧波・舟山と台州および温州、福建省の福州と厦門、広東省の汕頭と深圳と広州および湛江、広西の北海と防城、海南省の海口と八所の合計二十三港の取扱量変化が記載される。その変化に順位を併記すれば、北海港は二〇〇〇年に二六五万トン（二十三位）、二〇〇五年に四三七万トン（二十三位）、二〇一〇年に一二五一万トン（二十二位）、二〇一五年に二四六八万トン（二十二位）、二〇二〇年に三七三六万トン（二十一位）、また防城港は二〇〇〇年に一一〇三万トン（十七位）、二〇〇五年に二三七七万トン（十七位）、二〇一〇年に七六五〇万トン（十五位）、二〇一五年に一億一五〇四万トン（十六位）、二〇二〇年に一億二一八二万トン（十六位）であった。ここから見れば、広西諸港はたしかに取扱量の絶対値を大幅に増加させているものの、全土各港の取扱量も応分に上昇しており、相対面でみればかえって格差は拡大したのであった。しかも広西社会科学院の周毅によれば、次のように価格面での過当競争「価格戦」で疲弊していたという[26]。

北部湾の（北海・欽州・防城および北隣の南寧の）四都市では、ただ港湾運送事業や投資企業誘致での争奪だけではなく、資金、プロジェクト、人材、技術といったそのほかの多くの領域で厳しい争奪となっている。北部湾の都市群を発展させるためには、内部での消耗を避けて資源の再編を行い発展への協力体制を構築する必要があろう。

北部湾はもとより海南省楽東黎族自治県とベトナム広治（クアンチ）省とを結ぶ線分の内側を指す広大な海域である。その北端に位置する欽州には、内湾となる茅尾海を含む面積九百八平方キロメートルの欽州湾が広がる。湾外には西の防城港と東の北海港が両翼となり、差し渡し東西約八十キロメートルに港湾群が点在する。その規模は東京湾周辺の諸港と類似するが、広大な中国の距離感からいえば選好港湾としての北部湾港は点に近い[27]。そこで坊城港、欽州、北海の三市の市長は、二〇〇六年一月の地方代表大会期間での記者会見で「広西の三つの港湾都市は互いを攻撃すべきではなく、相互に協力し共同で努力しなければならない。それでこそ広西の沿海部の経済はやっと希望が見えてくるのだ」と表明して「三港合一」の展望を示し[28]、八月には三港が北部湾国際港務集団として結束したのであった[29]。ついで二〇〇八年一月十六日には国務院が「広西北部湾経済区発展規劃」を批准し、上海の浦東新区、天津の浜海新区、成都・重慶の都市農村総合経済区、湖北の武漢城市群、湖南の長株潭城市群につづく複合地域プロジェクトとして報道もされた[30]。そして三月十九日には自治区政府が、十二月二日には交通部が「北部湾港」の名称使用許可を下す[31]。こうして広西の港湾合同が始まったのである。

合同ほどない二〇一〇年、港務集団の初任董事長であった葉時湘は「統一規格と統一建設により、最終的な統一管理を実現し、そして悪性の競争なかでも価格面での競争を排除し、港湾の持続的発展を達成する」と抱負を述べている[32]。そこには「追上」(catch-up)の際に生じる「蛙跳型」(leapfrogging)の発展も手伝ったろう[33]、二〇二二年六月二十八日には国内で初となる「海鉄聯運集装箱碼頭」(海上と鉄道の結節としての複合機能を持つ自動化コンテナバース)が誕生している[34]。そして実際に規模の利も達成し、さきの二三港でいえば二〇二三年一月から八月までの貨物取扱量総計として防城港は一億二四七七万トン(十五位)、北海港は三六二四万トン(二十位)ながら、欽州の一億二三七五万トンを合計すれば北部湾港全体として二億八四七六万トンを記録し、寧波舟山(九億二二九万トン)、上海(四億九六四三万トン)、青島(四億六四四五万トン)、広州(四億二二六四万トン)、日照(三億九五五〇万トン)、天津(三億七八五三万トン)、煙台(三億二九六三万トン)に続く第八位に達する地位にいたったのである[35]。

ただし、こうした興隆の背景は港湾整備だけに留まらない。二〇一二年には北部湾経済区について「已告別主要依頼基礎設施投資拉動的歴史」(主にインフラ整備投資に頼ってきた歴史に別れを告げた)なる文言も見られるようになるが[36]、広西経済が相対的に発展途上の段階に在る中で、中国内陸部そして東南アジア諸国連合(Association of South East Asian Nations、アセアン)との経済関係が広西活性化の一助となったことは疑い得ない。実際、二〇二二年では広西全体の輸出入総額が六六〇三億元、輸出が三七〇五億元、輸入が二八九八億元のところ、アセアン諸国向けについて輸出入総額が二八一一億元、輸出が二〇五五億元、輸入が七五五億元を占めるのである。[37] そこで、次節から東南アジアとの関係を確認しよう。

三．東南アジア諸国と広西・重慶

貿易の利とは国外との関係によって発生し、国内の財政へ裨益するものである。[38] あくまで双方関係であることから、自国の意に染まない対方の反応を引き起こすこともあろうが、その益は計り知れない。なかでも広西は国境を越えて隣接する東南アジア諸国との関係を無視しえない。前節で確認したように、広西諸港はベトナム戦争援助とともに拡大し、中越戦争とともに停滞することとなった。二〇一七年四月一九日に習近平は北部湾に属す北海鉄山港の視察の際に「海上絲綢之路」（海のシルクロード）について「港湾建設と港湾経済はとても重要であり……広西の発展のために、また一帯一路建設のために、（アセアンへの）開放と協力の拡大のために、多くの貢献をするべきである」と述べ、[39] また二〇二一年四月二七日の区都南寧市視察の際に「長江経済帯の発展や粤港澳大湾区の建設といった国家の重大戦略と結合し、融け込んで一帯一路を共同建設し、また高い水準で西部陸海新通道を共同建設し、力を尽くして海を意識した経済を発展させ、中国とアセアンとの開放と協力を促進するべきである」と指摘している。[40]

これは広西側も強く意識をするもので、北部湾の一体化が発進した二〇〇八年には「環北部湾経済協力論壇」を開催し、その主題を「中国とアセアンの新たな成長極の一致建設——交流・協力・繁栄」と定めている。[41] なおこの論壇は継続開催され、二〇二二年の第十二回では環北部湾経済協力区の商工関係者が北部湾国際門戸港の共同発展を訴えている。[42] とりわけ二〇二三年四月三日には広西北部湾国際港務集団がシンガポール港湾庁（Port of Singapore Authority、二〇〇三年十二月以来政府出資の投資企業テマセクの傘下にある）と提携しており、後述のシンガポールとの経済関係も深化している[43]。

もちろん中央政府も対応を怠ってはいない。前述の習近平講話に登場した一帯一路とは、衆知のごとく二〇一三年九月七日の「絲綢之路経済帯」（一帯）、また二〇一三年十月三日の「二一世紀海上絲綢之路」（一路）に基づくものとい い[44]、以降は陸と海の戦略プロジェクトとして成長してきた。各国首脳が一堂に集う一帯一路国際協力ハイレベルフォーラム（一帯一路国際合作高峰論壇、Belt and Road Forum for International Cooperation）も二〇一七年五月十四日、二〇一九年四月二十五日、二〇二三年十月十七日に北京で開会されている。また、同じく講話に登場した「西部陸海新通道」とは「南向通道」として出発した国際プロジェクトを指し、現在では北部湾を中心軸とする南北の巨大回廊を形成しつつあり、その重要な参加国シンガポールの影響も計り知れない。そこで以下より中国とシンガポールの経済面での協力関係を跡づけていく。

シンガポールでは一九五九年五月三十日にイギリスの自治州として初の選挙が行われ、李光耀（LEE Kuan-yew）が初代首相に就任し、一九六三年九月十六日には周辺諸邦とともにマレーシア連邦を設立するものの、一九六五年八月九日に独立した。その当初は独立時の経緯やシンガポールの立地から必ずしも中国との関係は良好ではなく[45]、シンガポール側は「第三の中国」（third China）と為らないことを表明していたし[46]、中国側も脱華語をすすめ西側陣営へ傾くシンガポールを「李光耀傀儡」などと呼称していた[47]。その後は関係改善が進み、李の首相退任直前となる一九九〇年十月三日にシンガポールはアセアン諸国で最後に中国と国交を結ぶこととなった[48]。

そして一九九二年の秋、李光耀が中国の沿海部を歴訪するが[49]、蘇州では市長の章新勝から外貨準備の一割にあたる五十億ドルの投資を持ち掛けられる[50]。そして帰国直前の十月九日、随行していた副首相の王鼎昌（ONG Teng-heong）が記者に対して蘇州でのシンガポール式の巨大工業団地建設を李の意思として伝えたのであった。[51] おりしも鄧小平が同年一月から二月にかけて各地で「南巡講話」を発し、[52] 十月十八日に閉幕した党第十四次全国代表大会で江沢民体制を盤石とし、さらに西側諸国の一員である日本が同年十月二十三日に天皇訪中を実現し、[53] 西側との関係改善が模索された時期にあたる。こうして「中国新加坡蘇州工業園区」(China-Singapore Suzhou Industrial Park) が誕生し、商慣行など多くの文化摩擦を起こしながらも、シンガポールからの技術移転と三十億米ドルにも及ぶ資本投下が行われることとなった。[54]

また、二〇〇三年十一月に北京を訪問した首相呉作棟 (GOH Chok-tong) は自由貿易協定への議論の開始を発表した。[55] 翌二〇〇四年六月十日には蘇州工業園区十周年を記念し李が蘇州を訪問、そのうえで北京へ向かい、[56] 同月十九日には胡錦濤総書記から関係強化を求められる。[57] 七月十日に長子で副総理の李顕龍 (LEE Hsien-loong) が私人として台湾を訪問すると対中関係は冷却したものの、[58] 李光耀の働きかけもあり、[59] 二〇〇六年十月には自由貿易協定の議論を再開し、[60] 二〇〇七年四月には上級相となった呉が温家宝首相と会見し、蘇州に倣う新市街の開発に合意、自由貿易協定についても議論を進めた。[61] こうして蘇州につづいて「中新天津生態城」(Sino-Singapore Tianjin Eco-city) が二〇〇八年九月二十八日に起工し、[62] 二〇〇九年一月一日には自由貿易協定も発効したのであった。以降も投資誘致が行われる。蘇州や天津のような政府間合意ならずとも、たとえば二〇〇八年九月には広東省委書記汪洋が行政関係者や三百以上の企業の代表者を帯同しシンガポールを訪問、十一月には広東へ政府所有投資会社テマセクの首席投資官を招き、「中新広州知識城」(China-Singapore Guangzhou Knowledge City) の成立に結びつけている。[63]

そして二〇一四年七月二十八日、シンガポール副首相の張志賢 (TEO Chee-hean) と中国副首相の張高麗が会談、第三のプロジェクトにつき協議を行い、[64] つづいて八月十六日には二〇一四年南京ユースオリンピックの席上で習近平がシンガポール大統領の陳慶炎 (Tony TAN Keng-yam) と会談、アジアインフラ投資銀行への協力と中国中西部地区でのプロジェクト推進について議論した。[65] さらに二〇一五年十一月七日、国交樹立二十五周年を記念して習近平がシンガポールを訪問、ここに「中新（重慶）戦略性互聯互通示範項目」(China-Singapore (Chongqing) Connectivity Initiative) の設立を発表したのであった。[66]

なお、今次の開発拠点の重慶は過去の蘇州や天津と異なり内陸に存在するため、海洋国シンガポールからのアクセスは容易ではない。そこで二〇一六年三月十八日、重慶国際物流枢紐園、広西北部湾国際港務集団、新加坡港務集団 (Port of Singapore Authority International、一九六四年にシンガポール港湾庁として成立し、二〇〇三年十二月にテマセク全額出資会社となった）の三者が重慶鉄路港、広西北部湾港、新加坡港の「新通道」建設を策定した。[67] そしてこの「新通道」を基盤として更に大規模な交通網の整備が計画され、二〇一七年八月三十一日には重慶、広西、貴州、甘粛の各省が重慶イニシアチブの名のもとに「南向通道」(Southern Transport Corridor) の建設へ署名する。[68] 軌道に乗った流通網整備は周囲も関心を寄せ、[69] 二〇一九年一月七日には「南向」ならぬ西部各省も参加した「西部陸海新通道」(New western land-sea corridor) へと発展改組したのであった。[70] 従来、重慶を中心とする内陸部諸地域は東方を門戸としていたが、ここで南北方向の交通網が整備され新たな門戸を得たのである。しかも二〇二一年三月二十八日から六月一日にかけて上海が「封城」(ロックダウン) されると、東西間の輸送停滞により南北間の輸送が重要性を増したのであった。ここで整備対象となった「海鉄聯運班列」(rail-sea intermodal train) とは、船舶のコンテナを港湾で鉄道に移し替え輸送するもので、たとえば陝西省西安・広西北部湾・タイ王国チョンブリー県レムチャバン港といった移動を遅滞なく実現する。この「海鉄聯運班列」は二〇一七年の開始時には一百七十八編成であったものが二〇二一年には六千一百一十七編成、そして第二節前出の「海鉄聯運集装箱碼頭」完成を経た二〇二三年には十二月十二日をして九千編成を越えるまでに成長したのであった。[71]

四．おわりに

辺境に位置する広西は、時の政権が実施したそれぞれ三線建設、対口支援、西部大開発といった開発援助によって発展していく。しかしその歩みはなお遅々としたものであり、事前に描かれたほどの成功を収めたわけではなかった。そこにアセアン諸国の興隆や世界規模のサプライチェーンの成立があり、隣国との関係が急速に重要度を増し経済発展の新たな基盤となった。おりしもシンガポールは中国と国交を樹立、以降は李光耀と江沢民のあいだで蘇州工業園区が、次代の呉作棟と胡錦濤のあいだで天津生態城が、さらに李顕龍と習近平のあいだで重慶イニシアチブが締結された。そしてシンガポール側からは技術移転と資本投下が行われ、文化摩擦など紆余曲折を経ながらも時々の両国の紐帯強化に寄与したのであった。しかも、蘇州はともあれ天津と重慶の立地選択はおそらく中国側の希望によると思しい。ただしシンガポール側も、一世に一度の大型投資を最も効果の見込まれる時期で実施するべく努めているように見える。そしてこの重慶イニシアチブこそ、さらなる広西の発展に裨益するものとなった。

現在、重慶の中心部から東南に長江を三十キロメートルほど遡上する江津区の珞璜港や小南垭駅における「中新（重慶）枢紐港産業園」の整備計画が進むが、当然ながらその進路には北部湾がある。[72] 二〇二三年八月、進む交通網の整備が次のように活写されている。[73]

長々とした汽笛を響かせながら、編成番号X九五九〇の「西部陸海新通道鉄海聯運班列」はゆっくりと動き出した。オーストラリアのクラフト紙、シンガポールの食用油脂などを積んだ七十一のコンテナ、二千二百七十五トンの貨物が搭載され、広西欽州港東駅から出発し、重慶市江津区の小南垭駅を目指す。「以前、この駅はただ欽州保税港区の付属施設で、三本の待避線と二名の係員がいるだけで、別に何というほどもない貨物量を一週間に一編成で送り出すくらいだったさ」欽州港東駅の駅長である黄江南はそのように紹介する。しかし西部陸海新通道の建設が軌道に乗ると、欽州港東駅も十二本の待避線、四十三名の係員、そして毎日発着する鉄海聯運班列が二十編成ほどという国際貨物ターミナル駅へと成長し、貨物発送量は二〇一七年の二・七万トンから二〇二二年の三百二十七万トンへと一百二十倍もの増加を見せたのである。

六月のはじめ、五百トンほどの新鮮なタイ王国のドリアンを積んだ中国・ラオス・タイの「冷鏈班列」（低温流通列車）が順調に小南埡駅へと到着した。これはタイ王国のドリアンが西部陸海新通道の列車により国外からはじめて直接に中国西部の四川重慶地域に到着したものであった。小南埡駅の駅長の張雷の紹介によれば、タイ王国のドリアンは果樹園から重慶に到着するまで八十八時間しかかかっていないという。もし以前のような海運と道路での運送であれば少なくとも十日が必要であった。

実際、これら「鉄海聯運班列」編成先頭車の標志には「東南アジア・（北部湾）欽州・（陝西省）西安」や「アラブ首長国連邦・欽州・（甘粛省）蘭州」、さらには二〇二二年一月一日発効の「Regional Comprehensive Economic Partnership Agreement」（地域的な包括的経済連携協定）を踏まえた「RCEP・北部湾港・河北」といった経由地が大書されているのである。[74]

なお、このような生活物資のほか、国家戦略にかかわる重要物資も見逃せない。リチウム電池前駆体で世界シェア一位の中偉集団（本社は湖南省長沙市に所在）は北部湾の欽州に世界最大の製造工場を建設したが、広西中偉新能源科技有限公司総経理の胡培紅によれば「中偉集団は全国で調査を行い、欽州に最終決定をした。それは欽州が天賦の良港で物流も優勢であるうえ、中偉新材料の扱う原材料が主にインドネシアから産出され、欽州がアセアンとの提携の最前方にあたる」ためであった。[75] じっさい中偉新材料はインドネシア・スラウェシ州の東部モロワシ県で大規模なニッケルマット製錬所を建設している。[76]「資源衝突」（resource conflict）が興起し、「離岸」（offshore）が「近岸」（near-shore）や「友岸」（friend-shore）へと変化するなか、旺盛な投資こそ衰えつつあるとはいえ未だ大きな存在感を示す「一帯一路」（belt and road）や「中欧班列」（China railway express）は東南アジアを包摂し緊密の度合いを増している。[77] おりしもカザフスタンでは「中部回廊」（Middle Corridor）による東方物資のカスピ海経由での欧洲運搬を増強するといい、[78] ロシアとイランは北方からの物資をバンダルアッバース港経由でインド洋と繋ぐ「国際南北輸送回廊」（International North-South Transport Corridor）の完成を急いでいる。[79] とはいえ、国際関係の国内波及を扱う研究は必ずしも多数存在するとは言い難い。[80] 国家機構の分節による三港合一発案の結果としての北部湾、国際プロジェクトとしての新通道、これらは今後どのように変化していくのか。今後の中国そして周辺域を占うためにも、なお注視する必要があろう。

注

（1）天英「三不要与四不管」（『申報』民国十八年（一九二九年）九月四日第六張第二十一面コラム）。なお記事は『清世宗実録』巻六四、雍正五年（一七二七年）十二月辛丑条に基づいたものであろう、訳出には当時の地方行政区分を参照した。なお欽州など諸地域は明初以来広東布政使司の管轄であったが、一九五二年三月八日に広西へ帰属し、一時的に広東に復帰したものの、一九六五年六月二十六日に改めて広西へ帰属している（史為楽編著『中華人民共和国政区沿革——一九四九－二〇〇二』人民出版社、二〇〇六年十二月）。

（2）なお三不要は雍正三年（一七二五年）十一月十四日付広西提督署都督僉事韓良輔「奏進辺境三不要地図並請将其地改入広東管轄」（国立故宮博物院図書文献処軍機処档摺件、請求記号四〇二〇一二二二九。『宮中檔雍正朝奏摺』第五輯、国立故宮博物院、一九七七年十一月に収録）や雍正三年十一月十四日付広西提督韓良輔「奏進呈辺境三不要地方地図並陳該処汛管見摺」（『雍正朝漢文硃批奏摺彙編』第六冊、江蘇古籍出版社、一九八九年八月、第三五二号文書）にも登場するが、安南国側の地方行政区分を河口ではなく禄州と表記する。禄州は広西太平府属で、雲南臨安府属の寧遠州とともに宣徳初に黎利の勢力下におかれたという。『大越史記全書』本紀巻十「黎皇朝紀」「太祖高皇帝」丁未年（宣徳二年、一四二七年）十一月二十九日条には「遣使陳情于明」、十二月十七日条には撤兵記事とともに

「封陳暠為安南国王、罷征南」とするから、そのまま領域が固着したものであろう。

（3）二〇〇九年十一月一八日に中越両国は北京市で「関於中越陸地辺界的勘界議定書」とともに「関於中越陸地辺境口岸及其管理制度的協定」へと署名し、すでに開放していた憑祥や友誼関に加えて峒中を平而関や愛店などとともに開放した（中華人民共和国外交部辺界与海洋事務司『中華人民共和国辺界事務条約集（二〇〇四－二〇一二年）』世界知識出版社、二〇一三年十月）。

（4）それぞれ国家統計局公式サイト「地区数拠」「分省年度数拠」の「地区生産総値（億元）」および「人均地区生産総値（元／人）」を参照。

（5）「在全国脱貧攻堅総結表彰大会上的講話（二〇二一年二月二十五日）」（『人民日報』二〇二一年二月二十六日第二面）。なおその始点はロンドンでの講話にあった（「共倡開放包容 共促和平発展――在倫敦金融城市長晩宴上的演講（二〇一五年十月二十一日、倫敦）」『人民日報』二〇一五年十月二十三日第二面）。なおこの「貧困撲滅」は全土での貧困世帯消滅を意味するものではない。たとえば陳惟杉・郭志強・王紅茹「貧困県是怎麼定的？還未摘帽的貧困県都分布在哪児？」（『中国経済週刊』第七八〇期、二〇二〇年四月十五日）など。

（6）「在慶祝中国共産党成立一百周年大会上的講話（二〇二一年七月一日）」（『人民日報』二〇二一年七月二日第二面）。なお小康の用語は鄧小平「中国本世紀的目標是実現小康（一九七九年十二月六日）」（『鄧小平文選』第二巻、一九九三年十月）に始まり、「争取整個中華民族的大団結（一九八六年六月十八日）」（『鄧小平文選』第三巻、一九九三年十月）で二〇〇〇年までに実現する目標として掲げられ、第十七回党大会の報告では二〇二〇年までの目標とされた（胡錦濤「高挙中国特色社会主義偉大旗幟、為奪取全面建設小康社会新勝利而奮闘（二〇〇七年十月十五日）」『胡錦濤文選』第二巻、二〇一六年九月）。

（7）顧仲陽・蘇濱「貴州貧困県全部脱貧摘帽――党的十八大以来、累計実現脱貧九二三万人、毎年減貧一〇〇万人以上」（『人民日報』二〇二〇年十一月二十四日第一面）。

（8）王艶群・梁乾勝・陳静・藍鋒・蒙志献・周映・駱遠柱・周政光・蒙進煌・莫迪・駱怡・康安・呉麗萍・梁瑩「脱貧摘帽非終点 勠力同心再出発――我区貧困県全部脱貧摘帽在社会各界引起強烈反響」（『広西日報』二〇二〇年十一月二十三日第一面）。

（9）その端緒は第三次五ヶ年計画（一九六六年から一九七〇年）策定の一九六四年五月にあるという。薄一波「〝三五〟計劃的制定与三線建設的展開」（『若干重大決策与事件的回顧』下巻、中共中央党校出版社、一九九三年六月）、金衝及編『周恩来伝』（第四冊、中央文献出版社、一九九八年二月）第六十二章「在備戦形勢下制定第三個五年計劃」一九六四年五月十五日至六月十七日条、丸川知雄「「三線」は今――六十年代西部開発の遺産」（『日中経協ジャーナル』第十三号、二〇〇三年六月）を参照。なお毛沢東は中央政治局拡大会議の席上「論十大関係（一九五六年四月二十五日）」（『毛沢東選集』第五巻、人民出版社、一九七七年四月）において沿海と内地の経済関係を対比しつつ軍需目的での内地への工場移転を提案している。

(10)「前十年為後十年做好準備（一九八二年十月十四日）」（『鄧小平文選』第三巻、一九九三年十月）。

(11)「在全国辺防工作会議上的報告（節録）（一九七九年四月二十五日）」（内蒙古烏蘭夫研究会『烏蘭夫論民族工作』中央党史出版社、一九九七年七月）、また「加速発展辺疆・少数民族地区的経済文化建設、做好辺防工作（一九七九年四月二十五日）」（『烏蘭夫文選』下冊、中央文献出版社、一九九九年六月）。両書はともに『烏蘭夫叢書』（中央文献出版社、二〇一三年四月）に収録されている。なお中央は一九七九年七月三十一日にこの提言を全国へ「批転」している。

(12)「根拠中央関於加強辺疆地区建設的指示 江蘇与広西結成対口支援省区」（『人民日報』一九八〇年七月二十四日第一面）。

(13)「党中央国務院批転中央統戦部国家民委『関於民族工作幾個重要問題的報告』」（王振川主編『中国改革開放新時期年鑑（一九八七年）』二〇一五年十月、一九八七年四月十七日条）。なお習仲勲には少数民族関係に大きな貢献があったという。王双梅「新中国成立初期習仲勲対西北民族工作的重要貢献」（『中共党史研究』二〇一七年第一期）、閔言平「做好新形勢下民族工作必須加強党的領導」（『中国民族』二〇二一年第五期）。この「対口」はその後もたとえば二〇〇八年六月十八日には「汶川地震災後恢復重建対口支援方案」（四川大地震対策）、二〇二〇年二月九日には「省際対口支援湖北省除武漢以外地市新型冠状病毒肺炎防治工作方案」（新型コロナウイルス感染症対策）といった形で継続運営されている。

(14)「不失時機地実施西部大開発戦略（一九九九年六月十七日）」（『江沢民文選』第二巻、人民出版社、二〇〇六年八月）。その後に細目の策定が行われていく（『人民日報』二〇〇〇年十二月二十八日第二面「国務院関於実施西部大開発若干政策措施的通知」）。

(15)国家計劃委員会・国務院西部地区開発領導小組辦公室「〝十五〟西部開発総体規劃」（『山区開発』二〇〇二年第九期、二〇〇二年九月三十日）、「西部」の規定については「前言」、また広西については第三章「西部開発的重点区域」第三節「南貴昆経済区」に記載がある。

(16)中華人民共和国北海海関編『北海海関志』（広西人民出版社、一九九七年三月）。

(17)「中共中央・国務院関於批転『沿海部分城市座談会紀要』的通知（一九八四年五月四日）」（鍾堅・郭茂佳『中国経済特区文献資料』第一輯、社会科学文献出版社、二〇一〇年六月、第一章「中共中央・国務院有関文件」）。一九八四年二月の鄧小平の広東福建視察をうけて開催された会議で、改革開放をさらに進めるために大連、秦皇島、天津、煙台、青島、連雲港、南通、上海、寧波、温州、福州、広州、湛江、北海の開港が決定した。なおそこでは「不能指望中央拿很多銭」「総的看来利用外資還不够」「加快利用外資・引進先進技術的歩伐」といった文言が見え、次節に見るシンガポール資本導入やアセアン貿易と通底する、中央依存ではない外資獲得が指摘されている。

(18)「批覆選摘」（『中華人民共和国国務院公報』第七七七号、一九九四年十二月三日）には一九九四年六月十四日に欽州港、同年十月二十日に石頭埠港の開放が記されている。なおこの判断は一九七九年の中越戦争による関係悪化の解消をめざしたものであり、総書記の杜梅（ドームオイ）と主席の黎徳英（レドゥックアイン）の招待で江沢民主席が河内（ハノイ）を訪問、一九九四年十一月二十二日の「中越聯合公報」により（同『公報』第七七七号）、経済や友好を表明している。

(19) SUN Yat-sen, *The International Development of China*, George Palmer Putnam's Sons, 1922. なお上海の英字誌『The Far Eastern Review』一九二〇年六月号に掲載の「Port and Railway Schemes for South China: Dr.Sun Yat Sen's Third Program for the International Development of China Continued from April Issue.」に二等港が詳細に提案される。武上真理子「孫文『実業計画』の同時代的位相――英・中文初出稿とその評価をめぐって」(『人間・環境学』第一九巻、二〇一〇年十二月)。

(20) 一九六八年三月二十二日に北京で「関於中華人民共和国給予越南民主共和国経済技術援助的協定」(中越三・二二協定)が結ばれ、防城港の掘削が行われたという(王海波・杜寧・李姣夢・廖翠栄「従前辺陲小碼頭、今天億噸大港口」自治区委員会『当代広西』二〇二一年第四・五期、二〇二一年三月一日。中華人民共和国外交部条約法律司編『中華人民共和国辺界事務条約集』中越巻、世界知識出版社、二〇〇四年七月)。なお、呂紅娟「防城港全力打造〝通道経済〟」(『学習時報』第三三三期、二〇〇六年二月)によれば、一九七二年十一月十一日に周恩来が交通部『援越運輸情況簡報』で「不論越南戦争停戦与否、防城港応立即隠蔽拡建、限期完成」と述べたという。

(21) 周紅梅「北部湾港防城港域建港五五週年系列活動挙行――〝北港故里〟歴史文化中心掲牌、九大項目開工」(『広西日報』二〇二三年三月二十三日第七面)。なお二〇二三年現在では一万トン以上のものとして三十九バースを数えるという。

(22) 李志倹・李静「改革開放中建設石歩嶺新港区」第三節(上海社会科学院・北海市社会科学聯合会・北海職業学學院合編『海絲北海』上海社会科学院出版社、二〇二一年十月)。

(23) 孫穂芳「在広西欽州港万吨級碼頭啓用慶典上的講話」(広西欽州市政協文史資料委員会編『欽州文史』第二輯「孫中山与欽州専輯」、一九九六年六月、特集「継承中山宏願開発建設欽州大港」)。なお開業に至る軌跡について同『欽州文史』に丘瑜芬・謝紹引「敢為天下先――開発欽州港前期工作紀実」(『広西日報』一九九二年四月六日第二面)が転載される。

(24) 国家発展和改革委員会・国務院西部地区開発領導小組辦公室「西部大開発〝十一五〟規劃」(『西部大開発』二〇〇七年第四期、二〇〇七年四月一日)第六章「引導重点区域加快発展」第一節「推進重点経済区率先発展」。なお覃茂鑫「広西北部湾経済区発展駛入快車道」(自治区委員会『当代広西』二〇〇七年第八期、二〇〇七年四月十六日)では「規劃」での北部湾特記を歓迎する。

(25) 国家統計局編『中国統計年鑑二〇二二』(総第四十一期、中国統計出版社、二〇二二年九月)第十六章「運輸・郵電和軟件業」第二十六節「沿海港口貨物呑吐量」、なお防城港の二〇〇〇年度および二〇〇五年度については「二〇〇〇年防城港市国民経済和社会発展統計公報」(『防城港市年鑑一九九九‐二〇〇〇』広西人民出版社、二〇〇三年十月「統計資料」)、「二〇〇五年防城港市国民経済和社会発展統計公報」(『防城港市年鑑二〇〇六』広西美術出版社、二〇〇七年三月「統計資料」)による。

(26) 熊紅明・程群「北部湾城市群〝抱団〟打造中国経済新増長極」(『経済参考報』二〇一〇年三月三十一日第六面)。

(27) 東京湾は外湾部浦賀水道を含まない内湾部が九百二十二平方キロメートルであり、およそ欽州湾と相等する。また洲崎灯台から下田までが約八十キロメートルであり、防城港・欽州港・北海港の距離と相等する。いわば北部湾港とは、横須賀港、横浜港、川崎港、東京港、千葉港、木更津港といった港湾が価格面での過当競争を廃し大合同を遂げたものといえる。

(28) 熊紅明・程群「広西通過港口整合打造中国——東盟航運中心」(『法制与経済』二〇一〇年第五期)。なお二〇〇六年の広西の十届人大四次会議は一月十二日から十六日にかけて開催されている。

(29) 広西壮族自治区人民政府辦公庁「関於成立自治区組建広西北部湾開発投資有限責任公司和北部湾(広西)国際港務集団有限公司領導小組的通知」(『広西壮族自治区人民政府公報』二〇〇六年第二十四期)、桂文「広西成立北部湾国際港務集団」(『現代物流報』二〇〇七年二月一日号)。なお法制整備も進んでいる(「広西壮族自治区港口条例」『広西日報』二〇一〇年十二月十九日第六面、「広西北部湾経済区条例」『広西日報』二〇一〇年二月六日第四面、「関於深化北部湾経済区改革若干問題的決定」『広西日報』二〇一四年十一月五日第六面)。

(30) 周驍駿・童政「北部湾:沿海経済発展新一極——写在国家正式批准『広西北部湾経済区発展規劃』実施之際」(『経済日報』二〇〇八年二月二十八日第十五面)。なお「規劃」本文は広西北部湾経済区規劃建設管理委員会編『『広西北部湾経済区発展規劃』解読』(広西人民出版社、二〇〇八年四月)。北部湾は公的な国家綜合配套改革試験区としては数えられていないものの、二〇一八年十一月三十日に欽州学院が北部湾大学に改称するなど地域としての一体性は高まっている。北部湾以前の「試験区」設置の具体的な諸相は二〇〇五年六月二十一日の上海浦東新区、二〇〇六年五月二十六日の天津浜海新区、二〇〇七年六月七日の重慶市統籌城郷おなじく成都市統籌城郷、二〇〇七年十二月十四日の武漢城市圏〝両型〟社会建設おなじく長株潭城市群〝両型〟社会建設となる。陳振明・李徳国「国家綜合配套改革試験区的実践探索与発展趨勢」(『中国行政管理』二〇〇八年第十一期)などを参照。

(31) 中国港口年鑑編輯部『中国港口年鑑二〇一〇版』(中国港口雑誌社、二〇一〇年九月)「大事記」「〝広西北部湾〟名称啓用」。

(32) 熊紅明・程群「三港合力、舞動中国西部沿海経済龍頭」(『経済参考報』二〇一〇年三月三十一日第七面)、なお程群・熊紅明「〝後起之秀〟成為〝経済龍頭〟」(同第五面)熊紅明・程群「北部湾城市群、〝抱団〟打造中国経済新増長極」(同第六面)も参照のこと。

(33) 直接に北部湾を示すものではないが、広西全般について人民日報評論部「後発優勢、蹲下身子好〝蛙跳〟」(『人民日報』二〇一八年十一月二十六日第五面)。ただし葉燕「西部陸海新通道 通則不痛」(『成都商報』二〇一九年十月二十九日第一面)の引く広西西津投資集団の林祥の言によれば「通関の速度が深圳にくらべて遅すぎる。一般論として、広西では出港に七日以上かかるところ、深圳では一日か二日である」といい、改善の余地はなお存在するようである。

(34) 岑琴・韋宏寧「科技賦能 高效有序——北部湾港欽州自動化集装箱碼頭見聞」(『広西日報』二〇二三年十月七日第一面)。自動化バースだけで見れば上海洋山港や山東日照港が先行する。宋傑「全球最大単体全自動化碼頭 上海洋山港四期開港」（『中国経済週刊』二〇一七年第四十九期）、孫向陽・宋慶艶「日照港的〝碼頭革命〟——走進山東港口日照港全球首個順岸開放式全自動化集装箱碼頭」（『日照日報』二〇二一年十一月二十一日第一面）。

(35) 二〇二三年九月二八日公開、交通運輸部綜合規劃司「二〇二三年八月全国港口貨物・集装箱呑吐量」（請求記号 000019713004/2023-00081、https://xxgk.mot.gov.cn/2020/jigou/zhghs/202309/t20230928_3924438.html）。

(36) 賀根生「広西北部湾跨入全面〝蛙跳〟発展期」（『中国科学報』二〇一二年二月十八日第四面）。

(37) 広西壮族自治区統計局・国家統計局広西調査総隊「二〇二二年広西壮族自治区国民経済和社会発展統計公報」（『広西日報』二〇二三年三月三十一日第五面）。

(38) 『宋會要輯稿』職官四四ノ二〇「市舶司」紹興七年（一一三七年）閏十月三日条では南宋初代皇帝の高宗が「市舶之利最厚、若措置合宜、所得動以百萬計、豈不勝取之於民。朕所以留意於此、庶幾可以少寛民力爾」（市舶（貿易関税）の利はたいへんに厚く、もしも適宜の措置を講じれば、百万単位の収入を得ることができる。この額を民から徴収するより実に優れていよう）と述べている。

(39) 「習近平在広西考察工作時強調——以優異成績迎十九大勝利召開」（『人民日報』二〇一七年四月二十二日第一面）。

(40) 「習近平在広西考察時強調——解放思想深化改革凝心聚力担当実幹 建設新時代中国特色社会主義壮美広西」（『人民日報』二〇二一年四月二十八日第一面）。

(41) 童政・来潔「二〇〇八泛北部湾経済合作論壇開幕」（『経済日報』二〇〇八年七月三十一日第九面）。

(42) 龐革平・張雲河「共享発展新機遇 共贏泛北新未来——第十二届泛北部湾経済合作論壇綜述」（『人民日報』二〇二二年七月九日第五面）。

(43) 周紅梅「桂新携手求発展 共享機遇贏未来——二〇二二年広西与新加坡進出口額超六八億元人民幣、同比増長九九．一％」（『広西日報』二〇二三年四月四日第三面）。

(44) それぞれ「習近平在哈薩克斯坦納扎爾巴耶夫大学発表重要演講——弘揚人民友誼 共同建設〝絲綢之路経済帯〟」（『人民日報』二〇一三年九月八日第一面）、「習近平同印度尼西亜総統蘇西洛挙行会談——中国印尼関係提昇為全面戦略夥伴関係」（『人民日報』二〇一三年十月三日第一面）。

(45) Albert LAU, *A moment of anguish: Singapore in Malaysia and the politics of disengagement*, Times Academic Press, 1998. や呉元華（GOH Yuen-wah）『務実的決策——人民行動党与政府的華文政策研究 一九五四－一九六五』（聯邦出版社、一九九九年。『務実的決策——新加坡政府華語文政策研究』当代世界出版社、二〇〇八年十二月）、田村慶子「シンガポールの国民統合政策と華語派華人」（九州大学法政学会『法政研究』第七八巻第三号、二〇一一年十二月）、ZHENG Yong-nian（鄭永年）and LYE Liang-fook（黎良福）, *Singapore-*

China Relations: 50 years, World Scientific, 2015、李淑飛「人民行動党的族群管治策略――新加坡建国初期的「華文官化事件」与族群政治」（呉小安・黄子堅主編『全球視野下的馬新華人研究』科学出版社、二〇一九年七月）など。

(46) シンガポール国立公文書館（National Archives of Singapore）にはオーストラリア放送協会のNeville PETERSENによる独立前夜の一九六五年四月九日のインタビューが収録されている（請求記号lky19650409）。そこでピーターセンは「華人による現住国以上の北京指向」（more orientated to Peking than to their own countries）を問うと、李光耀（LEE Kuan-yew）は「私は中国とのつながりを断ち切っている」（I've cut my links with China）と応えたのであった。また新生シンガポールで副首相となった杜進才（TOH Chin-chye）は一九六六年六月二十三日に「Not as a third China, just because there are 75% Chinese」（四分の三が華人であってなお第三の中国とならず）と発言している（同公文書館、請求記号PressR19660624））。

(47)『人民日報』一九六八年十一月十四日第六面「各国人民反美反圧迫鬥争不断興起」には「馬来亜社会主義陣線」（Barisan Sosialis Malaya）による華字紙『陣線報』からの引用として「吊死拉赫曼・李光耀傀儡」「打倒美英帝国主義！打倒拉赫曼・李光耀走狗！不准迫害反帝戦士！」（拉赫曼はマレーシア建国の父であるトゥンク・アブドゥル・ラーマンを指す）と記載されている。なお『陣線報』では「黄皮膚的英国人――李光耀」（第四一二期、一九七〇年六月十二日、なお本号題字の右横には毛語録が配されている）といった特集記事も組まれていた。

(48) 李の回顧録（LEE Kuan-yew, *From Third World to First: The Singapore Story 1965-2000*, Times Media and The Straits Times Press, 2000.）第三十九章「Tiananmen」第二節に「Singapore would be the last country in Asean to establish diplomatic relations with China」とする。

(49) 当時の李はシンガポール上級相（Senior Minister、国務資政、一九九〇年十一月二十八日就任）、人民行動党（People's Action Party）の秘書長（Secretaries General、一九九二年十一月十四日退任）の任にあった。

(50) 前掲の李の回顧録第四十章「China: To Be Rich Is Glorious」第二節。なおそれは「build a miniature Singapore」という目算でもあった。ここで章は流暢な英語で交渉を行ったという（蕭瑶「蘇州工業園区堅定不移沿著習近平指引的方向砥礪前行――建設最美窗口 打造一流園区」『蘇州日報』二〇二三年七月九日第三面）。

(51) 蘇州工業園区地方志編纂委員会編『蘇州工業園区志』（江蘇人民出版社、二〇一二年四月）「志餘」「行者親歴」。

(52) 陳錫添「東方風来満眼春――鄧小平同志在深圳紀実」（『深圳特区報』一九九二年三月二十六日第一面、『人民日報』一九九二年三月三十一日第一面）。

(53)『朝日新聞』二〇二三年十二月二十一日第六面「天皇訪中、曲折の一九九二年 外交文書公開」。

(54) 前掲の李の回顧録第四十章。すでに二〇〇二年一月の時点で十五億ドルに達していたという（CHAN Chao-peh, "Singapore enterprises to invest even more in Suzhou", *The Straits Times*, 2002 January 19th, page 8.）。

(55) Jason LEOW, "S'pore to focus on winding up Asean-China FTA talks", *The Straits Times*, 2003 November 21th. Page 2.

(56) シンガポール国立公文書館にはスピーチ原稿（請求記号 2004061002）や外訪日程（請求記号 2004060103）が残されている。

(57) 劉東凱「胡錦濤会見新加坡客人」（『人民日報』二〇〇四年六月二十日第一面）。その内容は「他希望中新双方把工業園区合作的成功経験、運用到新的合作領域、不断拡大合作成果、努力把中新互利友好合作関係提高到新的更高的水平」というものであった。

(58) Jason LEOW, "DPM in Taiwan: Beijing reacts", *The Straits Times*, 2004 July 14th, page 3. また "How China views DPM's visit to Taiwan", *The Straits Times* asia, 2004 July 14th, page 1.

(59) 当該時期を含む長期間を駐華大使として勤務した陳燮栄（CHIN Siat-yoon）による回顧での指摘（KOR Kian-beng, "Mr Lee paid heed to input from people on the ground", *The Straits Times*, 2015 March 28th, page 15.）。

(60) Daniel BUENAS, "China, Singapore Kick Off Free Trade Talks in Beijing", *Business Times*, 2006 October 27th, page 20. なお、二〇〇七年一月二五日には「新加坡天津経済貿易理事会」（Singapore-Tianjin Economic and Trade Council）が成立している（Singapore's Ministry of Trade and Industry, "Singapore-China Investment Ties to Strengthen with New Areas of Cooperation", 2007 January 25th. https://www.mti.gov.sg/Newsroom/Press-Releases/2007/01/Singapore-China-Investment-Ties-to-Strengthen-with-New-Areas-of-Cooperation）。

(61) Tracy QUEK, "S'pore, China to jointly develop an 'eco-city'", *The Straits Times*, 2007 April 26th. page 1.

(62) Tracy QUEK, "Top leaders from Singapore and Beijing break ground for eco-city", *The Straits Times*, 2008 September 29th. page 10. なお、資金についてはZHAN Changjie and Martin DE JONG, "Financing Sino-Singapore Tianjin Eco-City: What Lessons Can Be Drawn for Other Large-Scale Sustainable City-Projects?", *Sustainability*, volume 9 number 2, 2017 February.

(63) 楊興雲「広州〝知識城〟——開発区三・〇」（『経済観察報』第四二九期、二〇〇九年七月二十七日）、李妍「中新広州知識城管委会掲牌」（『広州日報』二〇一〇年十二月二十六日第一面）。

(64) Rachel CHANG, "S'pore, China looking at possible third joint project", *The Straits Times*, 2014 July 29 th, page 1.

(65) 杜尚澤・王偉健「習近平会見新加坡総統陳慶炎」（『人民日報』二〇一四年八月十七日第二面）。

(66) 「中華人民共和国和新加坡共和国関於建立与時俱進的全方位合作夥伴関係的聯合声名」（『人民日報』二〇一五年十一月八日第三面）。

(67) 楊駿「衝破山海阻隔　加速交往歩伐——新加坡重慶携手合作〝一帯一路〟建設結出累累碩果」（『重慶日報』二〇二二年十月三十日第四

面)。

(68) 陳国棟「渝桂黔隴将共建中新互聯互通項目南向通道」(『重慶日報』二〇一七年九月二日第二面)。

(69) 趙宇飛「西部十省份共建中新南向通道」(『経済参考報』二〇一八年四月二十四日第七面)。

(70) 譚柯「陸海新通道発力 内陸開放高地提速」(『重慶晩報』二〇一九年十二月二十七日第二面)、葉燕「西部陸海新通道 通則不痛」(『成都商報』二〇一九年十月二十九日第一面)。

(71) 龐革平・張雲河「共享発展新機遇 共贏泛北新未来——第十二届泛北部湾経済合作論壇綜述」(『人民日報』二〇二二年七月九日第五面)、龐革平「広西高水平建設西部陸海新通道」(『人民日報』二〇二三年十二月二十日第三面)。

(72) 劉宇凡「中新(重慶)枢紐港産業園激活澎湃動能」(『国際商報』二〇二三年十一月八日第八面)。

(73) 苑基栄「六年来、西部陸海新通道鉄海聯運班列集装箱運量増長二三倍——打通西部大通道、助力高質量共建〝一帯一路〟」(『人民日報』二〇二三年八月十八日第三面)。

(74) 劉剣「加快建設西部陸海新通道」(『人民日報』二〇二三年三月一日第十八面)、また簡文湘「港澳台同胞看全国両会——強信心 激活力 促発展」(『広西日報』二〇二三年三月七日第八面)。

(75) 羅継梅・銀格「打造千億級新能源材料産業欽州底気何来?」(『広西日報』二〇二二年七月七日第十二面)。

(76) "China's CNGR to build nickel matte plant in Indonesia", *Argus Media*, 2021 April 9th. (https://www.argusmedia.com/en/news/2203683-chinas-cngr-to-build-nickel-matte-plant-in-indonesia)

(77) 程群「北部湾港口群成衔接〝一帯一路〟重要門戸」(『経済参考報』二〇一七年二月二十八日第七面)、簡文湘「中国・東盟港口城市合作日益深化」(『広西日報』二〇二一年八月二十七日第一八面)。また広西壮族自治区人民政府辦公庁「関於成立中国・東盟港口城市合作網絡建設工作領導小組的通知」(『広西壮族自治区人民政府公報』二〇一三年第三十三期)。

(78) Assel SATUBALDINA, "Cargo Transportation Along Middle Corridor Soars 88%, Reaches 2 Million Tons in 2023", *The Astana Times*, 2023 December 28th. https://astanatimes.com/2023/12/cargo-transportation-along-middle-corridor-soars-88-reaches-2-million-tons-in-2023/

(79) "Iran, Russia sign $1.6bn contract to build Rasht-Astara railway", *Islamic Republic News Agency*, 2023 May 17th. https://en.irna.ir/news/85113739/Iran-Russia-sign-1-6bn-contract-to-build-Rasht-Astara-railway

(80) たとえば穆尭芊・徐一睿・岡本信広編著『「一帯一路」経済政策論——プラットフォームとしての実像を読み解く』(日本評論社、二〇一九年七月)、磯部靖『中国統治のジレンマ——中央・地方関係の変容と未完の再集権』(慶應義塾大学出版会、二〇一九年十二月)など。

あとがき

世に姉妹篇という言葉がある。本書は中国社会に関する一書の続編として起案されたもので、著者にとり姉妹編を構成するはずであった。先行する予定であった一書は二〇一二年提出にかかる博士学位請求論文を母体とし、近代を主軸として官僚社会の変容を追う基盤の第一篇となる。そして本書は清代の言論空間や現代の社会関係を扱う各論の第二篇である。しかし第一篇は筆者の多分に楽観的な当初予測を裏切り未だ姿を見せず、なお計画段階という霧の彼方にある。おりしも多摩大学出版会より第二篇出版の企画を頂戴し、姉妹篇はその順序が先後顛倒することとなった。

さて、先行予定であった一書と本書はともに中国における権威の様相と分節の構造について調査解明するという試案に出たもので、このうち本書なかでも第二部「分節と演者」は多摩大学奉職以来の諸論を母体としている。ここに初出題名を列挙しよう。第一部「権威と言説」第一章は「清末出版統制序説――禁書指定・自主規制・地下出版のはざまで」(東北大学大学院文学研究科 大学院GP事務室『平成二一年度事業成果報告書』東北大学大学院、二〇一一年三月)、第二章は「中国題名録文化――官員名冊的形成与発展」(朱鴻林編『第四届中国古文献与伝統文化国際研討会会議論文匯編』香港理工大学中国文化学系、二〇一三年十二月)である。また第二部「分節と演者」の第三章は「中国における標語宣伝と出版活動――軍への学習・教育と人事査定を中心に」(『経営情報研究』第二十三号、二〇一九年二月)、第四章は「党と企業――中国における政党と企業の関係性および企業ガバナンス」(『経営情報研究』第二十四号、二〇二〇年二月)、第五章は「考を以て学を促す――現代中国の大学入学試験制度と社会科教育に関する一考察」(『経営情報研究』第二十五号、二〇二一年二月)、第六章は新稿、第七章は「老人と網――中国における高齢者福祉と網格化管理の関係性」(『経営情報研究』第二十七号、二〇二三年二月)、第八章は「辺疆と開発の国際関係――広西北部湾国際港と西部陸海新通道をめぐって」(『経営情報研究』第二十八号、二〇二四年二月)である。なお加えて企画段階では第一部「権威と言説」に「近代中国における出版自主規制について——清末と現代にみる言葉遊びの真実」(東北大学大学院文学研究科 大学院GP事務室『組織的な大学院教育改革推進プログラム(大学院GP)「歴史資源アーカイブ国際高度学芸員養成計画」平成二一年度院生プロジェクト成果報告書』東北大学大学院、二〇一一年二月)、また「曽国藩和他的親信史家——従清末到民初 太平天国起源伝説的形成過程」(王継平主編『曽国藩研究』第一輯、湖南人民出版社、二〇〇七年六月。以下「起源伝説」と称す)、および「清朝的歴史意識——以遼王朝為中心」(中国社会科学院歴史研究所ほか編『中国社会科学論壇——第三届中国古文献与伝統文化国際学術研討会論文集』中国社会科学院歴史研究所、二〇一二年十月)を収録し、さらに「追思と洞察——近現代中国の変容過程からみる実践知の試み」(『経営情報研究』第二十六号、二〇二二年二月)を大幅に改稿した終章において各章に関係する新たな知見の指摘に努めた上で全体を概括俯瞰する予定であったが、紙幅の都合により已むを得ず削除にいたった。

本書の執筆と刊行、そしてその着想の基礎には実に多くの方々の援助と助言があった。第一部の言説研究は千葉大学文学部に提出した卒業論文「「洪秀全伝」の誕生——清末期の記憶形成に見る知識人の意識形態」(二〇〇一年三月学位授与、さきの「起源伝説」の原型である)が出発点にある。史学科で筆者を温かく迎えてくださった山田賢先生はおりしも『中国の秘密結社』(講談社、一九九八年九月)を出版され、「「官逼民反」考——嘉慶白蓮教反乱の「叙法」をめぐる試論」(『名古屋大学東洋史研究報告』第二十五号、二〇〇一年三月)の準備をなさっていた。人々を反乱へと導く情熱、事後の冷徹な叙述、こうした当事者たちの生の声に筆者は歴史学の面白さを肌で感じることができたのである。そののち東北大学大学院に進学し、視点をあらため言説の筆者となる士大夫たち、そして彼らの織りなす官僚社会を調査分析していくこととなる。この学恩は将来の刊行を期す姉妹篇の謝辞を参考されたい。なお偶然の出会いから国際基督教大学の菊池秀明先生、東京大学の並木頼寿先生より漢文演習や研究会の場で近代史の基礎そして現代への視座をご教示いただいた。上海の復旦大学へ留学し民国経済史の朱蔭貴先生の門を叩いたのもこのころである。現実の中国を実地で体感し、当地の人々の思考に触れたことは得難い経験となった。以降、官僚社会、言説形成、現代調査が筆者の主要な目標となる。

また帰国後には東北大学東北アジア研究センターの磯部彰先生のご厚意を受けて小説演劇や出版文化の世界にもお導きいただいた。そして東北大学文学部での助教勤務を終えるころおい、外務省で勤務する機会を得た。それまで生半可な知識経験から管見するに留まっていた現代中国であったが、ここで長期的観察を続ける外交官とともに多方面からじっくりと向き合うことができたのである。その後に多摩大学経営情報学部に奉職するが、ここでは中国に関する専著も有する寺島実郎学長、また三井物産戦略研究所国際情報部で長く中国経済調査を担当したバートル先生の知遇を得ることになった。筆者の学部大学院時代の専業は現代ならず、それでもなお貧弱な内容ながら本書刊行にまで至ったのは偏に諸先生の御厚情の賜物である。世には跋文による来し方の回想を厭う向きもあるが、活動の原点や周辺の事情といった記録が同時代史的考察の材料となることもあろう。戴いた学恩に対し成果としての本書が斯様なものに留まり忸怩たる思いを禁じ得ない。

なお本書を刊行する多摩大学出版会は学長室事務課の運営にかかる。高野智課長、手塚悠介係長そして文伸出版事業部の宮川和久氏には前年度監修書『モンゴル帝国とユーラシア史』につづき絶望的な日程にまで遅滞した入稿校正にも拘わらず辛抱強くご支援いただいた。記して感謝申し上げたい。

私事ながら、筆者は一九八〇年六月より八三年六月まで父の赴任に従いシンガポールに暮らした。遠い記憶にある中華圏の経験が本書の根源にある。以降気儘に生きる息子を励まし続けてくれた両親、そして日々明るい話題を用意してくれる妻と子に感謝する。

二〇二四年三月七日

著者

プロフィール

水盛 涼一（みずもり りょういち）

多摩大学 経営情報学部 准教授

東京都出身。東北大学大学院にて修士・博士（ともに文学）を取得。2011年6月より東北大学大学院文学研究科で助手・助教を勤め、2017年4月より現職。専門は近代中国における官僚制度や出版文化。論文に「曽国藩和他的親信史家」（『曽国藩研究』第1輯、湖南人民出版社、2007年6月）、「清朝末期の候補官僚と人事評価」（『東北大学文学研究科研究年報』第64号、2015年3月）、「中国における標語宣伝と出版活動」（『経営情報研究』第23号、2019年1月）、監修書に『モンゴル帝国とユーラシア史 ── 社会人・大学院生・学生の目線からのグローバルヒストリー』（多摩大学出版会、2023年3月）など。

権威と分節
近現代中国の社会・教育・文化に関する断章

著者： 水盛 涼一

発行日：2024年3月31日　初版第1刷

発　行：多摩大学出版会
代表者　寺島実郎
〒206-0022
東京都多摩市聖ヶ丘4-1-1　多摩大学
Tel　042-337-1111（大学代表）
Fax 042-337-7100

発　売：ぶんしん出版
東京都三鷹市上連雀1-12-17
Tel 0422-60-2211　Fax 0422-60-2200

印刷･製本：株式会社 文伸

ISBN 978-4-89390-212-2